HINDI FOR NON-HINDI
SPEAKING PEOPLE

HINDI FOR NON-HINDI SPEAKING PEOPLE

Kavita Kumar

Rupa & Co

First Published 1994
Fourth Impression 2006

Published by
Rupa . Co
7/16, Ansari Road, Daryaganj,
New Delhi 110 002

Sales Centres:

Allahabad Bangalore Chandigarh Chennai
Hyderabad Jaipur Kathmandu
Kolkata Mumbai Pune

ISBN 81-7167-350-3

Printed in India by
Gopsons Papers Ltd.
A-14 Sector 60
Noida 201 301

PREFACE TO THE SECOND EDITION

Prompted by the overwhelming positive response to the first edition from several quarters in India and abroad, I have revised the book thoroughly and restructured it along the following lines.

1. The text has been split into 51 units, each of which deals with one particular grammar point. Of these, six new units cover in detail verbs, nouns, pronouns, adjectives, adverbs, and postpositions. A brief account of sandhi, samas (compound words), upsarg (prefix), months and dates according to Hindu calendar is given as an appendix.

2. In each Unit, language structure is followed by tabular presentation and plenty of examples with their English translation.

3. An exhaustive table of contents gives a detailed list of the subheadings in the units.

4. Detailed indexes both in Hindi and English have been incorporated at the end of the book for easy reference.

5. A comprehensive glossary of grammatical terms is given to enhance the utility of the book.

6. The use of intimidating grammatical jargon has been deliberately and carefully avoided so as to make the subject intelligible and palatable to those lacking linguistic background.

To gain maximum benefit from self study, the reader is advised to use this book along with the accompanying practice and help book which includes three sections, viz., fill in the blanks, substitutions, and translation from English to Hindi. The supplement also has an appropriate key to make it fully self-contained and independent.

The revision and restructuring tasks have benefited greatly from the unstinted and highly valuable help, advice and suggestions from Kristofer Edlund (Arboga, Sweden), Barbara Steitencron (Tübingen, Germany) and Cecilie Glomseth (Norway) to whom I am greatly indebted. I particularly value the friendly advice, guidance and support from Reinhold and Tanya Schein from time to time. Sincere thanks are due to A. K. Tiwary & R. K. Pandey of M/s. Graphics Media, Ravindrapuri, Varanasi for composing the matter to my satisfaction. I also wish to thank Ms. Lila Huettemann of Heidelberg, Germany, for her interest in my work as a Hindi teacher.

Kavita Kumar

October 31, 1996

PREFACE

Having been engaged for over a decade in teaching Hindi to foreign students of several nationalities, I was concerned at the lack of a satisfactory text which would fully meet a student's requirements. I have attempted to design these lessons with a view to introduce the readers to vowels, consonants, phonetic transliteration and speech patterns, in an easy-to-follow, readable style. Grammar structures have been explained first and are then followed by reading and comprehension passages. Glossaries and exercises have been given to enable the learners to assess their performance from time to time.

Situational dialogues have been included in order to enhance the utility of the book for tourists and other visitors to India. The dialogues should equip the reader to cope with routine tasks happening in daily life.

The English translation of Hindi structures may, in some cases, be found to be not very precise or accurate by English speaking people. I am concious of this anomaly which arises form the inherent bilingual organization; the accuracy has had to be occasionally sacrificed with a view to teaching good Hindi for which a word-for-word translation was considered essential, and which may not exactly be the same as a native speaker might use.

Because of differences in syntax and speech patterns between Hindi and various foreign languages, I have had to respond to a variety of queries, questions, and doubts from my students; this kind of interaction has been a strong motivation and driving force for undertaking and completing this venture. I have had the good fortune of interacting with a number of discerning, critical, and enthusiastic students, some of whom have themselves been involved in teaching their own native language as a foreign language in other countries; they have read portions of the manuscript and given valuable comments, criticisms, and suggestions, which I greatly value. In fact, the teaching plan incorporated in this book has been successfully tested and has enabled many students, without any prior knowledge of Hindi, to learn to read, write and speak the language fairly fluently.

Apart from my former and present students to whom I am greatly indebted, I wish to thank Mr. Kamal Malik of the Affiliated East West Press Pvt. Ltd., New Delhi, and the editorial staff of Rupa and Company, for their helpful discussions, advice, and encouragement. Gyanendra Prasad Shukla deserves special mention for typing both Hindi and English scripts.

Any comments or suggesstions for improvement of the text will be greatly appreciated.

Varanasi

February 25, 1994 **Kavita Kumar**

CONTENTS (विषय सूची)

ABBREVIATIONS

adj.	adjective
adv.	adverb
B.H.U.	Banaras Hindu University
C-1	causative-1
C-2	causative-2
Compul. str.	Compulsion Structure
Comp. v.i.	Compound verb intransitive
Comp. v.t.	Compound verb transitive
Cond. str.	Conditional structure
Conj.	Conjunct
Cont. comp.	Continuative compound
Eng.	English
exp.	Expression
f.	feminine
EE	Everyday Expression
fut.	future
G	gender
Hon.	honorific
idm.	idiom
imper.	imperative
inc. comp.	inceptive compound
inf.	infinitive
Inf.	Informal
infl. inf.	inflected infinitive
Int.	intimate
Inter.	interrogative
IPC	Imperfective Participial Constructions
m.	masculine
n.	noun
N	number
nom. case	nominative case
obj.	object
pl.	plural
non-prox.	non-proximate

Past hab.	Past habitual
Pres. ind.	Present indefinite
Pres. pass.	Present passive
Pres. perf.	Present perfect
PP	Past participle
PPC	Past participle construction
pp_n	postposition
prog.	progressive
Pron.	pronoun
prox.	proximate
R	Reading
redup.	reduplicative
refl. pron.	reflexive pronoun
rel.	relative
repet.	repetitive
sg.	singular
subj.	subject
subjunc.	subjunctive
v.	verb
v.i.	verb intransitive
v.r.	verb root
v.t.	verb transitive
'X'	any indefinite subject
⇒	changes to

Introduction

Hindi uses the Devanāgri script of Sanskrit, believed to be a divine language. Its alphabet is arranged in a fascinating, scientific order, beginning with the velars, moving forward through the prepalatals, palatals and dentals to the labials. Each row has five consonants produced in distinctly separate regions of the mouth, again very scientifically arranged; the aspirates following the non-aspirates, ending in nasal consonants, thus giving a soothing rest to the learner.

Devanagri script is written from left to right. There are no capital letters.

Being a phonetic language it has no pronunciation ambiguities. There are no silent letters. The language is almost read the way it is written.

Indian perception of life in every object is imbibed in the language; hence only two genders, masculine and feminine are recognized grammatically. The native speakers grow up with the language and learn the genders naturally without any special effort. Foreign students are advised to learn the gender with every new noun-word. The sound of a word is the master key initiating the intuitive lead to accurate gender-determination.

During my years of teaching the Hindi language to foreign students, particularly from European countries and America, I have often noticed the difficulties caused by several constructions where the subject is followed by 'को' (ko), the causative verbs as well as the use of the same word 'कल' (kal) for tomorrow as well as yesterday.

Language is after all a mirror reflecting the culture, religion, philosophy and social structure of a country. The basic Hindu belief admitting the supremacy and omnipotence of the creator of the universe, accepting Him as the doer of all activity and assuming for the people a very humble passive role as recipients of His grace or wrath is reflected in the language. Instead of the subject in the nominative case, language constructions with the dative case of the subject (i.e. subject followed by को) are found in plenty; the underlying concept is that the subject is not actively doing the action but things are actually happening to him. For instance while an English language speaker says, 'I am hungry.', 'I hurt myself.', or 'I like it', the corresponding constructions by a Hindi language speaker are 'mujh ko bhūkh lagī hai .', 'mujh ko cot lagī hai' etc., meaning respectively 'To me hunger is.', 'To me injury is.', or 'To me it pleasing is.'

1

The profuse use as well as availability of the causative verbs does not sound strange in a society like ours with ages'-long, deeply-ingrained castè structure where a class of people has been recognized as mainly existing for providing service to those higher up in the caste hierarchy - without any guilty conscience perhaps ! Naturally the native speakers did not consider it worth their effort to devise any syntactic formation to express the meaning of having something done by somebody; instead they learnt dexterously to form causative verb roots by a quick morphological process, in fixing 'आ' ( ) or 'वा' (v) between the transitive or intransitive verb roots and their 'ना' (n) endings.

Our impressions of the Time as an eternally revolving wheel without any beginning or end never presented any justification for the use of two distinctly separate words for the time past or immediately following the present. The verb endings are enough of a clue to help the smooth functioning of our worldly business.

Students will certainly come across several similar constructions while learning the language. However, if interpreted and understood in the religio-socio-philosophical background as briefly explained above, they are easily comprehended and mastered.

★ ★ ★

1

Hindi Alphabet (हिन्दी वर्णमाला)

Vowels (स्वर)

Devanāgarī	Trans-literation	Vowel symbols	Position	Pronoun-ced as
अ/ग्र	a		(this is inherent in the consonant)	*shut, cut*
आ/ग्रा	ā	ा	(follows the consonant)	*bar, car*
इ	i	ि	(precedes the consonant)	*hit, sit*
ई	ī	ी	(follows the consonant)	*seat, heat*
उ	u	ु	(subscript)	*put*
ऊ	ū	ू	(subscript)	*fool, pool*
ऋ	ṛ	ृ	(subscript)	*grip, trip*
ए	e	े	(superscript)	*hate*
ऐ	ai	ै	(superscript)	*bat,mat*
ओ/ग्रो	o	ो	(follows the consonant)	*boat, coat*
औ/ग्रौ	au	ौ	(follows the consonant)	*thought, caught*

Consonants (व्यंजन)

nonas-pirate	aspi-rate	nonas-pirate	aspi-rate	nasal	
क ka	ख kha	ग ga	घ gha	ङ ṅa	Velars
च ca	छ cha	ज ja	झ (भ्क) jha	ञ ña	Prepalatals
ट ṭ	ठ ṭha	ड ḍa	ढ ḍha	ण (रा) ṇ	Retroflexes
		ड़ ṛ	ढ़ ṛha		Flaps
त t	थ tha	द da	ध dha	न na	Dentals
प pa	फ pha	ब ba	भ bha	म ma	Labials
य ya	र ra	ल (ल) la	व va		Semi-vowels
श śa	ष Ṣa	स sa			Sibilants
	ह ha				Glottal
क्ष kṣa	त्र tra	ज्ञ/ज्ञ jña (gya)			Conjunct consonants

The first vowel अ is inherent in all the consonants for phonetic ease. The consonants without the vowel 'अ' called हल (hala) have a subscript stroke written left to right downwards e.g. क्, ख्, ग् etc..

■ Nasalized vowels (अनुनासिक स्वर) :

Use of 'candrabindu' (चन्द्रबिन्दु) (ँ)

All Hindi vowels have their nasalized form where the air passes freely through the nasal cavity. They use the symbol (ँ) a crescent with a dot above it, known as 'anunāsik' (अनुनासिक) or 'candrabindu' (चन्द्रबिन्दु).

It is written above the headstroke of the vowel e.g. माँ (māṁ), वहाँ (vahāṁ), or above the headstroke of the consonants to which the vowel is affixed.

Examples :

हूँ (hūṁ); चूँ (cūṁ).

However if the vowel symbol is a superscript, only a dot (ं) is put instead of a 'candrabindu' (ँ) to avoid crowding. This of course is the rule. In practice, however, growing laziness is visible in printed matter, books as well as newspapers and only a dot (ं) is being used to indicate nasal vowel sounds.

Examples :

| चीं | chīṁ; | नहीं | nahīṁ; | थीं | thīṁ |

■ Nasal consonants (अनुनासिक व्यंजन)

use of 'anuswar' (अनुस्वार) (ं)

☞ The Hindi alphabet provides a nasal consonant at the end of the first five groups of consonants i.e. the velars, the prepalatals, the retroflexes, the dentals and the labials. Of these the nasal consonants ङ and ञ are not used independently but as conjuncts preceded by some vowel and succeeded by some consonant.

Example :

अङ्ग (aṅg); रङ्ग (raṅg); रञ्ज (rañj).

☞ The remaining three nasal consonants ण, न, म can be used independently.

Examples :

| अणु | (aṇū); | कण | (kaṇ); | धन | (dhan); |
| नम | (nam); | आम | (ām); | मन | (man) |

5

☞ **When these five nasal consonants precede the members of their own series, they can be and are usually written as a dot ( ) above the head stroke of the previous consonant but read before the following letter. This is known as 'anusvar' (अनुस्वार)**

Examples:

रङ्ग/रङ्ग	रंग	(raṅg)
चञ्चल/चञ्चल	चंचल	(cañcal)
अण्डा/अण्डा	अंडा	(aṇḍā)
मन्दा/मन्दा	मंदा	(mandā)
चम्पा/चम्पा	चंपा	(campā)

☞ **When 'anusvar' is used for nasal consonants preceding 'य', 'र', 'ल', 'व', 'श', 'स', 'ह', it denotes different sounds and is transliterated as 'm'**

☞ **Used before 'य', 'व', it is usually pronounced as a nasal vowel.**

e.g. संयत saṃyat संवाद saṃvād

☞ **Used before 'र', 'ल', 'स' it is pronounced as 'न'**

e.g. संरक्षा saṃrakṣā संलेख saṃlekh
संसार saṃsār हंस haṃs

☞ **Used before 'ह', it denotes the sound of 'ङ'**

e.g. सिंह siṃh

☞ **Used before 'श', it denotes 'ण' sound.**

e.g. अंश aṃś

Modified letters from the Persian language :

क़	qa	क़दम (qadam)	a step
ख़	<u>kh</u>a	ख़राब (<u>kh</u>arāb)	bad
ग़	<u>g</u>a	ग़ज़ब (gazab)	disaster
ज़	za	ज़ेवर (zevar)	ornament
फ़	fa	फ़सल (fasal)	crop

☞ Vowels have their syllabic as well as intrasyllabic forms (page 1). At the beginning of a word or when used with some other vowel, they are used in their syllabic form.

Examples :

■ अब, आज, इस, ईख, उस, ऊन, एक, ऐनक, ओस, औरत

■ आओ, आइए, आऊँ

☞ Sometimes after consonants also syllabic form of the vowel is used.

कई,   गऊ,   मई

☞ When used with consonants their intra-syllabic form is used as shown below:

क्	+	अ	=	क	
क्	+	आ	=	का	
क्	+	इ	=	कि	
क्	+	ई	=	की	
क्	+	उ	=	कु	
क्	+	ऊ	=	कू	
क्	+	ऋ	=	कृ	
क्	+	ए	=	के	
क्	+	ऐ	=	कै	
क्	+	ओ	=	को	
क्	+	औ	=	कौ	
क्	+	अं	=	कं	
क्	+	अः	=	कः	
र	+	उ	=	रु	= रुकना, रुपया
र	+	ऊ	=	रू	= रूप, रूठना

7

☞ A table of consonants and intra-syllabic forms of vowels written together is given on page 10.

Visarga (विसर्ग) ':'

☞ **Visarga is written as two dots one below the other like colon (:), and is transliterated as 'h', It is pronounced as ah (अह). It occurs mostly in loan words from Sanskrit such as प्राय: prāyah, दु:ख duhkh, छ: chah, क्रमश: kramashah etc.**

☞ **Hindi being a phonetic language, its pronunciation doesn't have many ambiguities. It is almost read the way it is written.**

☞ **There are no silent letters. Also there are no capital letters in Devanagri script.**

Some guidelines for the pronunciation of the inherent 'अ'

☞ **Inherent final 'अ' is not pronounced e.g.** कल is **kal** and not **kala;** कमल is **kamal** and not **kamala;** चमचम is **camcam** and not **camacama**

Exceptions :

1. Inherent final 'अ' of mono-syllabic words is always pronounced e.g. न **na;** व **va,**
2. When a word ends in an 'अ' ending conjuct consonant, the final 'अ' is actually pronounced. e.g. नेत्र **netra;** चन्द्र **candra;** अयोग्य **ayogya**
3. When a word ends in 'य' preceded by a syllable ending in 'इ', 'ई', 'ऊ' the inherent final 'अ' is actually pronounced. e.g. राजसूय **rājsūya;** प्रिय **priya;** निंदनीय **nindanīya**

☞ **Inherent 'अ' in the second syllable is not pronounced :**

1 **In three syllabic words ending in any long vowel. e.g.** लड़का **laṛkā;** लड़की **laṛkī;** लड़के **laṛke**

2 **In four syllabic words e.g.** चमचम **camcam;** हलचल **halcal**

Exceptions :

1. When the second syllable of a four-syllabic word happens to be an 'अ' ending conjunct consonant, its inherent 'अ' is pronounced.
   e.g. नेत्रहीन **netrahīn,** सत्यकाम **satyakām**
2. When a four-syllabic word begins with a prefix , the inherent 'अ' of its second syllable is pronounced. e.g. आरक्षण **ā-rakśan;** प्रचलन **pra-calan**

☞ **Inherent 'अ' in the third syllable of the four-syllabic words ending in a long vowel is not pronounced e.g.** समझना **samajhnā;** अगरचे **agarce,** मचलती **macaltī**

Vocabulary-1 (शब्दावली)

आज	āj	(adv.)	today
कल	kal	(adv.)	tomorrow; yesterday
परसों	parsoṁ	(adv.)	the day after tomorrow; the day before yesterday
अब	ab	(adv.)	now
कब	kab	(adv.)	when
तब	tab	(adv.)	ten
जब	jab	(rel. adv.)	when
क्यों	kyoṁ	(adv.)	why
कैसे	kaise	(adv./adj.)	how
ऐसे	aise	(adv./adj.)	like this
वैसे	vaise	(adv./adj.)	in that manner
कितना	kitnā	{ adj.; qualifies m. sg. }	how much
कितने	kitne	{ adj; qualifies m.pl. }	how many
कितनी	kitnī	{ adj; qualifies f.pl.sg. }	how many
यहाँ	yahāṁ	(adv.)	here
वहाँ	vahāṁ	(adv.)	there
कहाँ	kahāṁ	(adv.)	where
जहाँ	jahāṁ	(rel. adv.)	where

Table of consonants and Intra-syllabic forms of vowels written together

क	का	कि	की	कु	कू	के	कै	को	कौ	कं	कः
ख	खा	खि	खी	खु	खू	खे	खै	खो	खौ	खं	खः
ग	गा	गि	गी	गु	गू	गे	गै	गो	गौ	गं	गः
घ	घा	घि	घी	घु	घू	घे	घै	घो	घौ	घं	घः
च	चा	चि	ची	चु	चू	चे	चै	चो	चौ	चं	चः
छ	छा	छि	छी	छु	छू	छे	छै	छो	छौ	छं	छः
ज	जा	जि	जी	जु	जू	जे	जै	जो	जौ	जं	जः
झ	झा	झि	झी	झु	झू	झे	झै	झो	झौ	झं	झः
ट	टा	टि	टी	टु	टू	टे	टै	टो	टौ	टं	टः
ठ	ठा	ठि	ठी	ठु	ठू	ठे	ठै	ठो	ठौ	ठं	ठः
ड	डा	डि	डी	डु	डू	डे	डै	डो	डौ	डं	डः
ढ	ढा	ढि	ढी	ढु	ढू	ढे	ढै	ढो	ढौ	ढं	ढः
त	ता	ति	ती	तु	तू	ते	तै	तो	तौ	तं	तः
थ	था	थि	थी	थु	थू	थे	थै	थो	थौ	थं	थः
द	दा	दि	दी	दु	दू	दे	दै	दो	दौ	दं	दः
ध	धा	धि	धी	धु	धू	धे	धै	धो	धौ	धं	धः
न	ना	नि	नी	नु	नू	ने	नै	नो	नौ	नं	नः
प	पा	पि	पी	पु	पू	पे	पै	पो	पौ	पं	पः
फ	फा	फि	फी	फु	फू	फे	फै	फो	फौ	फं	फः
ब	बा	बि	बी	बु	बू	बे	बै	बो	बौ	बं	बः
भ	भा	भि	भी	भु	भू	भे	भै	भो	भौ	भं	भः
म	मा	मि	मी	मु	मू	मे	मै	मो	मौ	मं	मः
य	या	यि	यी	यु	यू	ये	यै	यो	यौ	यं	यः
र	रा	रि	री	रु	रू	रे	रै	रो	रौ	रं	रः
ल	ला	लि	ली	लु	लू	ले	लै	लो	लौ	लं	लः
व	वा	वि	वी	वु	वू	वे	वै	वो	वौ	वं	वः
श	शा	शि	शी	शु	शू	शे	शै	शो	शौ	शं	शः
ष	षा	षि	षी	षु	षू	षे	षै	षो	षौ	षं	षः
स	सा	सि	सी	सु	सू	से	सै	सो	सौ	सं	सः
ह	हा	हि	ही	हु	हू	हे	है	हो	हौ	हं	हः
क्ष	क्षा	क्षि	क्षी	क्षु	क्षू	क्षे	क्षै	क्षो	क्षौ	क्षं	क्षः
त्र	त्रा	त्रि	त्री	त्रु	त्रू	त्रे	त्रै	त्रो	त्रौ	त्रं	त्रः
ज्ञ	ज्ञा	ज्ञि	ज्ञी	ज्ञु	ज्ञू	ज्ञे	ज्ञै	ज्ञो	ज्ञौ	ज्ञं	ज्ञः

Conjunct Letters (संयुक्त अक्षर)

In Hindi the formation of conjunct letters (i.e. combining of two or more consonants) is as follows:

While combining consonants

(1) when the preceding consonant ends in a vertical stroke, this stroke is dropped. e.g. व, प, च, ल, ग, ख, न, ञ, ज

व् + य = व्य   च + छ = च्छ   ध् + य = ध्य

प् + य = प्य   घ् + न = घ्न   ञ् + ज = ज्ञ

ग् + य = ग्य   न् + द = न्द   ल् + ल = ल्ल

(2) when the preceding consonant does not end in a vertical stroke, conjunct is formed by placing a downward stroke below the preceding consonant and putting the following consonant by its side e.g. द, ट, ड, ढ, ङ

ड्ढ,   ट्ट,   ट्ठ,   द् + य = द्य   द्ध (also written as द्ध)

(3) when the preceding consonant is written on both sides of the stroke, we may use part of the consonant falling on the right side of the vertical stroke or put a downward stroke below it e.g. क, फ, झ etc..

क् + क = क्क;   फ् + फ = फ्फ,   फ् + त = फ्त

(4) when र् precedes any consonant, र is written as (र्‍) on top of the succeeding consonant but read between the two letters.

e.g.

अ + र् + क = अर्क (ark)   श + र् + म = शर्म (sharm)

(5) when 'र' follows a consonant without inherent 'अ', it takes the form of a stroke under the preceding letter as shown below:

e.g.

क् + र = क्र   व् + र + त = व्रत

Reading : conjunct consonants

क् + ष = क्ष	रक्षा	rakshā
क् + त = क्त	वक्त	vakt
ख् + य = ख्य	ख़्याल	khyāl
च् + छ = च्छ	अच्छा	acchā
त् + त = त्त	पत्ता	pattā
न् + ह = न्ह	नन्हा	nanhā
ट् + ट = ट्ट	पट्टी	pattī
ड् + ढ = ड्ढ	गड्ढा	gaddhā
द् + य = द्य	विद्या	vidyā
द् + ध = द्ध	सिद्धा	siddhā
द् + व = द्व	द्वार	dwār
ट् + ठ = ट्ठ	चिट्ठी	chitthī
ह् + र = ह्र	ह्रस्व	hrasva
ह् + म = ह्म	ब्रह्मा	brahmā
ह् + य = ह्य	बाह्य	bāhya
श् + र = श्र	श्रवण	shravaṇ
स् + त् + र = स्त्र	शास्त्र	shāstra
ह् + ऋ = हृ	हृदय	hṛday
क् + ऋ = कृ	कृषि	kṛṣi

Days of the the week (सप्ताह के दिनों के नाम)

सोमवार	somvār	Monday
मंगलवार/भौमवार	maṅgalvār/bhaumvār	Tuesday
बुधवार	budhvār	Wednesday
बृहस्पतिवार/गुरुवार	bṛhaspativār/guruvār	Thursday
शुक्रवार	śukravār	Friday
शनिवार	śanivār	Saturday
एतवार/इतवार/रविवार	etvār/ itvār/ravivār	Sunday

☞ **All the days of the week are masculine nouns.**

2 Pronouns : Nominative Case - 1
(सर्वनाम : कर्त्ता कारक – 1)

मैं (maiṁ)	I		हम ham	we	
तू (tū)	you	(intimate sg.)	आप āp	you	{ formal; honorific; sg. }
तुम (tum)	you	(informal sg.)			
तुम लोग (tum log)	you people	(informal pl.)	आप लोग (āp log)	you people	(pl.)
non proximate (दूरवर्ती)	वह (vah)	he, she, it	वे	they	
proximate (निकटवर्ती)	यह (yah)	he, she, it	ये	they	
	क्या kyā	what (sg.)	क्या क्या kyā-kyā	(what all pl.)	
	कौन kaun	who (sg.)	कौन kaun	who	(pl.)
			कौन कौन (kaun-kaun)	who all	(pl.)

13

Pronouns : Oblique Case

मुझ (mujh) + any pp$_n$.		हम (ham) + any pp$_n$.	
तुझ (tujh) + any pp$_n$.		आप (āp) + any pp$_n$.	
तुमलोगों (tum logoṁ) + any pp$_n$.		आप लोगों (ap logoṁ) + any pp$_n$.	
उस (us) + any pp$_n$.		उन (un) + any pp$_n$.	
इस (is) + any pp$_n$.		इन (in) + any pp$_n$.	
किस (kis) + any pp$_n$.		किन (kin) + any pp$_n$.	

Pronouns in accusative or dative form take the case ending '**को**' after them. Some of them have an alternative contracted form as shown in the table below:

मुझ को, मुझे (mujh ko, mujhe) to me   हम को, हमें (ham ko, hamem) to us

तुझ को, तुझे (tujh ko, tujhe) to you

तुम को, तुम्हें (tum ko, tumheṁ)   आप को (āp ko) to you

तुम लोगों को (tum logoṁ ko)   आप लोगों को (āp logoṁ ko)

    to you people   to you people

उस को, उसे (us ko, use)⎫   उन को, उन्हें (un ko, unheṁ)⎫

इस को, इसे (is ko, ise) ⎬ to him/her/it   इन को, इन्हें (in ko, inheṁ) ⎬ to them

किस को, किसे (kis ko, kise) whom (sg.)   किन को, किन्हें (kin ko, kinheṁ) to whom(pl.)

किसी को (kisi ko) to somebody.   किन्हीं को (kinhīṁ ko) to some people
                                                         (indefinite)

Simple Postpositions in Hindi

		Use
का, के, की	of	genitive, indicates possession
को	to	accusative, dative
से	from, by	instrumental, mode,
	since, than, with	expression of time, comparatives
में	in ⎫	
पर	on, at ⎬	locative

 Postpositions in Hindi function like prepositions in English. They follow the noun, hence they are called postpositions. See pages 185, 233-246.

★ ★ ★

3   Verb of Being – 'होना'

The verb होना (= to be) is used in two ways :

(1)   It conveys the being or existence of a thing. (see models 1,2,3 given below).

(2)   It is used as an auxiliary of the main verb in all three tenses, present, past and future in varied forms such as indefinite, continuous, perfect, etc. (explained under separate headings in following chapters).

Model 1. Use of होना – present tense

In the present tense 'होना' agrees with the number and not with the gender and person.

Subject	Verb
मैं	हूँ
तू, वह, यह, कौन (sg.) क्या	है
तुम, तुम लोग	हो
हम, आप, वे, ये, क्या क्या (what all), कौन (who pl.), कौन कौन (who all)	हैं

Model 2. Use of होना past tense

In the past and the future tense, 'होना' agrees with the gender and number. Person is not important here.

मैं, तू, वह, यह, कौन, क्या	था m. / थी f.
हम, तुम, आप, वे, ये, कौन, कौन कौन	थे m. / थीं f.

Model 3. Use of होना future tense

मैं	हूँगा, होऊँगा	हूँगी, होऊँगी
तू, वह, यह, कौन, क्या	होगा	होगी
तुम, तुमलोग	होगे	होगी
हम, आप, वे, ये, कौन कौन	होंगे	होंगी

☞   Put 'क्या' at the beginning of a sentence to change it to interrogative.

☞   Put 'नहीं' just before the required form of होना to change it to negative.

* **Examples :**

1. क्या तुम बीमार हो ?	Are you ill ? :
2. मैं बीमार नहीं हूँ।	I am not ill.
3. क्या वह मेहनती है ?	Is he diligent ?
4. नहीं, वह मेहनती नहीं है।	No, he is not diligent.

☞ **Sometimes the present form of 'होना' is used for future.**

Examples :

1. दिवाली कब है ?	When is Diwali ?
2. क्या दिवाली परसों है ?	Is Diwali the day after tomorrow ?
3. दिवाली परसों नहीं है।	Diwali is not the day after tomorrow.
4. दिवाली अगले हफ़्ते है।	Diwali is next week.

☞ **Sometimes the present form of 'होना' is used when a situation or task that began in the past, continues in the present and might continue in the future.**

Examples :

1. वह कई महीनों से बीमार है।	He has been ill for several months.
2. डाकिया बहुत देर से द्वार खटखटा रहा है।	The postman has been knocking at the door for a long time.

Reading :

1. वह अन्दर है।	He/She is inside.
2. वे खुश हैं।	They are happy.
3. तुम नाराज हो ?	Are you annoyed ?
4. वह स्कूल में है।	He is at school.
5. गंगा का जल पवित्र है।	The water of the Ganges is holy.
6. इस समय धूप है।	It is sunny at this time.
7. आसमान नीला है।	The sky is blue.
8. सड़क साफ़ है।	The street is clean.
9. आज दिवाली है।	Today is Diwali.
10. आप बहुत दयालु हैं।	You are very kind.

11. वह अत्यन्त क्रूर है।	He is extremely cruel.
12. दिल्ली भारत की राजधानी है।	Delhi is the capital of India.
13. मैं बीमार हूँ।	I am sick.
14. आम मीठे हैं।	The mangoes are sweet.
15. दूध ठंडा है।	The milk is cold.
16. क्या दही खट्टा है ?	Is the yogurt sour ?
17. फल ताज़ा है।	The fruit is fresh.
18. भोजन बासी और तीता है।	The food is stale and spicy.
19. वह निराश था।	He was disappointed.
20. मैं प्रसन्न था।	I was happy.
21. हम परेशान थे।	We were troubled.
22. कल तुम कहाँ थे ?	Where were you yesterday ?
23. कल मैं जयपुर में था।	Yesterday I was in Jaipur.
24. चाय गर्म नहीं है।	The tea is not hot.
25. आदमी ईमानदार है।	The man is honest.
26. लड़का बुद्धिमान है।	The boy is intelligent.
27. आज बारिश होगी।	It will rain today.
28. तुम बीमार होओगे।	You will be ill.
29. क्या कल मंगलवार होगा ?	Will it be Tuesday tomorrow ?
30. जी नहीं, कल सोमवार होगा।	No, tomorrow will be Monday.

Vocabulary : Adverbs

अन्दर	(adv.) inside
बाहर	(adv.) outside
ऊपर	(adv.) above
नीचे	(adv.) below
आगे	(adv.) ahead
पीछे	(adv.) behind
सामने	(adv.) in front
दायें	(adv.) right
बायें	(adv.) left

17

Vocabulary - 2 Verbs

☞ **All Hindi verbs in their infinitive form have 'ना' ending :**

जाना	(vi)	jānā	to go
आना	(vi)	ānā	to come
उठना	(vi)	uṭhnā	to get up
बैठना	(vi)	baiṭhnā	to sit
खाना	(vt)	khānā	to eat
पीना	(vt)	pīnā	to drink
देखना	(vt)	dekhnā	to see
सूँघना	(vt)	sūṁghnā	to smell
चखना	(vt)	cakhnā	to taste
ख़रीदना	(vt)	kharīdnā	to buy
बेचना	(vt)	becnā	to sell
बोलना	(vt)	bolnā	to speak
कहना	(vt)	kahnā	to say
पूछना	(vt)	pūchnā	to ask
करना	(vt)	karnā	to do
होना	(vt)	honā	to be
पढ़ना	(vt)	paṛhnā	to read; to study
लिखना	(vt)	likhnā	to write
सीखना	(vt)	sīkhnā	to learn
माँगना	(vt)	maṁgnā	to ask for
देना	(vt)	denā	to give
लेना	(vt)	lenā	to take
लाना	(vt)	lānā	to bring
भेजना	(vt)	bhejnā	to send
चलना	(vi)	calnā	to walk
भागना	(vi)	bhāgnā	to run
सोना	(vi)	sonā	to sleep
जागना	(vi)	jāgnā	to wake up

★★★

4

Present Simple (सामान्य वर्तमान)

Language structure 1 : Present simple tense

| subj. | + | obj. | + | v.r. | + | ता, ते, + ती | हूँ, हो, है, हैं |
| nom. case | | (if any) | | | | | |

agree with the N and G
of the subject.

☞ This structure is used in the active voice both for transitive and intransitive verbs.

Model 1 v.t. खाना (to eat); v.i. जाना (to go)

subject	object	m.	f.	होना
मैं	फल	खाता		हूँ
तू, वह, यह, कौन	–	जाता	खाती	है
तुम, तुमलोग	फल	खाते	जाती	हो
हम, आप, वे, ये कौन, कौन–कौन	–	जाते		हैं

☞ For negative constructions, put 'नहीं' before the main verb.

☞ In the present simple tense, the auxiliary verb 'होना' is dropped in negative constructions; for feminine plural 'v.r. + ती' is used.

1. मैं चावल नहीं खाता/खाती।   I don't eat rice.
2. वे स्कूल नहीं जाते/जातीं।   They don't go to school.

☞ For interrogative constructions, put 'क्या' at the beginning of the sentence before the subject.

19

Examples :

1. क्या तुम चावल खाते हो/खाती हो?   Do you eat rice ?

2. क्या वह स्कूल जाता है/जाती है?   Does he/she go to school ?

Language structure 2 Frequentative present simple tense

subj.	+	obj.	+	(v.r. + आ/या)	+	करता	+	हूँ हो,
nom. case		(if any)				करते, करती		है, हैं

to agree with N and G of the subj.

Model 2 : v.t. खाना (to eat);   v.i. जाना (to go)

मैं		खाया जाया	करता हूँ m.sg करती हूँ f.sg
तू, वह, यह, कौन (sg.) क्या			करता है m.sg करती है f.sg.
तुम, तुम लोग			करते हो । m sg. / pl. करती हो । f. sg. / pl.
हम, आप, वे, ये, कौन, कौन कौन (who all)			करते हैं । m. pl. करती हैं f. pl.

☞ In this structure 'जाना' changes to 'जाया' ।

☞ Frequentative form in all three tenses indicates that the action is less regular, taking place within a certain time-period.

☞ Put 'नहीं' before (v.r. + आ/या), and drop the auxiliary 'होना' at the end to make negative sentences.

Examples :

1. हम नहीं खाया करते ।   We don't eat.

2. वह नहीं जाया करता ।   He doesn't go.

☞ Put 'क्या' at the beginning before the subject to make interrogative sentences.

20

Examples :

1. क्या आप रेस्टोरेन्ट में खाया करते हैं? — Do you eat in a restaurant ?
2. क्या वह मंदिर जाया करता है ? — Does he go to the temple ?

Uses of present simple tense in Hindi (हिन्दी भाषा में सामान्य वर्तमान के प्रयोग)

1 For all activities carried out daily or at regular intervals.

1. मैं सप्ताह में तीन बार हिन्दी सीखता/सीखती हूँ। — I learn Hindi three times a week.
2. पिताजी रोज़ सुबह घूमने जाते हैं। — Father goes for a walk daily.

2 For eternal truths and popular beliefs.

1. अन्ततः सत्य की विजय होती है। — Finally truth wins.
2. साँप का काटा सोता है; बिच्छू का काटा रोता है। — One bitten by a snake sleeps. one bitten by a scorpion cries.

3 Scientific truths :

1. पानी 100° सेल्सियस पर खौलता है। — Water boils at 100° celsius.
2. धर्ती सूर्य के गिर्द घूमती है। — The earth revolves round the sun.

4 Recurrence :

1. वह जब जब हमारे यहाँ आता है, कोई न कोई परेशानी ले कर आता है। — Whenever he visits us, he brings along some trouble.
2. जब जब बाढ़ आती है, लाखों गाँववासी बेघर होते हैं। — Whenever there are floods, millions of villagers become homeless.

5 Live commentary :

1. प्रधानमंत्री मंच पर आते हैं। — The Prime minister comes on the stage.
2. दर्शक तालियाँ बजाते हैं। — The audience claps.

6 Immediate future

1. अब मैं चलता हूँ। — Now, I shall go.
2. चलो, मैं तुमको अपना उद्यान दिखाती हूँ। — Come, I will show you my garden.

Reading -1

1. अनिल यहाँ पढ़ता है।
Anil studies here.

2. अनु भी यहाँ पढ़ती है।
Anu also studies here.

3. वे दोनों यहाँ विज्ञान पढ़ते हैं।
They both study science here.

4. श्री देवेन्द्र यहाँ विज्ञान पढ़ाते हैं।
Mr Devendra teaches science here.

5. श्रीमती शीला भी यहाँ पढ़ाती हैं।
Mrs. Sheila also teaches here.

6. वे यहाँ अंग्रेज़ी पढ़ाती हैं।
She teaches English here.

7. दोनों अध्यापक सवाल पूछते हैं।
Both the teachers ask questions.

8. अनिल और अनु जवाब देते हैं।
Anil and Anu give answers.

9. अनिल रोज़ सुबह पाँच बजे उठता है।
Anil gets up everyday at 5 o'clock.

10. वह जल्दी-जल्दी स्नान करता है, नाश्ता करता है, तैयार होता है।
He quickly has a bath, has breakfast and gets ready.

11. वह नौ बजे कॉलेज पहुँचता है।
He reaches college at 9 o'clock.

12. अनु भी सुबह लगभग पाँच बजे उठती है।
Anu also gets up at about 5 o'clock in the morning.

13. वह रोज़ सैर करती है।
She walks every day.

14. वह सुबह दो घंटे पढ़ती है, स्नान करती है, पूजा करती है, फिर जल्दी-जल्दी नाश्ता करती है।
She studies two hours, has a bath, does 'Pooja' (prays), and then has breakfast quickly.

15. वह भी नौ बजे कॉलेज पहुँचती है।
She also reaches the college at 9 o'clock.

16. वे दोनों दोपहर १२ बजे खाना खाते हैं।
They both have lunch at 12 o'clock at noon.

17. वे पाँच बजे चाय पीते हैं; शाम को छ: बजे घर लौटते हैं।
They have tea at 5 o'clock; they return home at 6 o'clock in the evening.

18. वे दोनों रोज़ अखबार पढ़ते हैं।
They both read the newspaper daily.

19. आकाशवाणी पर ख़बरें सुनते हैं।
They listen to the news on the radio.

20. वे दोनों कभी-कभी दूरदर्शन भी देखते हैं।
Sometimes they also watch television.

21 अनिल सितार बजाता है।
Anil plays the sitar.

22. अनु गाना गाती है।
Anu sings a song.

23. अध्यापक अक्सर गाना-बजाना सुनते हैं।
The teachers often listen to music.

22

Reading - 2

आप क्या करते हैं ?

कमल :	अनिल जी, आप क्या करते हैं ?	Mr Anil, what do you do ?
अनिल :	जी, मैं विद्यार्थी हूँ।	I am a student.
कमल :	आप क्या पढ़ते हैं ?	What do you study ?
अनिल :	मैं विज्ञान पढ़ता हूँ।	I study science.
कमल :	सुधीर जी, आप क्या करते हैं ? क्या आप भी विद्यार्थी हैं ?	Mr Sudhir, what do you do ? Are you also a student ?
सुधीर :	जी नहीं, मैं विद्यार्थी नहीं हूँ; मैं अध्यापक हूँ।	No, I am not a student; I am a teacher.
कमल :	आप क्या पढ़ाते हैं ?	What do you teach ?
सुधीर :	मैं विज्ञान पढ़ाता हूँ।	I teach science.
कमल :	सुनीता जी, आप क्या करती हैं ?	Miss Sunita, what do you do ?
सुनीता :	मैं भी विद्यार्थी हूँ।	I also am a student.
कमल :	आप क्या पढ़ती हैं ? क्या आप भी विज्ञान पढ़ती हैं ?	What do you study ? Do you also study science ?
सुनीता :	जी नहीं, मैं विज्ञान नहीं पढ़ती; मैं संगीत सीखती हूँ।	No, I don't study science; I learn music.
कमल :	आप कहाँ रहती हैं ?	Where do you live ?
सुनीता :	मैं गोदौलिया में रहती हूँ।	I live at Godoliya.
कमल :	आप रोज़ कॉलेज कैसे आती हैं ?	How do you come to college ?
सुनीता :	मैं रोज़ रिक्शे से कॉलेज आती हूँ।	I come to college every day by rickshaw.
कमल :	अनिल जी, आप कहाँ रहते हैं ?	Mr Anil, where do you live ?

23

अनिल :	मैं भी गोदौलिया में रहता हूँ।	I also live at Godoliya.
कमल :	क्या आप भी रिक्शे से कॉलेज आते हैं ?	Do you also come to college by rickshaw ?
अनिल :	जी नहीं, मैं रिक्शे से कॉलेज नहीं आता। मैं साइकिल से आता हूँ।	No, I don't come to college by rickshaw; I come by bicycle.
कमल :	क्या सब छात्र साइकिल से आते जाते हैं?	Do all students commute by bicycle ?
अनिल :	जी, अधिकतर छात्र साइकिल से आते जाते हैं।	Well, most students commute by bicycle.
	कुछ छात्र 'बस' से आते हैं। कोई कोई छात्र रिक्शे से आते हैं।	Some students come by bus; some by rickshaw.
कमल :	आप लोग कॉलेज कितने बजे पहुँचते हैं ?	What time do you arrive at college ?
अनिल :	हम लोग लगभग ९ बजे कॉलेज पहुँचते हैं।	We people arrive at college at about 9 o'clock.
कमल :	आप लोग ९ बजे से कितने बजे तक कॉलेज में रहते हैं ?	From 9 o'clock until when do you remain in the college ?
अनिल :	हम लोग अक्सर सुबह 9 बजे से शाम को छ: बजे तक कॉलेज में रहते हैं।	Often we remain in college from 9 a.m. to 6 p.m.

★ ★ ★

Read R-1

24

5 Past Habitual (अपूर्ण भूतकाल)

☞ The language structure of the past habitual tense is exactly the same as that of the present simple except that the past tense forms of 'होना' i.e. 'था', 'थे', 'थी', 'थीं' are used to agree with the number and gender of the subject.

Language structure 1

subj. + obj. + v.r + ता, ते, ती + था, थे, थी, थीं

nom. case (if any)

<u>agree with the N and G of the subject</u>

Model 1 v.i. जाना (to go); v.t. खाना (to eat)

subj.	m.sg.	f. sg.		
मैं, तू, वह, यह, कौन, क्या	खाता था जाता था	खाती थी जाती थी	I, you (intimate) he, she, it	used to eat
	m.pl.	**f.pl.**		
हम, तुम, आप, वे, ये, कौन (pl.), कौन कौन (who all)	खाते थे जाते थे	खाती थीं जाती थीं	we, you (informal) you (honorific) they, who (pl.)	

☞ Put 'नहीं' before the main verb to make negative sentences.

Examples:

1. मैं बचपन में चावल नहीं खाता था। I did not use to eat rice in my childhood.
2. वह पहले सुबह जल्दी नहीं उठता था। Formerly, he didn't use to get up early in the morning.

☞ Put 'क्या' at the beginning of a sentence before the subject to make interrogative sentences.

25

Examples :

1. क्या तुम बचपन में चावल खाते थे ?   Did you use to eat rice in your childhood ?
2. क्या वह सुबह जल्दी उठता था ?   Did he use to get up early in the morning ?

Language structure 2 Frequentative past habitual tense

subj.   +   obj.   + [v.r.+ आ/या] + करता, करते + था, थे,
nom. case   (if any)   करती   थी, थीं

agree with N and G of the subj.

Model 2 v.t. खाना (to eat); v.i. जाना (to go)

मैं, तू, वह, यह, कौन sg.	खाया	करता था m.sg.
		करती थी f.sg.
हम, तुम, आप, वे, ये, कौन pl., कौन कौन who all	जाया	करते थे m.pl.
		करती थीं f.pl.

☞ In the past habitual 'जाना' changes to 'जाया' ।

☞ Put 'नहीं' before (v.r. + आ / या) to make negative sentences.

Example:

1. हम अंडे नहीं खाया करते थे ।   We didn't use to eat eggs.
2. वह मंदिर नहीं जाया करता था ।   He didn't use to go to the temple.

☞ Put 'क्या' at the beginning of the sentence before the subject to make interrogative sentences.

Example :

1. क्या तुम अण्डे खाया करते थे ?   Did you use to eat eggs ?
2. क्या वह मंदिर जाया करता था ?   Did he use to go to the temple ?

26

Compare and comprehend :

1. हम बनारस में **रहते थे।**
   हम बनारस में **रहा करते थे।**

   We used to live in Banaras.

2. बच्चे इस स्कूल में **पढ़ते थे।**
   बच्चे इस स्कूल में **पढ़ा करते थे।**

   The children used to study in this school.

3. यह होटल यहाँ नहीं **होता था।**
   यह होटल यहाँ नहीं **हुआ करता था।**

   This hotel didn't use to be here.

4. वह कभी अनुपस्थित नहीं **होती थी।**
   वह कभी अनुपस्थित नहीं **हुआ करती थी।**

   She never used to be absent.

5. क्या वह सुबह घूमने **जाती थी ?**
   क्या वह सुबह घूमने **जाया करती थी ?**

   Did she use to go for a walk in the morning ?

6. क्या तुम बहुत **पढ़ती थीं ?**
   क्या तुम बहुत **पढ़ा करती थीं ?**

   Did you use to study a lot ?

7. पिताजी हमेशा हमारे लिये उपहार **लाते थे / लाया करते थे।**

   Father always used to bring presents for us.

8. माताजी हमेशा हमारे लिये स्वादिष्ट भोजन **बनाती थीं/बनाया करती थीं।**

   Mother always used to cook delicious food for us.

9. मेरी बड़ी बहन हर समय मुझ पर **चिल्लाती थी / चिल्लाया करती थी।**

   My older sister used to shout at me all the time.

10. हम इमली के पेड़ पर चढ़कर इमली **खाते थे / खाया करते थे।**

    We used to climb up the tamarind tree and eat tamarind.

See R-9, R-10

27

6 Imperative (विधिकाल)

☞ **In Hindi the imperative language construction varies with (1) tense and (2) the form of the pronoun तू, तुम, आप of the 2nd person addressed.**

☞ **Language structures 1 and 2 given below are used for immediate commands to be followed in the present and language structure 3 is used for deferred commands to be followed later.**

Language structure 1 Present Imperative (प्रत्यक्ष विधिकाल)

1. तू + v.r.
2. तुम/तुम लोग + (v.r. + ओ)
3. आप/आप लोग + (v.r. + इये/इए)

☞ **When the v.r. ends in a consonant (see example 4- model 1) vowel symbols for 'ो' and 'ि' are used with 'तुम' and 'आप' respectively.**

Model 1

Infinitive			तू	तुम (लोग)	आप (लोग)
1.	जाना	(to go)	जा	जाओ	जाइये
2.	सोना	(to sleep)	सो	सोओ	सोइये
3.	सुनाना	(to narrate)	सुना	सुनाओ	सुनाइये
4.	बैठना	(to sit)	बैठ	बैठो	बैठिये

Examples:

तू पढ़ ! — You (intimate) read !

तुम खाओ ! — You (informal) eat !

आप पढ़ाइये ! — You (formal) teach !

Language structure `2` **subjunctive imperative**

☞ Another very polite form of present imperative is आप + (v.r. + एँ)

☞ This is not used with तू or तुम

Model `2`

Infinitive	तू	तुम	आप
जाना	–	–	जाएँ
सोना	–	–	सोएँ
बैठना	–	–	बैठें

Language structure `3` **future imperative** (परोक्ष विधिकाल)

1. तू or तुम (लोग) + infinitive

2. *आप +(v.r. + इयेगा/इएगा)

☞* Irrespective of the sex of the person addressed as 'आप', 'गा' ending is used.

Model `3`

Infinitive	m. / f. तू/तुम(लोग)	m. / f. आप (लोग)
जाना	जाना	जाइएगा
आना	आना	आइएगा
पढ़ना	पढ़ना	पढ़िएगा

Examples

1. तू/तुम सावधानी से सड़क पार करना ।   Cross the road carefully !

2. आप अपनी सेहत का ध्यान रखिएगा ।   Take care of your health !

3. कक्षा में सहपाठियों से झगड़ा मत करना ।   Don't quarrel with your classmates.

4. छात्रावास में पानी उबाल कर पीजियेगा ।   Please drink boiled water in the hostel.

29

Given below is a list of irregular verbs that change differently from the rules explained above.

| verb inf. | तू | तुम | तू/तुम | आप | | आप |
सामान्य क्रिया	pres. imp.		fut.imp.	pres.imp.	subjunct.	fut.imp.
देना	दे	दो	देना	दीजिए	दें	दीजिएगा
लेना	ले	लो	लेना	लीजिए	लें	लीजिएगा
करना	कर	करो	करना	कीजिए	करें	कीजिएगा
पीना	पी	पिओ	पीना	पीजिए	पियें	पीजिएगा
जीना	जी	जिओ	जीना	जीइये	जीवें, जिएँ	जीइयेगा
सीना	सी	सिओ	सीना	सीजिए सीइए	सिएँ	सीजिएगा सीइएगा
छूना	छू	छुओ	छूना	छुइए	छुएँ	छुइएगा

☞ When verb roots end in long 'ई' or 'ऊ' they are changed to short 'इ' and short 'उ' before adding 'ओ' or 'इये' । Also in some cases the consonant 'ज' is infixed before adding इये/ इए ।

e.g.   जीना ⇒ जिओ;   छूना ⇒ छुओ;   पीना ⇒ पीजिये

☞ Negative imperative is made by putting 'मत' or 'न' before the verb. Usually 'मत' is used with 'तू' or 'तुम' and 'न' is used with 'आप'. However there is no strict rule and in spoken language 'मत' is often used with 'आप' and 'न' with 'तू' or 'तुम' ।

Examples:

आप यहाँ न बैठिये ।	Please don't sit here.
आप चाय न पीजिए ।	Please don't drink tea.
तुम लोग पेड़ पर मत चढ़ो ।	Don't climb up the tree .
नल मत खोलो	Don't turn the tap on.
बत्ती मत बुझाओ ।	Don't turn the light off.

30

Simple responses to requests, commands :

Imperative	:	कॉफ़ी बनाओ।
Response	:	अभी बनाता हूँ/बनाती हूँ।
Imperative	:	बाज़ार जाओ।
Response	:	अभी जाता हूँ/जाती हूँ।
Imperative	:	सब्ज़ी काटो !
Response	:	अभी काटता हूँ/ काटती हूँ।
Imperative	:	पानी पिलाइये।
Response	:	अभी पिलाता हूँ/ पिलाती हूँ
Imperative	:	घर साफ़ करो !
Response	:	अभी करता हूँ/करती हूँ।

Uses of imperative

1 Invitations

1. कृपया आगामी रविवार को हमारे साथ भोजन कीजिए।

   Please have dinner with us next Sunday.

2. चाय पीजिएगा ? / चाय पीजिए।

   Would you like to have a cup of tea?

2 Commands

1. आप सारी शाम यहीं बैठकर पढ़िए।

   You sit here all evening and study.

2. शोर मचाना बन्द करो।

   Stop making a noise.

3. बैठने से पहले दरवाज़ा बन्द करो।

   Close the door before sitting down.

3 Requests

1. कृपया यह मेज़ हटाने में मेरी मदद कीजिए।

   Could you help me to move the table please ?

2. कृपया नमक मेरी ओर खिसकाइए।

   Could you pass me the salt please ?

3. कृपया कुर्सी बाहर बाग़ीचे में लाइए।

   Could you bring the chair out in the garden ?

See R-2 (318)

31

7

Compound Postpositions
(के + ...)

के ऊपर	on
के नीचे	under
के बाहर	outside
के अन्दर	inside
के पास, के नज़दीक	near, in front of
के आगे	in front, ahead
के पीछे	behind
के सामने	in front of
के साथ	with
के बाद/ के पश्चात्	after
के पहले	before
के बिना	without
के अतिरिक्त/ के अलावा	besides
के बारे में	about
के यहाँ	at the place of
के लिए	for
के कारण	because of
के मारे	because of
के बजाय	instead of

Compound postpositions (की + ...)

की तरफ़, की ओर	in the direction of / towards
की तरह, की भाँति	like / in the manner of

As a rule की precedes तरफ़ and ओर (meaning direction). However, when expressions दाहिने (right) बाएँ (left) precede them, के is used instead of की ।

32

Example : के पास (near)

मेरे पास	near me
हमारे पास	near us
तेरे पास	near you (intimate)
तुम्हारे पास	near you (formal)
आपके पास	near you (honorific)
इसके पास	near him/her (proximate)
उसके पास	near him/her (nonproximate)
इनके पास	near them (proximate)
उनके पास	near them (nonproximate)
किसीके पास	near somebody (sg.)
किसके पास	near whom (sg.)
किनके पास	near whom (pl.)

☞ मैं, हम, तू, तुम + के are written as मेरे, हमारे, तेरे, तुम्हारे + पास

Example : की तरफ़ / ओर (in the direction of, towards)

मेरी तरफ़	towards me
हमारी तरफ़	towards us
तेरी तरफ़	towards you (intimate)
तुम्हारी तरफ़	towards you (informal)
आपकी तरफ़	towards you (honorific)
उसकी/इसकी तरफ़	towards him/her/it (non prox. / prox.)
उनकी/इनकी तरफ़	towards them (non prox / prox.)
किसकी/किनकी तरफ़	towards whom (sg. / pl.)
किसी/किन्हीं की तरफ़	towards somebody / some people

☞ मैं, हम, तू, तुम, + की are written as मेरी, हमारी, तेरी, तुम्हारी + तरफ़/ओर

33

Use of ओर (f.), तरफ़ (f.) meaning 'direction'

☞ When it is a movement towards a certain direction only 'की' precedes 'ओर' or 'तरफ़'.

Examples :

1. तुम स्कूल की ओर जाओ।	You go in the direction of the school.
2. वह दुकान की ओर गया।	He went towards (in the direction of) the shop.
3. मंदिर की तरफ चलो।	Go towards (in the direction of) the temple.

☞ When 'ओर' or 'तरफ़' is used to mean more than one direction or location, 'के' precedes it.

Example:

1. सड़क के दोनों ओर लोग खड़े थे।	People were standing on both sides of the road.
2. पेड़ के चारों ओर मेज़-कुर्सियाँ लगी थीं।	There were tables and chairs all around the tree.

☞ When location is meant, both

के + adjectival expression + ओर/ तरफ़ as well as

की + adjectival expression + ओर/ तरफ़ are used.

Example :

1. केन्टीन मंदिर के दायीं ओर है।	The canteen is on the right side of
केन्टीन मंदिर की दायीं ओर है।	the temple.
2. मंत्री जी के बायीं ओर कौन बैठा है ?	Who is sitting on the right side of the minister ?
3. उनकी बायीं ओर उनकी पत्नी बैठी हैं।	His wife is sitting on his left.

Comprehension 1

1. पेड़ के ऊपर चढ़।	Climb up the tree.
2. मेज़ के नीचे रख।	Keep under the table.

3. घर के बाहर जा।	Go out of the house.
4. कमरे के अन्दर आ।	Come into the room.
5. उसके पास बैठ।	Sit next to her/him.
6. नौ बजे के पहले आ।	Come before 9 o'clock.
7. स्कूल के नज़दीक रहना।	Stay near the school.
8. दो बजे के बाद खाना।	Eat after two o'clock.
9. कविता के यहाँ बैठ।	Sit at Kavita's place.
10. पानी के बिना पकाइए।	Cook without water.
11. अध्यापक के बारे में बताओ।	Tell about the teacher.
12. उनके साथ खेलो।	Play with them.
13. हमारे पीछे चल।	Walk behind us.
14. मेरे सामने बैठ।	Sit in front of me.
15. हिन्दी के अलावा कुछ मत बोल।	Don't speak anything besides Hindi.
16. घर के पास बग़ीचा है।	The park is near the house.
17. मेज़ के ऊपर गुलदस्ता है।	The bunch of flowers is on the table.
18. पेड़ के ऊपर बन्दर है।	A monkey is up the tree.

Comprehension 2

1. मैं पाँच बजे **से पहले** उठती हूँ।	I get up before five o'clock.
2. वह दस बजे **के बाद** सोता है।	He sleeps after ten o'clock.
3. वह **मेरे बिना** नहीं खाती।	She does not eat without me.
4. राम के घर **के सामने** आम के पेड़ हैं।	There are mango trees in front of Ram's house.
5. वह रोज़ **मेरे साथ** स्कूल जाती है।	She goes with me to school everyday.
6. मैं **उसके बारे में** सब कुछ जानती हूँ।	I know everything about her/him.
7. राम अनिल **के यहाँ** अक्सर जाता है।	Ram often goes to Anil's place.

8. वह लता मंगेश्कर **की तरह** गाती है।   She sings like Lata Mangeshkar.

9. शहर **की तरफ़** न जाइए।   Don't go in the direction of the city.

10. हम मंदिर **की ओर** जा रहे हैं।   We are going towards the temple.

11. किताब मेज़ **के ऊपर** है।   The book is on the table.

12. पैर मेज़ **के नीचे** हैं।   The feet are under the table.

13. कमला घर **के अन्दर** है।   Kamla is in the house.

14. उसका भाई घर **के बाहर** है।   Her brother is outside the house.

15. मेरा दफ़्तर मेरे घर **के पास** है।   My office is near my house.

16. अख़बार मेज़ **के नीचे** है।   The newspaper is under the table.

17. दरवाज़ा आप **के पीछे** है।   The door is behind you.

18. मेरे मकान **के दाहिनी तरफ़** एक बग़ीचा है।   There is a garden to the right of my house.

19. हम प्राय: मकान **के अन्दर** ही सोते हैं।   We usually sleep inside the house.

20. मैं इस **के बारे में** पूछताछ करूँगी।   I shall enquire about it.

The use of नीचे, बाहर, पास, ऊपर, पहले as adverbs

1. वह **नीचे** है।   He is downstairs.

2. हमारी कार **बाहर** है।   Our car is outside.

3. उसका घर बहुत **पास** है।   His house is very near.

4. वे लोग **ऊपर** चाय पी रहे हैं।   They are drinking tea upstairs.

5. बच्चे **अन्दर** खेल रहे हैं।   The children are playing inside.

6. **पहले** हम गाँव में रहते थे।   Formerly we used to live in a village.

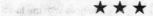

★ ★ ★

8 To Have (के साथ होना)

■ **Hindi language structure corresponding to the English verb "to have" regarding possession of inanimate objects where the ownership is not necessarily permanent.**

Language structure 1

subj.	+	के पास	+	obj. (inanimate)	+	है/ हैं agree with the N of the object

Model 1

मेरे, हमारे तेरे, तुम्हारे आपके, उसके इसके,उनके इनके, किसके किनके, किसी के	पास	चाबी (f.sg) है key चाबियाँ (f.pl.) हैं keys

☞ **Put 'क्या' before the subject to make interrogative.**

क्या आपके पास चाबी है ? — Do you have the key ?

☞ **Put 'नहीं' before है/हैं to make negative.**

मेरे पास चांबी नहीं है। — I don't have the key.

Comprehension

1. मेरे बच्चे के पास बहुत से खिलौने हैं। — My child has many toys.
2. उसके पास चाँदी के बर्तन हैं। — She has silver pots.
3. कमला के पास क्या है ? — What does Kamala have ?
4. उसके पास कुछ नहीं है। — He / She has nothing.
5. किसी के पास बनारसी साड़ी है? — Does anyone have a Banarasi saree ?
6. नहीं, यहाँ किसी के पास बनारसी साड़ी नहीं है। — No, nobody here has a Banarasi saree.

7. क्या रानी के पास कैमरा है?	Does Rani have a camera ?
8. नहीं, उसके पास कैमरा नहीं है।	No, she does not have a camera.
9. क्या अनिल के पास गाड़ी है।	Does Anil have a car ?
10. हाँ, उसके पास गाड़ी है।	Yes, he has a car.
11. उसके पास कौन सी गाड़ी है ?	Which car does he have ?
12. उसके पास लाल रंग की मारूति है।	He has a red Maruti.
13. रानी बनारस घूमना चाहती है, परन्तु उसके पास पैसे नहीं हैं।	Rani wants to visit Banaras but she doesn't have any money.
14. आपके पास कौन-कौन से गहने हैं ?	What ornaments do you have ?

■ **Hindi language structure corresponding to English verb 'to have' regarding possession of animate objects such as one's kith and kin, limbs of the body and also permanent possessions such as land, etc.**

Model 2

possessive personal pronouns or nouns with का/के/की	1. Relations such as brothers, sisters, children etc. 2. Limbs of the body 3. Permanent possessions such as house, property in general	है or हैं agrees with number of the object

Reading

1. राम की तीन बहनें हैं।	Ram has three sisters.
2. मेरी दो मज़बूत टांगें हैं।	I have two strong legs.
3. उनके कई मित्र हैं।	They have many friends.
4. मेरे दो भाई और तीन बहनें हैं।	I have two brothers and three sisters.
5. हमारा एक मकान है।	I have a house.
6. राम की बहुत ज़मीन-जायदाद है।	Ram has a lot of landed property.
7. इस कीड़े की छः टांगें हैं।	This insect has six legs.

★ ★ ★

9 Present and Past Progressive Tenses
(सातत्य वर्तमान एवं भूतकाल)

Language structure : Present progressive tense

subj. + obj. + v.r. + रहा, रहे, रही + हूँ, है, हो, हैं

nom. case (if any) — agree with N and G of the subject

Model : v.i. जाना (to go); v.t. खाना (to eat)

मैं	जा खा	रहा रहे	रही	हूँ
तू, वह, यह कौन(who sg.), क्या				है
तुम, तुम लोग				हो
हम, आप, वे, ये, कौन (who pl.) कौन कौन (who all)				हैं

☞ **Put 'क्या' before the subject to make interrogatives.**

Example:

क्या वह जा रहा है ? — Is he going?

क्या तुम पढ़ रहे हो ? — Are you studying?

☞ **Put 'नहीं' after the verb root to make negative. 'नहीं' may be put before the verb root with slight shift of emphasis. Auxiliary 'होना' is usually dropped in negative sentences in the present progressive tense.**

Examples:

मैं जा नहीं रहा। — I am not going.

वह पढ़ नहीं रहा। — He is not studying.

More Examples:

Present simple progressive

1. कुत्ते भौंक रहे हैं।	The dogs are barking.
2. बिल्ली म्याऊँ म्याऊँ कर रही है।	The cat is mewing.
3. बर्फ़ पड़ रही है।	It is snowing.
4. बारिश हो रही है।	It is raining.
5. लड़के पेड़ पर चढ़ रहे हैं।	The boys are climbing up the tree.
6. सूर्य चमक रहा है।	The sun is shining.
7. कमला बत्ती जला रही है।	Kamla is turning the light on.
8. राम बत्ती बुझा रहा है।	Ram is turning the light off.
9. धोबी कपड़े धो रहा है।	The washerman is washing the clothes.
10. गाड़ी चल रही है।	The train is moving.
11. डाकिया द्वार खटखटा रहा है।	The postman is knocking at the door.
12. माँ बच्चे को सुला रही है।	Mother is putting the child to sleep.

☞ **Put था, थे, थी, थीं to agree with the N and G of the subject to make sentences in the past progressive tense.**

Examples :

Past simple progressive

1. कोई नल खोल रहा था।	Somebody was turning the tap on.
2. डाकिया डाक बाँट रहा था।	The postman was delivering the mail.
3. तुम कल दिनभर क्या कर रहे थे ?	What were you doing all day yesterday ?
4. क्या वह झूठ बोल रही थी ?	Was she telling a lie ?
5. मंत्री जी भाषण दे रहे थे।	The minister was giving a speech.
6. श्रोतागण ध्यान से सुन रहे थे।	The audience was listening attentively.
7. खिलाड़ी क्रिकेट खेल रहे थे।	The players were playing cricket.
8. दर्शक खेल का आनन्द ले रहे थे।	The spectators were enjoying the game.
9. कल शाम को तुम कहाँ जा रही थीं ?	Where were you going yesterday evening ?
10. हम सिनेमा देखने जा रहे थे।	We were going to see a film.
11. क्या तुम भारत में व्यापार कर रहे थे ?	Were you doing business in India ?
12. नहीं मैं भारत भ्रमण कर रहा था।	No, I was touring India.

★ ★ ★

See R-3, R-5

10 Present and Past Perfect Continuous Tenses
(सातत्यता बोधक पूर्ण वर्तमान एवं भूत काल)

In Hindi the present perfect continuous is like the present simple continuous tense.

☞ A time clause usually follows the subject. However its position can shift with emphasis.

☞ Time expressions related to point as well as period of time are followed by the same postposition 'से' (unlike 'since' and 'for' in English).

☞ Unlike the other perfective tenses in Hindi, in the present continuous perfect, the subject is in the nominative case (not followed by 'ने') both for transitive as well as intransitive verbs.

☞ We use this language structure to talk about activities that began in the past and continue upto present; they may or may not continue into the future.

Language structure : Present perfect continuous tense

subj.	+	time expression	+ obj.	+ v.r. +	रहा, रहे + हूँ , है, हो, हैं
nom. case		followed by 'से'	(if any)		रही

agree with G and N of the subj.

Model : Present perfect continuous tense

subj.	time clause	obj.	v.r.	m.	f.	
मैं	कल से,	हिन्दी	पढ़			हूँ
तू, वह, यह कौन (sg.)	सोमवार से			रहा,	रही	है
तुम	पिछले हफ़्ते से	नृत्य	सीख			हो
हम, आप, ये	जनवरी से	विज्ञान	पढ़ा	रहे	रही	हैं
वे, कौन (pl.)	दस साल से	क्रिकेट	खेल			

☞ For the past perfect continuous tense, use था, थे, थी, थीं instead of हूँ, है, हो, हैं ।

Examples :

Present perfect continuous

1. मैं सुबह सात बजे से आपका इन्तज़ार कर रही हूँ।	I have been waiting for you since 7 o'clock in the morning.
2. कमला तीन साल से बैंक में नौकरी कर रही है।	Kamla has been working in a bank for three years.
3. एक हफ़्ते से बारिश हो रही है।	It has been raining for one week.
4. तुम कब से गिटार बजाना सीख रही हो ?	How long have you been learning to play the guitar ?
5. राम 'स्कूटर' ख़रीदने के लिए तीन साल से पैसे बचा रहा है।	Ram has been saving money for three years to buy a scooter.
6. वह पिछले पाँच वर्षों से कुछ नहीं कर रहा (है)।	He has not been doing anything for the last five years.
7. हमारे स्कूल के विद्यार्थी दो साल से खेल प्रतियोगिता में भाग नहीं ले रहे हैं।	The students of our school have not been participating in the sports competition for two years.

Examples :

Past perfect continuous

1. वह दो वर्ष से हिन्दी सीख रहा था।	He had been learning Hindi for two years.
2. राम बारह बजे से घर साफ़ कर रहा था।	Ram had been cleaning the house since 12 o'clock.
3. तुम भारत में कब से व्यापार कर रहे थे?	How long had you been doing business in India ?
4. जब मैं राबर्ट से मिला, वह कई वर्षों से भारत-भ्रमण कर रहा था।	When I met Robert, he had been travelling in India for several years.
5. छात्रगण दो घंटे से पर्यावरण प्रदूषण पर बहस कर रहे थे।	The students had been having a debate on environmental pollution for two hours.

★★★

11

Past Simple Tense (सामान्य भूत काल)
Present Perfect Tense (पूर्ण वर्तमान काल)
Past Perfect Tense (पूर्ण भूत काल)

☞ In Hindi, language structures in the past simple tense, the present perfect tense and the past perfect tense are very similar with only slight variations.

☞ In all these three tenses, the student must carefully discriminate between transitive and intransitive verbs.

☞ For both transitive as well as intransitive verbs, (v.r. +आ, ए, ई) is used.

☞ For transitive activities, the verb endings agree with the N and G of the object.

☞ For intransitive activities, the verb endings agree with the subject.

☞ The subject of a transitive activity is followed by ने in the past simple and other perfective tenses as shown in the tables given below:

Nominative case - 2 (सप्रत्यय कर्त्ता)

singular	plural
मैंने	हमने
तूने	
तुमने	तुम लोगों ने
आपने	आप लोगोंने
इसने	इन्होंने
उसने	उन्होंने
किसने	किन्होंने
जिसने	जिन्होंने
किसी ने	किन्हीं ने
'X' ने where 'X' stands for a proper noun.	

Exceptions:

☞ बोलना (to speak), भूलना (to forget), लाना (to bring), बकना (to talk nonsense) though transitive verbs, their subject is not followed by ने in the past tense, and the verb agrees with the subject.

☞ खाँसना (to cough), छींकना (to sneeze) are intransitive verbs but their subject is followed by ने in the past tense; the verb is always in m. sg., third person form.

Changing the verb infinitive to past participle

1 Vowel symbol for आ, ए, ई, ईं is added to the verb roots ending in 'अ' :

Examples:

infinitive		m.sg.	m.pl.	f.sg.	f.pl.
चखना	(to taste)	चखा	चखे	चखी	चखीं
खोलना	(to open)	खोला	खोले	खोली	खोलीं
लिखना	(to write)	लिखा	लिखे	लिखी	लिखीं
उठना	(to get up)	उठा	उठे	उठी	उठीं
बैठना	(to sit down)	बैठा	बैठे	बैठी	बैठीं

2 'या' is added to the verb roots ending in 'आ', 'ओ', 'ई'; * long 'ई' is changed to short 'इ' ।

Examples:

infinitive		m.sg.	m.pl.	f.sg.	f.pl.
खाना	(to eat)	खाया	खाये	खायी	खायीं
सोना	(to sleep)	सोया	सोये	सोयी	सोयीं
*पीना	(to drink)	पिया	पिये	पी	पीं

3 'आ' is added to the verb roots ending in 'ऊ'; long 'ऊ' is changed to short 'उ'

Examples:

infinitive		m.sg.	m.pl.	f.sg.	f.pl.
छूना	to touch	छुआ	छुए	छुई	छुईं
चूना	to leak	चुआ	चुए	चुई	चुईं

44

4 | **Irregular verbs :**

infinitive		m.sg.	m.pl.	f.sg.	f.pl.
करना	to do	किया	किये	की	कीं
होना	to be	हुआ	हुए	हुई	हुईं
जाना	to go	गया	गये	गई	गयीं
देना	to give	दिया	दिये	दी	दीं
लेना	to take	लिया	लिये	ली	लीं

Language structure 1   **Past simple tense : v.i.** बैठना

subject   +   (v.r. + आ/या, ए/ये, ई/यी, ईं/यीं)

agree with the N and G of the subj.

Model 1   **Past simple tense : v.i.** बैठना

subject	m.	f.
मैं, तू, वह, यह कौन, क्या	बैठा	बैठी
हम, तुम(लोग), आप(लोग) वे, ये, कौन (Pl.) कौन कौन (who all)	बैठे	बैठीं

Language structure 2   **Present perfect tense. v.i.**

subj.   +   (v.r. + आ/ए/ई) + हूँ, है, हो, हैं

agree with the N and G
of the subj.

45

Model **2** **Present perfect tense : v.i. जाना**

subject	main verb		auxiliary
	m.	f.	
मैं	गया	गयी	हूँ
तू, वह, यह कौन, क्या			है
तुम		गयी	हो
हम, आप(लोग) वे, ये, कौन (who pl.) कौन कौन (who all)	गये		हैं

☞ **To make past perfect tense, use था, थे, थी, थीं instead of हूँ, है, हो, हैं ।**

Model **3** **Past perfect tense : v.i. जाना**

subject	main verb+auxiliary m.	main verb + auxiliary f.
मैं, तू, वह, यह, कौन क्या	गया था	गयी थी
हम, आप (लोग) वे ये, कौन (who pl.) कौन कौन (who all)	गये थे	गयी थीं

46

Language structure **4** **Past simple tense v.t. खाना**

(subj + ने) + obj. + (v.r. + आ/ए/ई/ईं)

agree with N and G of the object

Model **4** **Past simple tense : v.t. खाना**

subj.	object	verb
मैंने, हमने तूने, तुमने आपने, उसने इन्होंने, किन्होंने जिसने, जिन्होंने	सन्तरा (m.sg.)	खाया
	सन्तरे (m.pl.)	खाये
	पुस्तक (f.sg.)	पढ़ी
	पुस्तकें (f.pl.)	पढ़ीं

Language structure **5** **Present perfect tense v.t. खाना**

(subj. + ने) + obj. + (v.r. + आ/ए/ई) + है, हैं

agree with N and G of the object

Model **5** **Present perfect tense : v.t. खाना**

subject	object	verb
मैंने, हमने, तूने, तुमने आपने, आप लोगोंने, उसने, उन्होंने	सन्तरा (m.sg.)	खाया है।
	सन्तरे (m.pl.)	खाये हैं।
	पुस्तक (f.sg.)	पढ़ी है।
	पुस्तकें (f.pl.)	पढ़ी हैं।

☞ **To make past perfect tense, use** था, थे, थी, थीं **instead of** हूँ, है, हो, हैं।

Model 6 Past perfect tense v.t. खाना

subject	object	main verb+auxiliary
मैंने, हमने,	सन्तरा m.sg.	खाया था
तूने, तुमने,	सन्तरे m.pl.	खाये थे
आपने, आप लोगोंने,	पुस्तक f.sg.	पढ़ी थी
उसने, उन्होंने	पुस्तकें f.pl.	पढ़ी थीं

Examples :

Past simple tense v.i.

1. वह कल आया। — He came yesterday.
2. मेरी बहन कल आयी। — My sister came yesterday.
3. तुम भारत कब पहुँचीं? — When did you arrive in India ?
4. मैं भारत कल पहुँची। — I arrived in India yesterday.
5. वह कहाँ ठहरा ? — Where did he stay ?
6. वह होटल में ठहरा। — He stayed in a hotel.
7. बच्चा क्यों रोया ? — Why did the child cry ?
8. क्या तुम अध्यापक से मिले? — Did you meet the teacher ?
9. तुम उससे कब मिले ? — When did you meet him ?

Past simple tense v.t.

1. हमने खाना खाया। — We ate food.
2. उन्होंने क्या किया ? — What did they do ?
3. अध्यापक ने विद्यार्थी को क्या कहा ? — What did the teacher say to the student?
4. राम ने पन्द्रह साल बैंक में काम किया? — Did Ram work in a bank for fifteen years?
5. क्या आपने दो घण्टे हमारा इन्तज़ार किया ? — Did you wait for us for two hours ?
6. क्या उसने परीक्षा के लिए बहुत पढ़ा? — Did he study a lot for the exam ?
7. तुमने पर्याप्त परिश्रम नहीं किया। — You didn't work hard enough.
8. उन्होंने बच्चों को अच्छी शिक्षा नहीं दी। — They did not give a good education to the children.

48

☞ **Native speakers use compound verbs frequently in the perfective constructions. See page 156 for better comprehension of the examples.**

Examples :

Present perfect tense v.i.

1. डाक आ गई है। — The mail has come.

2. गाड़ी स्टेशन पर आ गई है। — The train has arrived at the station.

3. वह सो गया है। — He has gone to sleep.

4. वे बीमार हो गए हैं। — He (hon.) has fallen sick. / They have fallen sick.

5. मौसम बदल गया है। — The weather has changed.

6. कुआँ सूख गया है। — The well has dried up.

7. कपड़ा फट गया है। — The cloth is torn./has got torn.

8. दूध फट गया है। — The milk has curdled.

9. वह पागल हो गया है। — He has gone mad.

10. इंजिन ख़राब हो गया है। — The engine has developed a fault.

11. उसके बाल सफ़ेद हो गए हैं। — His hair has turned grey.

12. बच्चा गिर गया है। — The child has fallen down.

13. आम पक गए हैं। — The mangoes have ripened.

14. क्या आप दिल्ली गए हैं ? — Have you been to Delhi ?

15. नहीं, मैं दिल्ली कभी नहीं गया हूँ। — No, I have never been to Delhi.

16. वर्षा बन्द हो गई है। — It has stopped raining.

17. तस्वीर दीवार से गिर गई है। — The picture has fallen from the wall.

18. क्या राम घर पर है ? — Is Ram at home ?
    नहीं, वह काम पर गया है। — No, he has gone to work.

19. तुम्हारी चाबी कहाँ है ? — Where is your key ?
    पता नहीं। शायद मेरी चाबी खो गई है। — I don't know. Perhaps I have lost it.

49

Examples : **Present perfect tense v.t.**

1. उसने अपने जूते साफ़ कर लिए हैं।	He / She has cleaned his / her shoes.
2. मैंने दरवाज़ा बन्द कर लिया है।	I have closed the door.
3. क्या तुमने स्नान कर लिया है ?	Have you had a bath ?
4. मैंने कुछ नए कपड़े ख़रीदे हैं। क्या आप उन्हें देखना चाहेंगी?	I have bought some new clothes : Would you like to see them ?
5. मुझे मेरा छाता नहीं मिल रहा, किसी ने ले लिया है।	I can't find my umbrella; somebody has taken it.
6. क्या तुम्हें अख़बार चाहिए ? जी नहीं, धन्यवाद। मैंने पढ़ लिया है।	Do you need the newpaper ? No thanks. I have read it.
7. मैंने तुम्हारे लिए एक चॉकलेट ख़रीदा है।	I have bought you a bar of chocolate.
8. उसने हम सबके लिए चाय बनाई है।	She has prepared tea for all of us.
9. मैंने अपनी छोटी बहन के लिए नया वस्त्र बनाया है।	I have made a new dress for my younger sister.
10. कमला ने अपनी सखियों को उपहार भेज दिए हैं।	Kamala has sent presents to her friends.

Examples **Past perfect tense v.i.**

1. बच्चा गिर गया था।	The child had fallen.
2. आम पक गये थे।	The mangoes had ripened.
3. वर्षा बन्द हो गयी थी।	The rain had stopped.
4. तुम पिछले साल कहाँ गयी थीं ?	Where had you gone last year ?
5. वे आपके यहाँ कब आए थे ?	When had he come to your house ?

Past perfect v. t.

1. दादाजी ने हमें कहानी सुनायी थी।	Grandfather had narrated a story to us.
2. रामने रावण को मारा था।	Ram had killed Ravan.
3. गुरु जी ने हमें अच्छी शिक्षा दी थी।	The teacher had given us a good education.
4. महात्मा गाँधी ने देश की आज़ादी के लिए अपना सर्वस्व त्याग दिया था।	Mahatma Gandhi had sacrificed all his belongings for the freedom of the country.
5. मुग़ल बादशाहों ने भारत में अनेक सुन्दर इमारतें बनवायी थीं।	The Mughal kings had had several beautiful monuments built in India.
6. राजा ने सारे गाँव में ढिंढोरा पिटवा दिया था।	The king had the announcement made in the village.
7. उसने भारत आने से पहले हिन्दी सीखी थी।	He had learnt Hindi before coming to India.
8. मंत्री जी ने मंच पर बोलने से पूर्व अपना भाषण मुझे पढ़कर सुनाया था।	The minister had read his speech to me before delivering it on the stage.
9. यह कार ख़रीदने से बहुत पहले उसने अपनी पुरानी कार अपने भाई को बेच दी थी।	He had sold his old car to his brother long before he bought this one.
10. मंत्री जी ने कामगारों के सामने नया प्रस्ताव रखा था।	The minister had put a new proposal before the workers.

Uses of the past simple tense, the present perfect tense and the past perfect tense.

In Hindi there is quite a bit of overlapping regarding the use of these tenses. It is clear that all three relate to the already completed activities and processes. The decisive factor in making the choice is not so much the length of time which has elapsed since the completion of the activity or the event, as its relevance or irrelevance to the present. More than the theoretical rules, one needs experience with the language to be able to use the appropriate tense in a given situation.

Given below are some guidelines for new learners.

1 Uses of the past simple tense (सामान्य भूतकाल के प्रयोग)

- **When talking about an activity or a state resulting from some activity in the proximate past;**
- **When the speaker mentions 'when', 'where' or 'how' some activity or event happened;**
- **When the resulting state has no significant, meaningful relevance to the present.**

Examples:

1. हम पिछले हफ्ते सारनाथ गये।	We went to Sarnath last week.
2. रानी आज सुबह दिल्ली वापस गयी।	Rani went back to Delhi this morning.

- **When talking about activity in the immediate future.**

1. तुम चलो, मैं आया।	You go; I will come.
2. यह काम हुआ समझो।	You may consider this work as already finished.

2 Uses of the past perfect tense (पूर्ण भूतकाल के प्रयोग)

☞ **The past perfect tense is used:**

- **When an activity, process or the resulting state took place in the distant past.**

Examples:

1. सन् 1966 में मैं कनाडा गयी थी ।	I had gone to Canada in 1966.
2. मुसलमानों ने कब भारत पर आक्रमण किया था ?	When had the Muslims invaded India?

- **When two things happened in the past, the preceding activity is expressed in the past perfect tense and the succeeding activity in the past simple tense.**

Examples:

1. जब मैं उनके घर पहुँचा, वे भोजन कर चुके थे।	They had already eaten when I arrived at their place.

2. जब हम सुबह सो कर उठे, पिताजी दफ़्तर जा चुके थे।

When we got up in the morning, father had already left for office.

■ In Hindi the past perfect tense is used even for activities that took place in the proximate past and for which the past simple tense would be used in English.

Examples:

1. राम आज सुबह हमारे यहाँ आया था।

Ram came to our house this morning.

2. तुमने अभी अभी तो ऐसा कहा था।

You just said so.

■ Use of past perfect tense for immediate past

3. अभी अभी वह मुझे यह बताने आया था कि भारत क्रिकेट मैच जीत गया है।

He came just now to tell me that India has won the cricket match.

4. मैं तो तुम्हें अपने साथ फ़िल्म देखने ले जाने आया था; तुम तो पहले से ही कहीं जाने को तैयार बैठे हो।

I had come to take you with me to see a film; you are already ready to go somewhere.

■ Use of the past perfect tense for simultaneous activities

1. मैं पढ़ने बैठी ही थी कि बिजली चली गयी।

No sooner had I sat down to study than the electricity went off.

2. बच्चे खेलने के लिए निकले ही थे कि वर्षा होने लगी।

No sooner had the children gone out to play than it began to rain.

3 Uses of the present perfect tense (पूर्ण वर्तमान काल के प्रयोग)

☞ The present perfect tense is used :

■ When the completed activity or process has relevance to the present and when 'where', 'how' and 'when' of the activity are not mentioned.

Examples:

1. क्या डाक आ गयी है ?

Has the mail come ?

2. मैं बहुत थक गयी हूँ।

I have become very tired.

3. राम कुर्सी पर बैठा है ।

Ram is sitting in the chair.

4. तुमने खाना खा लिया है ?

Have you already eaten ?

Compare and comprehend:

1. मैंने खाना पका लिया है ।

I have already cooked.

2. तुमने खाना कब बनाया ?

When did you cook ?

3. मैंने तुम्हारे आने से पहले खाना बना लिया था ।

I had cooked before you came.

4. विद्यार्थी ने पाठ याद कर लिया है ।

The student has learnt the lesson.

5. उसने पाठ कब याद किया ?

When did he learn the lesson ?

6. उसने स्कूल आने से पहले ही पाठ याद कर लिया था ।

He had learnt the lesson before coming to school.

■ **Use of the present perfect tense for recurrence of an activity in the past.**

Examples:

1. जब जब बाढ़ आयी है, तब तब महामारी फैली है ।

Whenever floods have come, epidemics have spread.

2. जब जब वह मेरे यहाँ आया है, तब तब कोई संकट लाया है ।

Whenever he has come to my house, he has brought some crisis.

■ **Use of the present perfect tense to describe a state.**

Examples:

1. औरत मैदान में लेटी है ।

The woman is lying on the ground.

2. बच्चे छत पर सोये हैं ।

The children are sleeping on the terrace.

3. मैं बहुत थकी हूँ ।

I am very tired.

4. पुस्तकें मेज़ पर पड़ी हैं ।

The books are lying on the table.

See R-5, R-12, R-13

12

Future Simple Tense (सामान्य भविष्यतकाल)

In the active voice, for transitive as well as intransitive verbs, the future simple tense is as follows:

Language structure 1 : Future simple tense

subj. + obj. + v.r. + ऊँ, ए, + गा, गे,
nom.case (if any) ओ, एँ गी

agree with the N and G of the subject

Model 1 where verb root ends in आ, ओ

subj.	जाना (to go);		सोना (to sleep)	
	m.	f.	m.	f.
मैं	जाऊँगा	जाऊँगी	सोऊँगा	सोऊँगी
तू, वह, यह, क्या, कौन (who sg.)	जाएगा	जाएगी	सोएगा	सोएगी
तुम, तुमलोग	जाओगे	जाओगी	सोओगे	सोओगी
हम, आप, वे, ये, कौन (who pl.)	जाएँगे	जाएँगी	सोएँगे	सोएँगी

☞ Verb roots ending in 'ई', 'ऊ' are conjugated as shown below. Long 'ई' and 'ऊ' are invariably changed to short 'इ', 'उ'.

Model 2

subject	obj.	पीना (vt) to drink		छूना (vt) to touch.	
		m.	f.	m.	f.
मैं	दूध	पिऊँगा	पिऊँगी	छुऊँगा	छुऊँगी
तू, वह, यह,कौन क्या	दूध	पिएगा	पिएगी	छुएगा	छुएगी
तुम, तुमलोग	दूध	पिओगे	पिओगी	छुओगे	छुओगी
हम,आप,वे, ये, कौन (who pl)	दूध	पिएँगे	पिएँगी	छुएँगे	छुएँगी

☞ **When the verb root ends in अ (i.e. when it is not followed by any vowel symbol), vowel symbols for 'ऊँ', 'ए', 'ओ', 'एँ' are added to them followed by 'गा', 'गे', 'गी' to agree with the number and gender of the subject.**

Model 3 पढ़ना **(v.t.) to read;** बैठना **(v.i.) to sit**

subject	verb intransitive		obj.	verb transitive	
	m.	f,		m.	f.
मैं	बैठूँगा	बैठूँगी	पुस्तक	पढ़ूँगा	पढ़ूँगी
तू, वह, यह, क्या, कौन (who sg)	बैठेगा	बैठेगी		पढ़ेगा	पढ़ेगी
तुम, तुमलोग	बैठोगे	बैठोगी		पढ़ोगे	पढ़ोगी
हम,आप,वे,ये, कौन (who pl.)	बैठेंगे	बैठेंगी		पढ़ेंगे	पढ़ेंगी

☞ **Conjugation of the verbs** लेना **(to take),** देना **(to give),** होना **(to be) is slightly different.**

Model 4

subject	verb लेना		देना		होना	
	m.	f.	m.	f.	m.	f.
मैं	लूँगा	लूँगी	दूँगा	दूँगी	हूँगा होऊँगा	हूँगी होऊँगी
तू, वह, यह, क्या, कौन (who sg.)	लेगा	लेगी	देगा	देगी	होगा	होगी
तुम,तुमलोग	लोगे	लोगी	दोगे	दोगी	होगे	होगी
हम,आप,वे, ये,कौन (who pl.)	लेंगे	लेंगी	देंगे	देंगी	होंगे	होंगी

Examples:

1. वह अवश्य आएगा। — He will certainly come.
2. मैं अगले महीने नयी गाड़ी ख़रीदूँगा। — I will buy a new car next month.
3. आज मैं जल्दी सोऊँगी। — I will turn in early tonight.
4. गाड़ी कितने बजे छूटेगी ? — What time will the train depart ?

Language structure 2 Frequentative future simple tense

subj. + obj. + v. r. + आ/या + करूँगा/करूँगी, करेगा/करेगी
nom. case   (if any)   करोगे/करोगी, करेंगे/करेंगी

agree with N and G of the subject.

Examples :

1. इस साल मैं मन लगाकर पढ़ा करूँगा ।

   This year I will study with concentration.

2. भविष्य में उन्हें हमारी मदद की आवश्यकता नहीं हुआ करेगी ।

   They will not need our help in the future.

3. आगामी सप्ताहान्त से हम कहीं नहीं जाया करेंगे ।

   We will not go anywhere from the coming weekend on.

4. मैं हर इतवार को आप को टेलिफ़ोन किया करूँगा ।

   I will phone you every Sunday.

5. कल से दुकानें आठ बजे बन्द हुआ करेंगी ।

   From tomorrow the shops will close at 8 o'clock.

Future Continuous Tense

Language structure

subj. + obj. + v. r. +   रहा, रहे, रही + future form
nom. case   (if any)   of होना

agree with N and G of the subject.

Examples :

1. मैं कल इस समय यात्रा कर रही हूँगी ।

   Tomorrow at this time, I will be travelling.

2. शाम को चार बजे बच्चे पढ़ रहे होंगे ।

   In the evening at 4 o'clock the children will be studying.

3. अगले इतवार को हम दिल्ली में घूम रहे होंगे ।

   Next Sunday we will be sightseeing in Delhi.

4. सुबह सवा सात बजे माताजी पूजा कर रही होंगी ।

   At 7.15 in the morning, my mother will be praying.

57

Future Perfect - 1

Language structure

subj. + obj. + v.r. + चुका, चुके, चुकी + future form of
nom. case   if any   होना

agree with N and G of the subject.

☞ **This structure can be used both for transitive and intransitive activities.**

1. हम कल दस बजे तक दिल्ली पहुँच चुके होंगे ।
   By 10 o'clock tomorrow we will have reached Delhi.

2. वह सन् 1995 तक डॉक्टर बन चुका होगा ।
   By 1995 he will have become a doctor.

3. जब तुम उनके घर पहुँचोगे, वे खाना खाकर सो चुके होंगे ।
   By the time you arrive at their place, they will have already eaten and gone to sleep.

4. 15 अप्रैल तक गेहूँ की फ़सल कट चुकी होगी ।
   By 15th April, the wheat crop will have been harvested.

Future Perfect - II

Language Structure

subj. + obj. + v.r. + past form + future form
with ने   of लेना/देना   of होना

agree with the N and G of the object

☞ **This structure can be used only for transitive activities.**

1. जब तक वह भारत आएगा, हमने उसके रहने की उचित व्यवस्था कर दी होगी ।
   By the time he arrives in India, we will have made proper arrangements for his stay.

2. अगले वर्ष जनवरी से पहले ही हमने नया घर ख़रीद लिया होगा ।
   Next year before January, we will have bought a new house.

3. क्या कल चार बजे तक आपने सब काम कर लिया होगा ?
   Will you have finished all the work by 4 o'clock tomorrow ?

4. कॉलेज में प्रवेश मिलने से पहले मैंने हिन्दी भाषा अच्छी तरह सीख ली होगी ।
   Before getting admission in the college, I will have learnt Hindi very well.

★ ★ ★

See R-16, R-17

13 Presumptive Form (अनुमान बोधक वाक्य रचना)

We use presumptive form when we are sure that something is true (or untrue), but our certainty about the existence of something is based on presumption and not on first-hand knowledge.

Language structure 1 : Presumptive present habitual

subj. nom. case +	obj. if any	+	v.r.	+	ता, ते, ती	+	future form of होना
					agree with the subject		

Model 1 : v. t. खाना (to eat); v. i. जाना (to go)

	m.	f.	m.	f.		m.	f.	m.	f.
मैं	खाता	खाती	हूँगा होऊँगा	हूँगी होऊँगी	हम,आप, वे,ये,कौन	खाते	खाती	होंगे	होंगी
तू,वह, यह,कौन	जाता	जाती	होगा	होगी	तुम	जाते	जाती	होगे	होगी

Language structure 2 : Presumptive progressive

subj. nom. case +	obj. if any	+	v.r.	+	रहा, रहे, रही	+	future form of होना
					agree with the subject		

Model 2 : v. t. खाना (to eat); v. i. जाना (to go)

	m.	f.	m.	f.		m.	f.	m.	f.
मैं	खा रहा	खा रही	हूँगा होऊँगा	हूँगी होऊँगी	हम,आप, वे,ये,कौन	खा रहे	खा रही	होंगे	होंगी
तू,वह, यह,कौन	जा रहा	जा रही	होगा	होगी	तुम	जा रहे	जा रही	होगे	होगी

Language structure 3 : Presumptive perfective - 1, v.i.

subj. + past form + future form
nom. case of v.i. of होना

⎵ agree with the subject

Model 3 : v. i. जाना (to go)

	m.	f.	m.	f.		m.	f.	m.	f.
मैं	गया	गयी	हूँगा / होऊँगा	हूँगी / होऊँगी	हम,आप, वे,ये,कौन	गये	गयीं	होंगे	होंगी
तू,वह, यह,कौन			होगा	होगी	तुम			होगे	होगी

Language structure 4 : Presumptive pertective - 2, v.t.

subject + object+ past form + future form of होना
with ने of v.t.

⎵ agree with the object

Model 4 : v.t. खाना (to eat)

मैंने, हमने, तूने, तुमने, आपने, इसने उसने, इन्होंने उन्होंने, किसने किन्होंने				
	केला	खाया होगा	object eaten	m. sg.
	केले	खाए होंगे	object eaten	m. pl.
	रोटी	खाई होगी	object eaten	f. sg.
	रोटियाँ	खाई होंगी	object eaten	f. pl.

60

Language structure 5 : presumptive perfective with 'चुकना'

subj. nom. case +	obj. (if any) +	v.r. +	चुका, चुके, चुकी +	future form of होना
			agree with the subject	

Model 5 : v. t. खाना (to eat); v. i. जाना (to go)

	m.	f.	m.	f.		m.	f.	m.	f.
मैं	खा चुका जा चुका	खा चुकी जा चुकी	हूँगा होऊँगा	हूँगी होऊँगी	हम,आप, वे,ये,कौन	खा चुके जा चुके	खा चुकी जा चुकी	होंगे	होंगी
तू,वह, यह,कौन			होगा	होगी	तुम, तुम लोग			होगे	होगी

☞ **Presumptive perfective constructions are possible both in the case of transitive and intransitive verbs. They take the subject in the nominative case.**

Present presumptive

Examples:

1. वह बंगाल की रहने वाली है। ज़रूर चावल, मछली खाती होगी। — She is a resident of Bengal. She must be eating rice and fish.
2. रानी की परीक्षा अगले महीने है। वह आजकल दिनभर पढ़ती होगी। — Rani's examination is due next month. These days she must be studying the whole day.
3. अनिल के चाचा जी का घर उसके कॉलेज से दूर नहीं। वह ज़रूर हर सप्ताहान्त पर उनसे मिलने जाता होगा। — Anil's uncle's house is not far from his college. He must be visiting him every weekend.
4. आजकल गर्मी बहुत है। वे लोग रोज़ तरण-ताल तैरने के लिए जाते होंगे। — It is very hot these days. They must be going to the swimming pool for swimming daily.
5. आप घर का सब काम स्वयं करती होंगी। — You must be doing all household chores yourself.

Examples :

Present progressive presumptive

1. माताजी इस समय रसोई-घर में खाना बना रही होंगी।	Mother must be cooking food in the kitchen at this time.
2. पिताजी इस समय अख़बार पढ़ रहे होंगे और साथ-साथ चाय पी रहे होंगे।	Father must be reading a newspaper at this time and drinking tea at the same time.
3. बच्चे बग़ीचे में खेल रहे होंगे।	The children must be playing in the park.
4. प्रधानमंत्री इस समय बोट-क्लब में भाषण दे रहे होंगे।	The Prime Minister must be making a speech at the Boat-Club at this time.
5. आजकल वे मदुरै में आनन्द मना रहे होंगे।	These days they must be enjoying themselves in Madurai.

Examples :

Perfective presumptive

1. रानी ने सारा दिन काम किया था। वह ज़रूर थकी हुई होगी।	Rani had worked all day. She must have been tired.
2. वे कलकत्ते गए होंगे।	They must have gone to Calcutta.
3. आपने कमला को लंका पर देखा होगा।	You must have seen Kamla at Lanka.
4. उसने आप की किताब नहीं चुराई होगी।	She couldn't have stolen your book.
5. उसने कार तेज़ चलाई होगी।	He must have driven the car fast.
6. जब हम घर के अन्दर गए तो हमने बहुत शोर मचाया। हमारे पड़ोसियों ने हमें ज़रूर सुना होगा।	We made a lot of noise when we entered the house. Ou r neighbours must have heard us.

★ ★ ★

14

Use of the verbs चुकना, लेना, देना, जाना

Use of the verbs **'चुकना'**, **'लेना'**, **'देना'**, **'जाना'** to denote that the action (1) has already been done, (2) had already been done, or (3) will have already been done by a certain time.

Language structure 1 use of चुकना

subj.	+	obj. +	v.r. +	चुका, चुके	+	होना
nom. case		(if any)		चुकी		in the required tense

agree with the N and G of the subject.

☞ This language structure is used both for transitive and intransitive verbs.'

Examples:

मैं खाना खा चुका हूँ।	I have already had food.
वे पहुँच चुके हैं।	They have already arrived.

Language structure 2 use of 'लेना', 'देना'

subj. +	obj. +	v.r. +	लिया दिया +	होना
+ ने			लिये दिये	in the required tense
			ली दी	

agree with the N and G of the object.

☞ This form is applicable only in the case of transitive verbs.

☞ v.r. + लेना is used when the action is completed to the benefit of the subject himself.

☞ v.r. + देना is used when the action is completed to the benefit of someone other than the subject.

Examples:

1. मैंने खाना खा लिया है।   I have already eaten.
2. माँ ने खाना पका दिया है।   Mother has already cooked food.

63

Compare and comprehend :

1a. वह अपने जूते साफ़ कर चुका है ।

1b. उसने अपने जूते साफ़ कर लिए हैं ।

He has already cleaned his shoes.

2a. क्या तुम स्नान कर चुके हो ?

2b. क्या तुमने स्नान कर लिया है ?

Have you already had a bath ?

3a. पिता जी आज का समाचार पत्र पढ़ चुके हैं ।

3b. पिताजी ने आज का समाचार पत्र पढ़ लिया है ।

Father has already read today's newspaper.

4. दुर्घटना स्थल पर पुलिस आ चुकी है/ आ गयी है ।

The police has already arrived at the place of accident.

5. दुकानें बन्द हो चुकी हैं/ हो गयी हैं ।

Shops have already closed.

☞ **For intransitive activities, alternative constructions with 'जाना' are possible. See sentences 4, 5, given above.**

Examples :

| Use of चुकना – Past perfect tense |

1. जब मैं हवाई अड्डे पर पहुँचा, जहाज़ उड़ चुका था ।

When I reached the airport, the plane had already taken off.

2. जब हम सिनेमाघर पहुँचे, 'फ़िल्म' शुरू हो चुकी थी ।

When we got to the cinema hall, the film had already begun.

3. जब मैं कमला से मिला, वह अपने पिता की मृत्यु की ख़बर सुन चुकी थी ।

When I met Kamla, she had already heard the news of her father's death.

4. जब वे मेरे घर आए, मैं खाना खा चुका था ।

When they came to my house, I had already had dinner.

5. जब पुलिस पहुँची, ख़ूनी वहाँ से जा चुका था ।

When the police arrived, the murderer had already left the scene.

Example :

| Use of चुकना – Future tense |

1. सोमवार तक हमारे घर की मरम्मत हो चुकी होगी ।

By Monday our house will have been repaired.

2. मैं यह काम कल शाम को चार बजे तक कर चुका हूँगा ।

I will have done this work by 4 o'clock tomorrow evening.

3. 22 जून तक मानसून शुरू हो चुके होंगे ।

Monsoons will have begun by June 22.

4. कल सुबह 10 बजे तक हमारी गाड़ी दिल्ली पहुँच चुकी होगी ।

Tomorrow by ten o'clock our train will have arrived in Delhi.

5. सन् 1996 में जुलाई तक वह डॉक्टर बन चुका होगा ।

He will have become a doctor by July 1996.

15

To Like
पसन्द करना, पसन्द होना,
पसन्द आना, अच्छा लगना

Language structure 1 : पसन्द करना

subj.　　+　object　　+　पसन्द　+　कर　+　ता, ते, ती　+　होना
nom. case　　(noun /　　　　　　　　　　　　　　　　　*in the required*
　　　　　　v. inf.)　　　　　　　　　　　　　　　　　*tense*

agree with N and G of the subj.

Example :

1. मैं हिन्दुस्तानी खाना पसन्द करता हूँ/
   करती हूँ ।

   I like Indian food.

2. क्या आप भारत पसन्द करते हैं/करती
   हैं ?

   Do you like India ?

3. वे हिन्दी पढ़ना पसन्द करते हैं/करती
   हैं ।

   They like to study Hindi.

5. वह कहानी सुनना पसन्द करता है/
   करती है ।

   He/She likes to listen to a story.

6. वे हमारी पोशाकें पसन्द करते हैं/
   करती हैं ।

   They like our dresses.

7. बचपन में हम तैरना पसन्द करते थे ।

   In childhood we used to like to swim.

8. पहले मैं मांस खाना पसन्द करता था ।

   Previously I used to like to eat meat.

9. क्या आप मेरे साथ सिनेमा देखना
   पसन्द करेंगे ?

   Would you like to come with me to see a film?

10. नहीं, आज मैं घर पर रहना पसन्द
    करूँगा ।

    No, today I would like to stay at home.

66

Language structure 2 : पसन्द होना/ अच्छा लगना

subj. with	+	object	+	पसन्द/अच्छा लगता	+	होना
को		{ noun/ v.inf. }		अच्छे लगते अच्छी लगती		in the required tense

agree with N and G of the object

Examples:

1. हमें फ़िल्में देखना पसन्द है/अच्छा लगता है ।

We like to see films.

2. उन्हें हिन्दी पढ़ना पसन्द है/अच्छा लगता है ।

They like to study Hindi.

3. उसको खाना बनाना पसन्द नहीं / अच्छा नहीं लगता ।

He does not like to cook.

4. मुझे बनारसी साड़ियाँ पसन्द हैं / अच्छी लगती हैं ।

I like Banaras' sarees.

5. बचपन में आपको क्या करना पसन्द था ? / अच्छा लगता था ?

What did you like to do in your childhood ?

6. मुझे दिनभर खेलना पसन्द था। / अच्छा लगता था ।

I liked to play all day.

7. क्या आपको आज शाम को 'रेस्टोरेन्ट' में खाना पसन्द होगा ?/ अच्छा लगेगा ?

Would you like to eat in a restaurant this evening ?

8. मुझे दूरदर्शन पर कत्थक नृत्य देखना पसन्द होगा/अच्छा लगेगा ।

I would like to see katthak dance on television.

8. हमें पंजाबी वेषभूषा पसन्द है / अच्छी लगती है ।

We like the dress of Punjab.

9. माता जी को शास्त्रीय संगीत पसंद है/ अच्छा लगता है ।

Mother likes classical music.

Language structure 3 : पसन्द आना

(subj. + को) + obj. + पसन्द + आना + होना

in the required tense;

agrees with the N and G of the obj.

☞ पसन्द आना : is used particularly when one likes or dislikes something through personal experience or contact with that thing.

☞ 'आना' is declined in agreement with the object that pleases or displeases, and the tense of speech.

1. मुझे पुरानी फ़िल्में अक्सर पसन्द आती हैं ।
   I usually like old films.

2. पिता जी को हमारा रात को देर तक बाहर रहना पसन्द नहीं आता ।
   Father does not like our staying out late at night.

3. मुझे फ़िल्म पसन्द आई ।
   I liked the film (only after having seen the film, one uses this form).

4. मुझे 'फ़्लैट' पसन्द आया ।
   I liked the flat.

5. मुझे भारत का ग्रामीण जीवन बहुत पसन्द आया ।
   I liked the country life of India very much.

6. आप सारनाथ अवश्य जाइएगा । आप को यह स्थान बहुत पसन्द आएगा ।
   You must certainly visit Sarnath. You will like this place very much.

7. मेरी माता जी को भारतीय संस्कृति बहुत पसंद आएगी ।
   My mother will like Indian culture very much.

8. मुझे उस भोजनालय का खाना बिल्कुल पसंद नहीं आया ।
   I did not like the food of that restaurant at all.

16

As Soon As (तात्कालिक कृदन्त)
Use of (v.r. + ते) + ही

Language structure 1

☞ when the subject of the two sentences is different.

subj. + के + (v.r. + ते) + ही, ...

Example :

1. अध्यापक आता है।	The teacher comes.
2. विद्यार्थी पढ़ते हैं।	The students study.
⟹ अध्यापक के आते ही, विद्यार्थी पढ़ते हैं।	As soon as the teacher comes, the students study.

Language structure 2

☞ when the subject of the two sentences is the same.

subj. + (v.r. + ते) + ही, ...

Example:

1. माँ घर आती है।	Mother comes home.
2. माँ खाना पकाती है।	Mother cooks food.
⟹ माँ घर आते ही खाना पकाती है।	As soon as mother comes home, she cooks.

☞ Irrespective of the gender or number of the subject of the subsidiary clause (v.r. + ते) form is used.

☞ Also whether the main clause is in the present, past or future tense, the subsidiary clause has always [(v.r. + ते) + ही].

Examples:

1. माँ जाती है।	Mother goes.
2. बच्चा रोता है।	The child cries.
⟹ माँ के जाते ही बच्चा रोता है।	As soon as mother goes, the child cries.

69

1. मैं पढ़ने बैठी ।	I sat down to study.
2. मेहमान आ गये ।	The guests came.
⇒ मेरे पढ़ने बैठते ही मेहमान आ गये ।	As soon as I sat down to study, the guests came.
1. तुम मुझे बुलाओगे ।	You will call me.
2. मैं आऊँगा ।	I will come.
⇒ तुम्हारे बुलाते ही मैं आऊँगा ।	As soon as you call me, I will come.
1. हम तुम्हें संकेत देंगे ।	We will give you a signal.
2. तुम बाहर चले जाना ।	You go out.
⇒ हमारे संकेत देते ही तुम बाहर चले जाना ।	As soon as we give you a signal you go out.

☞ **This language structure is used to express activities immediately following one another — almost simultaneously occurring !**

1. मैं सोकर उठते ही चाय पीती हूँ ।	As soon as I get up, I drink tea.
2. सुबह होते ही पक्षी चहकने लगते हैं ।	As soon as it is morning, the birds begin to chirp.
3. सन्ध्या होते ही बच्चे पढ़ने के लिए बैठ जाते हैं ।	As soon as it is evening, the children sit down to study.
4. बर्फ़ पड़ते ही लोग पहाड़ों से मैदानों में आ जाते हैं ।	As soon as there is snowfall, people in the mountains come down to the plains.
5. माँ के आते ही बच्चे प्रसन्न हो गये ।	As soon as mother came, the children became happy.
6. नायिका को देखते ही दर्शक उछलने लगे ।	As soon as they saw the heroine, the audience began to jump.
7. दफ़्तर पहुँचते ही मुझे उसका 'तार' मिला ।	As soon as I reached the office, I got his telegram.
8. पुलिस को देखते ही चोर भाग गया ।	As soon as the thief saw the police, he ran away.
9. खाना पकते ही मैं खा कर आ जाऊँगा ।	As soon as the food is ready, I shall eat and come.
10. निर्णय लेते ही आप हमें सूचित कीजिएगा ।	Inform us as soon as you decide.

Use Of जैसे ही/ ज्यों ही .... 'As Soon As'

An alternative construction corresponding to the English 'as soon as' is with 'जैसे ही/ज्योंही .....''

☞ The tense used in 'जैसे ही ....'' clause corresponds to the tense used in the main clause.

Examples:

1. जैसे ही मुझे समय मिलता है, मैं हिन्दी सीखती हूँ।

   As soon as I get time, I learn Hindi.

 = समय मिलते ही, मैं हिन्दी सीखती हूँ।

2. जैसे ही पिता जी घर से निकलते हैं, बच्चे खेलने लगते हैं।

   As soon as father gets out of the house, the children begin to play.

 = पिता जी के घर से निकलते ही, बच्चे खेलने लगते हैं।

3. जैसे ही वह तैयार हुआ, हम चल पड़े।

   As soon as he was ready we set out.

 = उसके तैयार होते ही हम चल पड़े।

4. जैसे ही हम नया घर ख़रीदेंगे, आप सबको दावत देंगे।

   As soon as we buy a new house, we will give you a party.

 = नया घर ख़रीदते ही हम आप सबको दावत देंगे।

5. जैसे ही मकान मालिक ने कहा, हमने घर ख़ाली कर दिया।

   As soon as the landlord told us, we vacated the house.

 = मकान मालिक के कहते ही, हमने मकान खाली कर दिया।

6. जैसे ही मुझे नौकरी मिलेगी, मैं शादी करूँगा।

   As soon as I get a job, I will marry.

 = नौकरी मिलते ही मैं शादी करूँगा।

71

No Sooner .... Than

Language structure:

subj. + (v.r. +आ/ए/ई)* + ही + था/थे* थी/थीं कि --------- [v.r. +आ/ए, ई/ई]*

In the active voice :

☞* **when v.t., both the main verb and auxiliary verb agree with the object; the subject is followed by 'ने' ।**
see examples 1,2,3.

☞* **when v.i., both the main verb and auxiliary verb agree with the subject which is in the nominative case. See examples 4,5,6.**

Given below is another language structure in Hindi used only when any two activities immediately followed one another in the past. It corresponds to the English 'no sooner .... than' structure.

Examples:

1. मैंने पढ़ना शुरू किया ही था कि हमारे यहाँ मेहमान आ गये।	No sooner had I started studying than the guests came to our place.
2. माँ ने खाना पकाना शुरू किया ही था कि 'गैस' ख़त्म हो गया।	No sooner had mother started cooking than the 'gas' finished.
3. उसने खाना खाया ही था कि उसे चक्कर आने लगे और वह बेहोश हो गया।	No sooner had he eaten food than he began to feel dizzy and became unconscious.
4. वह लेटा ही था कि किसी ने द्वार पर खटखटाया।	No sooner had he lain down than someone knocked at the door.
5. वे घर से निकले ही थे कि मूसलाधार वर्षा होने लगी।	No sooner had they got out of the house than it began to rain in torrents.
6. गाड़ी चली ही थी कि किसी ने ज़ंजीर खींची और वह फिर रुक गयी।	No sooner had the train moved than someone pulled the chain and it stopped again.

★ ★ ★

17 Ability Structure (सामर्थ्य बोधक वाक्य रचना)

Use of सकना (can, could, be able to)

Language Structure 1

subj. + obj. + v.r. + सकना + होना
nom. case (if any)

(सकना + होना) in the appropriate tense to agree with the N and G of the subj.

Model 1 सकना **Present Indefinite.**

	v.r.	m	f	
मैं	खा पढ़ जा	सकता	सकती	हूँ
तू,वह,यह,कौन		सकता		है
तुम,तुमलोग		सकते		हो
हम,आप,वे,ये, कौन (who pl), कौन कौन (who all)		सकते		हैं

Examples :

1. वह तैर सकता है/सकती है। — He/She can swim.
2. वह कई भाषाएँ बोल सकती है। — She can speak many languages.
3. मैं 'कार' नहीं चला सकता। — I cannot drive a car.
4. क्या तुम घुड़सवारी कर सकते हो ? — Can you ride a horse ?
5. क्या तुम पेड़ पर चढ़ सकती हो ? — Can you climb up the tree ?
6. कमला अपने वस्त्र स्वयं सी सकती है। — Kamla can sew her clothes herself.
7. क्या तुम अकेली विदेश जा सकती हो ? — Can you go abroad alone ?
8. वे ठण्डे देश में नहीं रह सकते। — They cannot live in a cold country.

Model 2 सकना Past Habitual

subject	v.r.	m.	f.
मैं, तू, वह, यह, कौन (who sg.)	खा	सकता था	सकती थी
तुम, तुमलोग, हम, आप, वे, ये, कौन (who pl.), कौन कौन (who all)	पढ़ जा	सकते थे	सकती थीं

Examples:

1. बचपन में मैं बहुत अच्छा तैर सकती थी ।
   I used to be able to swim very well in my childhood.
2. पहले वह कई विदेशी भाषाएँ बोल सकती थी ।
   She used to be able to speak several foreign languages earlier.
3. क्या आप भारत आने से पहले हिन्दी बोल सकते थे ?
   Could you speak Hindi before coming to India ?
4. यदि तुम परिश्रम करते, तो कक्षा में प्रथम आ सकते थे ।
   If you had worked hard, you could have come first in class.

Model 3 सकना Past simple

subj.	v.r.	m.	f.
मैं, तू, वह, यह, कौन (who sg.)	खा	सका	सकी
तुम, हम, आप, वे, ये, कौन (who pl.), कौन कौन (who all)	पढ़ जा	सके	सकीं

74

Examples :

1. वे हमारी मदद नहीं कर सके।
They could not help us.

2. हम पिछले रविवार को 'पिकनिक' पर न जा सके।
We could not go for a picnic last Sunday.

3. मैं बहुत तेज़ दौड़ी; मुझे कोई हरा न सका।
I ran very fast; nobody could defeat me.

4. बच्चा कुएँ में गिर गया परन्तु भाग्य से हम उसे बचा सके।
The child fell into the well, but luckily we could save him.

Model 4 सकना Future simple

subject	v.r.	m.	f.
मैं		सकूँगा	सकूँगी
तू, वह, यह, क्या, कौन (who sg.)	खा	सकेगा	सकेगी
तुम, तुमलोग	पढ़	सकोगे	सकोगी
हम, आप, वे, ये, कौन (who pl.)	जा	सकेंगे	सकेंगी

Examples :

1. वह मसालेदार भोजन खा सकेगा।
He will be able to eat spicy food.

2. मैं इतना परिश्रम नहीं कर सकूँगा।
I will not be able to work so hard.

3. क्या तुम मेरी मदद कर सकोगे ?
Will you be able to help me ?

4. कौन नाटक में भाग ले सकेगा ?
Who will be able to take part in the play ?

5. आप जल्दी हिन्दी बोल सकेंगे।
You will be able to speak Hindi soon.

☞ सकना **has no progressive form.**

☞ Put 'नहीं' **between the main verb and** सकना; **it may also be placed before the main verb and** सकना **with a shift in the emphasis.**

75

Uses of 'सकना'

1 To express physical or mental ability or inability to do something.

Examples :

1. मैं खाना पका सकती हूँ। — I can cook.
2. राम तैर सकता है। — Ram can swim.
3. क्या तुम पेड़ पर चढ़ सकते हो ? — Can you climb up the tree ?
4. मैं अंग्रेजी पढ़ और लिख सकती हूँ। — I can read and write English.

2 To grant or to make a request for permission:

1. क्या मैं अन्दर आ सकता हूँ ? — May I come in ?
2. आप अन्दर आ सकते हैं। — You may come in.
3. अब आप घर जा सकते हैं। — You may go home now.
4. तुम कल यह पुस्तक ले जा सकते हो। — You may take this book tomorrow.
5. तुम मेरा शब्दकोश प्रयोग कर सकती हो। — You may use my dictionary.

3 सकना is sometimes used to denote the idea, 'X' could have done something but for some reason didn't.

Examples:

1. हम कल रात को सिनेमा जा सकते थे। — We could have gone to the movies last night (but didn't).
2. तुम दावत में आ सकते थे। — You could have come to the party (but didn't).

5 To express probability of an event:

1. आज बारिश आ सकती है। — It may rain today.
2. वे इस वर्ष भारत लौट सकते हैं। — They may return to India this year.
3. हम गर्मी की छुट्टियों में शिमला जा सकते हैं — We may go to Simla during the summer vacation.

6 To offer to do something for somebody.

1. मैं बाज़ार जा रही हूँ; क्या मैं आप के लिए कुछ ला सकती हूँ ? — I am going to the market; could I bring you something ?
2. आप कुछ थकी हुई लग रही हैं; क्या मैं आपके लिए कुछ कर सकती हूँ ? — You look somewhat tired; could I help you in any way ?

Use of the verb 'पाना'

'पाना' is used instead of 'सकना' when one is able to manage to do something by putting in some extra effort or alternatively one is not able to do something despite special effort.

Language Structure **2** **use of पाना (can)**

subj.　　 + 　obj. 　+　 v.r. 　+ 　पाना + 　होना
　　　　　　(of any)　　　　　　　　　　　in the appropriate tense

　　　　　　　　　　　　　　　　　to agree with the N and G
　　　　　　　　　　　　　　　　　of the subject

Examples :

1. मैं पैदल नहीं चल पाती ।　　　　　　I am unable to walk.

2. वह अंग्रेज़ी नहीं बोल पाती ।　　　　　She is not able to speak English.

3. आज मैं बहुत कठिनाई से घर पहुँच　　 I could get home with great difficulty today.
   पायी ।

4. बहुत प्रयास के बावजूद मैं कार चलाना　Despite much effort I was not able to learn
   नहीं सीख पायी ।　　　　　　　　 to drive a car.

5. मरीज़ की हालत बहुत ख़राब है;　　　The patient's condition is very bad; the
   डाक्टर लोग उसे बचा नहीं पाएँगे ।　 doctors won't be able to save him.

See R-14, R-15

77

18 Probability (संभावना)
शायद, संभव है, हो सकता है

Probability expressions **'शायद'** (perhaps), **'हो सकता है'** (it is likely), **'संभवता'** (probably) correspond to English 'may', 'might''may/might+have+pp' etc.

Language structure **1** **Present probability**

probability + subj. + obj. + v.r + ता, ते,ती + होउँ, हो, हों
expression   nom. case   (if any)   agree with the subj.

Model **1** v.i. जाना;   v.t. खाना

	मैं	आता/आती	होउँ
शायद	तू, वह, यह	खाता / खाती	हो
हो सकता है	तुम,	आते / आती	होओ
	आप, वे, ये	खाते / खाती	हों

Examples :

1. शायद वह शाम को खेलता हो ।   Perhaps he plays in the evening.

2. हो सकता है वे अंग्रेज़ी भाषा न   It is likely that they don't know the
   जानते हों ।   English language.

Language structure **2a** **Past probability v.i.**

probability + subj. + v.r + आ, ए, ई + होउँ, हो, हों
expression   nom. case
                                agree with the subj.

Model 2 Past probability v.i. 'आना'

prob. exp.	subject	m.	f.	
शायद	मैं			होऊँ
	तू, वह, यह	आया		हो
हो सकता है	तुम, तुम लोग	आये	आयी	
	हम, आप, वे, ये			हों

Language structure 2b Past probability v.t.

probability + subj. + ने + obj. + v.r + आ, ए, ई + होउँ, हो, हों
expression

agree with the obj.

Model 2b Past probability v.t. 'खाना'

शायद हो सकता है	मैंने, तूने, तुमने, आपने, उसने, उन्होंने हमने, इन्होंने	केला खाया हो। केले खाये हों। रोटी खायी हो। रोटियाँ खायीं हों।

Examples :

1. शायद वह कल जयपुर गया हो।   Perhaps he went to Jaipur yesterday.

2. हो सकता है उसने ताजमहल देखा हो।   It is likely that he saw the Tajmahal.

Language structure 3 Future probability

probability + subj. + obj. + v.r + होउँ, हो, हों
expression   nom. case   (if any)

agree with the subj.

79

Model 3 Future probability

	मैं	आऊँ
शायद	तू, वह, यह	आए
हो सकता है	तुम (लोग)	आओ
सम्भव है	हम, आप, वे, ये	आयें

Examples :

1. हो सकता है शाम को हम आप के घर आएँ ।
   It is likely that we will come to your house in the evening.

2. सम्भव है वे अगले हफ़्ते जयपुर जाएं ।
   Probaby they will go to Jaipur next week.

3. शायद मैं यह पुस्तक ख़रीदूँ ।
   I might buy this book.

Examples :

Probability in the present

1. हो सकता है वहाँ गर्मी न पड़ती हो ।
   It is likely it is not hot there.

2. शायद वह दफ़्तर पैदल जाता हो ।
   Perhaps he goes to the office on foot.

3. हो सकता है वे अपराह्न में सोते हों ।
   It is likely they sleep in the afternoon.

4. हो सकता है कोई हमारी सब बातें सुन रहा हो ।
   It is likely somebody is listening to all our conversation.

5. हो सकता है वह आजकल हिन्दी सीख रहा हो ।
   It is likely he is learning Hindi these days.

Probability in the past

1. हो सकता है उन्होंने पुरानी कार बेची हो ।
   They may have sold the old car.

2. शायद उसकी गाड़ी समय पर न आई हो ।
   Perhaps his train did not arrive on time.

80

3. शायद उन्होंने रानी को दावत में न बुलाया हो। — Perhaps they did not invite Rani to the party.

4. हो सकता है राम आज अपने अधिकारी से मिला हो। — Ram might have met his boss today.

5. हो सकता है इस बार गेहूँ की फ़सल अच्छी हुई हो। — The wheat crop might have been good this time.

Examples:

Probability in the future

1. शायद मैं कल दिल्ली जाऊँ। — I might go to Delhi tomorrow.
2. हो सकता है प्रधानमंत्री जल्दी ही अपने पद से इस्तीफ़ा दे दें। — The Prime Minister might resign from his post soon.
3. आज सुबह रितु को सिरदर्द था; हो सकता है वह शाम को दावत में न आ सके। — This morning Ritu had a headache; she might not be able to come to the party in the evening.
4. शायद आज अध्यापक देर से कक्षा में आएँ। — Perhaps the teacher (hon.) will come to the class late today.
5. हो सकता है आज शाम तक बारिश हो। — It might rain by evening today.

Compare and Comprehend :

Future : Probability

1.अ: हो सकता है वह सुबह आठ बजे नाश्ता करे। — He may have breakfast at 8 o'clock in the morning.

ब: वह सुबह आठ बजे नाश्ता करेगा। — He will have breakfast at 8 a.m.

2.अ: शायद हम अगले इतवार को आप के घर आएँ। — Perhaps we will come to your house next Sunday.

ब: हम अगले इतवार को आप के घर आएँगे। — We will come to your house next Sunday.

3.अ: हो सकता है वह आज शाम को देर तक घर न आए। — He may not come home until late in the evening today.

ब: वह आज शाम को देर तक घर नहीं आएगा। — He will not come home until late in the evening today.

4.अ: हरी परिश्रम नहीं कर रहा। हो सकता है वह पास न हो।	Hari is not working hard. He may not pass the examination.
ब: हरी परिश्रम नहीं कर रहा। वह पास नहीं होगा।	Hari is not working hard. He will not pass the examination.
5.अ: शायद वे बस अड्डे पर हमारा इंतज़ार करें।	They may wait for us at the bus stop.
ब: वे बस अड्डे पर हमारा इंतज़ार करेंगे।	They will wait for us at the bus stop.
6.अ: शायद मैं आप से फिर मिलूँ।	I might see you again.
ब: मैं आप से फिर मिलूँगा।	I will see you again.
7.अ: हो सकता है वह आज रात सिनेमा देखने जाए।	She / He might go to the cinema tonight.
ब: वह आज रात को सिनेमा देखने जायेगा / जाएगी।	He / She will go to the cinema tonight.
8.अ: तुम यह लॉटरी का टिकट ख़रीद लो। शायद तुम तीन लाख रुपये जीत जाओ।	Buy this lottery ticket. You might win Rs. 3 lacs.
ब: तुम यह लॉटरी का टिकट ख़रीद लो। तुम निश्चित ही तीन लाख रुपये जीतोगे।	Buy this lottery ticket. You will certainly win Rs. 3 lacs.

19

Planned Future (X करने की सोचना)

Corresponding to the English language stuctures such as 'to think of doing something', 'to plan to do something' etc. Hindi language uses expressions such as 'X करने की सोचना', 'X करने का इरादा करना' etc.

Examples :

1. आगामी गर्मी की छुट्टियों में हम नैनीताल जाने की सोच रहे हैं।
   We are planning to go to Nainital during the coming summer vacations.

2. महँगाई बढ़ रही है। मैं कोई और काम करने की सोच रही हूँ।
   Prices are going up. I am planning to take up some other work.

3. आजकल हमारे शहर में बहुत चोरियाँ होती हैं। मैं घर का बीमा कराने की सोच रही हूँ।
   These days many thefts are taking place in our city. I am thinking of insuring my house.

4. मेरा भाई विदेश जाने की सोच रहा है।
   My brother is thinking of going abroad.

5. रानी कार चलाना सीखने की सोच रही है।
   Rani is intending to learn car driving.

6. मैं अगले हफ़्ते बम्बई जाने की सोच रही हूँ।
   I am planning to go to Bombay next week.

7. प्रधानमंत्री मंत्रीपरिषद में फेरबदल करने की सोच रहे हैं।
   The Prime Minister is planning to reshuffle the cabinet.

8. वित्तमंत्री नयी-नयी आर्थिक-नीतियों के द्वारा देश की अर्थव्यवस्था को सुधारने की सोच रहे हैं।
   The Finance Minister is planning to improve the economy of the country by new economic policies.

9. आप भारत जाकर क्या करने की सोच रही हैं ?
   What are you planning to do after going to India ?

83

More on हो सकता है (it is likely); 'x' की सोचना (to think of doing 'X')

1. मैंने सुना है तुम नया. टेलिवियन
   ख़रीदने की सोच रहे हो। तुम्हारा
   कौन-सा टेलिवियन ख़रीदने का इरादा
   है?

   I hear you are planning to buy a new
   TV. What brand of TV are you planning to
   buy ?

   मैंने अभी तय नहीं किया। हो सकता है
   मैं 'ओनिडा' ख़रीदूँ।

   I haven't decided yet. I may buy 'Onida'.

   तुम उसे कहाँ रखने की सोच रहे हो ?

   Where are you going to put it ?

   शायद मैं उसे बैठक में रखूँ।

   I may put it in the drawing room.

2. तुम अपने मित्र से कब मिलने जाओगे ?

   When are you going to see your friend?

   अभी कुछ ठीक नहीं। हो सकता है मैं
   उसे आज शाम को मिलूँ।

   I am not sure. I might see him this evening.

3. तुम कॉलेज की पढ़ाई पूरी करने के
   बाद क्या करने की सोच रहे हो ?

   What are you thinking of doing after finishing
   college ?

   मैंने अभी तय नहीं किया। शायद मैं
   आगे पढ़ने अमरीका जाऊँ।

   I haven't decided yet. I may go to America
   for further studies.

4. आप का कौन-सी कार ख़रीदने का
   इरादा है?

   What car do you intend buying ?

   अभी पक्का नहीं मालूम। हो सकता
   है मैं 'मारुति' लूँ।

   I am not sure yet. I may go in for a 'Maruti'.

5. कमला संगीत सम्मेलन में नहीं आई।
   क्या हुआ होगा?

   Kamla did not come to the concert.
   What could have happened ?

   हो सकता है वह बीमार हो गई हो।

   She may have fallen sick.

6. उन्हें हमारी योजनाओं के बारे में सब
   मालूम है।

   They know all about our plans.

84

हो सकता है उन्होंने हमारी बातें छुपकर सुनी हों ।	They may have been eavesdropping on us.
क्या तुम सोचते हो उन्होंने औरों को बताया होगा ?	Do you think they could have told others ?
हो सकता है उन्होंने किसी को बता दिया हो ।	Well, they may have told somebody.

7. घर बन्द नहीं था । जब मैंने घन्टी बजाई किसी ने उत्तर नहीं दिया। यह विचित्र बात है ।

The house was not locked. It is strange that no one answered when I rang the bell.

इसमें विचित्र क्या है ? हो सकता है वे सो रहे हों और उन्होंने घण्टी बिल्कुल सुनी ही न हो ।

What's so strange about it ? They may have been sleeping and might not have heard the bell ring at all.

8. क्या आप जानते हैं पेट्रोल स्टेशन पर आग कैसे लगी ?

Do you know how the fire at the petrol station began ?

हो सकता है किसी ने जलती दियासलाई फेंक दी हो ।

Someone may have dropped a lighted matchstick.

हो सकता है बिजली के तार आपस में जुड़ गए हों ।

There could have been an electric short-circuit.

9. उसने गोष्ठी में आने का वचन दिया था । वह क्यों नहीं आया ? मैं चिंतित हूँ ।

He had promised to come to the meeting. Why didn't he come ? I am worried.

हो सकता है उसे कोई ज़रूरी काम पड़ गया हो ।

He might have had to do some other important work.

हो सकता है उसे समय पर सूचना न मिली हो ।

He may not have received the information in time.

20 Apprehensions (आशंका बोधक वाक्य रचना)

Use of

ऐसा न हो कि	Lest ....
कहीं ..... न	I am afraid ..... might .....

Examples :

1. ज़रा जल्दी चलिए। कहीं ऐसा न हो कि 'फ़िल्म' शुरू हो जाए/ कहीं 'फ़िल्म' शुरू न हो जाए।	Move a little fast, lest the film begins (before we get there) / I am atraid the film might begin.
2. कई दिनों से कमला नहीं दिखाई दी। पिछली बार मेरे घर से लौटते समय वह बारिश में भीग गई थी। कहीं बीमार न पड़ी हो/ ऐसा न हो कि बीमार पड़ी हो।	For many days Kamla has not been seen. Last time while returning from my house, she got wet in the rain. I am afraid she might be sick.
3. छाता लेकर जाओ, कहीं ऐसा न हो कि बारिश आ जाए और तुम भीग जाओ।	Take the umbrella lest it rains and you get wet.
4. ज़हरीली दवाइयाँ ऊपर ताक पर रखो। कहीं बच्चे छू या खा न लें।/कहीं ऐसा न हो कि बच्चे छू या खा लें।	Put the poisonous medicines on the shelf, lest the children touch or eat them.
5. तुम इस फ़िल्म के दो टिकट पहले से ही ख़रीद लो। कहीं ऐसा न हो कि हम वहाँ जाएँ और टिकट न मिलें।	You buy two tickets for this film in advance lest we go there and don't get any.
6. अनिल के लिए उसके आने से पहले एक घर किराए पर ले लेना चाहिए। कहीं उसे आने पर परेशानी न हो।	We ought to rent a house for Anil before he comes lest he is put to inconvenience when he arrives.
7. तुम निश्चित ही सुबह आठ बजे तक मैनेजर साहब के घर पहुँच जाना। कहीं ऐसा न हो कि वे तुम्हारे पहुँचने से पहले घर से निकल जाएँ।	Be sure to be at the manager's house by 8 o'clock in the morning lest he leaves the house before you reach there.

21   Use of चाहना

'चाहना' is to express a desire by somebody (a) to have something or (b) to do something.

Language structure 1   'X' wants to have 'Y'

| subj.
nom. case | + | obj.
(noun)
m. or f.
sg. or pl. | + | चाहना   +   होना

in the required tense to
to agree with the subject. |

Model 1   Present simple, past habitual, future simple.

मैं	जूता, जूते shoe, shoes	चाहता हूँ / था चाहती हूँ / थी	चाहूँगा चाहूँगी	m. f.
तू, वह, यह, कौन	साड़ी, साड़ियाँ saree, sarees	चाहता है / था चाहती है / थी	चाहेगा चाहेगी	m. f.
तुम, तुमलोग	शान्ति, नौकरी peace, job	चाहते हो / थे चाहती हो / थीं	चाहोगे चाहोगी	m. f.
हम, आप, वे, ये, कौन कौन	आराम, ईज़्ज़त rest, respect	चाहते हैं / थे चाहती हैं / थीं	चाहेंगे चाहेंगी	m. f.

Language structure 2   'X' wants to do 'Y'

| subj.
nom. case | + | obj.
(if any) | + | main verb
(infinitive) | + | चाहना   +   होना

in the required tense
to agree with the subject |

Model 2 Present indefinite; past habitual; future simple

मैं			चाहता हूँ/था	चाहूँगा	m.
			चाहती हूँ/थी	चाहूँगी	f.
तू,वह,यह, कौन			चाहता है/था	चाहेगा	m.
	जूता, जूते साड़ी, साड़ियाँ	ख़रीदना	चाहती है/थी	चाहेगी	f.
तुम, तुम लोग			चाहते हो/ थे	चाहोगे	m.
			चाहती हो/ थीं	चाहोगी	f.
हम,आप,वे, ये, कौन कौन			चाहते हैं/थे	चाहेंगे	m.
			चाहती हैं/थीं	चाहेंगी	f.

Language structure 3 Past simple tense

subj. + ने + obj. + v.r. + ना,ने,नी + चाहा, चाहे, चाही, चाहीं

to agree with the obj.

☞ Only ' v.r. + ना + चाहा ' form is used :
● when the object desired is followed by 'को';
● when the object desired is not explicitly stated;
● when the object desired is intransitive activity.

☞ Put है/हैं or था/थे/थी/थीं after the appropriate form चाहा for the present perfect or past perfect sentences respectively.

Examples:

1. मैंने अंग्रेज़ी सीखनी बहुत चाही परन्तु सीख न सका ।
   I very much desired to learn English but could not.

2. मैंने तो हृदय से सदैव तुम्हारा भला ही चाहा है ।
   I have always wanted your wellbeing from my heart.

3. ऐसा तो उसने कभी न चाहा था ।
   He had never wanted such a thing.

4. शान्ति तो तुमने कभी चाही ही नहीं । तुमने तो बस सदैव धन चाहा है ।
   You have never wanted peace. All that you have ever desired is wealth.

88

Use of 'चाहना' when A wants B to have or do something.

Language structure 4

(subj.1) + चाहना + होना + कि + (subj. 2) + $\left\{ \begin{array}{c} \text{obj.} \\ \text{if any} \end{array} \right\}$ + verb subjunctive

in the appropriate tense to agree with subj. 1

to agree with subj. 2

☞ In this language structure if subj. 1 is followed by 'ने', usually (चाहना + होना) are used in the 3rd person m.sg. form. However, if an object is present then they agree with the number and gender of the object.

☞ This language structure is used chiefly when A wants B to do something. However it can be and is often used when A wants to do something himself. See example 5 given below.

Examples :

1. माता जी चाहती हैं कि शीला नृत्य सीखे ।

   Mother wants Sheela to learn dance.

2. पिता जी चाहते थे कि मैं अध्यापिका बनूँ ।

   Father wanted me to be a teacher.

3. अधिकारी तो चाहेगा ही कि तुमलोग और परिश्रम करो ।

   The officer will certainly want you to work still harder.

4. रमेश ने सदैव यही चाहा कि उसके माता-पिता खुश रहें ।

   Ramesh always wanted his parents to be happy.

5. मैं चाहता हूँ कि जल्दी से धन जोड़ कर देश भ्रमण करूँ ।

   I want to save money quickly and travel around the country.

89

More examples 1 :

1. क्या तुम कोई पत्रिका पढ़ना चाहती हो?   Do you want to read any magazine ?

2. मैं आपका और अधिक समय नहीं लेना चाहती ।   I don't want to take any more of your time.

3. मैं उसकी सूरत भी नहीं देखना चाहती ।   I don't even want to see his face.

4. आप मुझसे क्या चाहते हैं ?   What do you want from me?

5. वे बाहर घूमने जाना चाहते हैं ।   He wants to go out for a walk.

6. मैं फिर कभी इस शहर में नहीं आना चाहती ।   I never want to come to this city again.

7. कल शाम को आप क्या करना चाहेंगे ?   What would you like to do tomorrow evening ?

8. आप गर्मी की छुट्टी में कहाँ जाना चाहते हैं?   Where do you want to go during the summer vacation ?

More examples 2 :

1. अध्यापक चाहते हैं कि विद्यार्थी उन्हें ध्यान से सुनें ।   The teacher wants the students to listen to him attentively.

2. मैं चाहता हूँ कि आप मेरे साथ चलें ।   I want you to come with me.

3. हम चाहते हैं कि भारत इस बार मैच ज़रूर जीते ।   We want India to win the match this time.

4. कमला के माता-पिता चाहते हैं कि वह डाक्टर बने ।   Kamla's parents want her to be a doctor.

5. राम नहीं चाहता कि उसकी पत्नी नृत्य सीखे ।   Ram doesn't want his wife to learn to dance.

6. राबर्ट चाहता है कि वह भारत में कुछ साल रहे और यहाँ की भाषा व संस्कृति अच्छी तरह सीखे ।   Robert wants to stay in India for a few years and learn the language and culture of the country well.

★ ★ ★

22

Perfective and Imperfective Participial Constructions
(भूत एवं वर्तमान कालिक कृदन्ती रचनाएँ)

■ Imperfective participial constructions (IPC) indicate ongoing activities.

■ Perfective participial constructions (PPC) indicate completed activities.

In Hindi they are used as (1) adjectives, (2) adverbs and (3) nouns. When used as nouns they take the place of nouns they modify.

Language structure : PPC

(v.r.	+	आ)	+	हुआ
		ए		हुए
		ई		हुई

Language Structure : IPC

(v.r.	+	ता,)	+	हुआ
		ते,		हुए
		ती		हुई

☞ Use of हुआ, हुए, हुई is not obligatory.

☞ As adjective they agree with the number and gender of the noun they qualify.

Examples:

Use of PPC and IPC as adj.

1. कमरे में बैठा हुआ आदमी मेरा भाई है।   The man sitting in the room is my brother.
2. रामचन्द्र की लिखी हुई कहानियाँ बहुत   The stories written by Ramchandra are
   रोचक होती हैं।   very interesting.
3. चलती हुई गाड़ी में मत चढ़ो।   Don't get on the moving train.
4. मैदान में खेलते हुए छात्रों को बुलाओ।   Call the students playing in the field.

☞ As adverbs they usually agree with the subj. or the obj. as shown below:

Examples:

1. लड़की रोती हुई आयी।   The girl came crying.
2. लड़का गाता हुआ चला गया।   The boy went away singing.
3. मैंने बच्चा सड़क पर पड़ा हुआ पाया।   I found the child lying on the road.
3. लोग घास पर बैठे हुए ताश खेल रहे   People were playing cards sitting on the
   थे।   grass.

91

☞ However such agreement with the subject or the object is not obligatory and the present as well as past participles used as adverbs are often in the neutral 'ए' form.

Examples:

1. लड़की रोते हुए आयी ।   The girl came crying.
2. लड़का गाते हुए चला गया।   The boy went away singing.

☞ If the subject or the object have any postposition after it, certainly only 'ए' form of the required participle is used.

Examples :

1. उसने हँसते हुए कहा।   He said, laughing.
2. मैं उसको रोज़ सुबह सात बजे घर से निकलते हुए देखता हूँ।   I see him coming out of the house every day at 7 o'clock in the morning.
3. रानी को रोते हुए देखकर सबको दुःख हुआ ।   Everybody was pained to see Rani crying.

☞ When used as adverbs, the subject of the participle and the subject of the finite verb are not necessarily the same.

Examples:

1. माँ ने बच्चे को बिना खाए नहीं सोने दिया ।   Mother did not let the child sleep without eating.
2. हमने एक बूढ़े आदमी को मदद के लिए पुकारते हुए सुना ।   We heard an old man shouting for help.
3. उसने बालक को मंदिर के सामने पड़े हुए पाया ।   He found the baby lying in front of the temple.
4. शिकारी ने पक्षियों को उड़ते हुए देखा ।   The hunter saw the birds flying.

■ Adverbial use of PPC to talk about the lapse of time from the end of a complete activity until the present.

1. मुझे हिन्दी सीखे हुए कई साल हो गए हैं ।   It has been several years since I learnt Hindi.
2. हमें इस घर में आए हुए चार साल हो गए हैं ।   It has been four years since we came into this house.

Adverbial use of IPC in time expressions of simultaneous activity :

{ (v.r. + ते) + समय / वक्त }

1. मुझे खाना खाते समय बोलना पसन्द नहीं ।

   I don't like to speak while eating.

2. शीला हमेशा पढ़ते समय गाने सुनती है ।

   Sheila always listens to music while studying.

3. मैं दफ़्तर से लौटते वक्त तुम्हारे घर आऊँगी ।

   I shall come to your house while returning from the office.

4. लड़की के अपने ससुराल जाते समय सभी रो रहे थे ।

   When the girl was going to her in-laws' house, everybody was crying.

Adverbial use of IPC to express the length of time from the beginning of the activity to the present time. It indicates activities in progress.

1. आप को हिन्दी सीखते हुए कितना समय हो गया है?

   How long have you been learning Hindi ?

2. मुझे शास्त्रीय संगीत सीखते हुए दस वर्ष हो गए है ।

   I have been learning classical music for ten years.

3. राबर्ट को तबला बजाते हुए कई साल हो गए हैं ।

   Robert has been playing the tabla for several years.

4. मेरी बेटी को इस स्कूल में पढ़ते हुए बारह वर्ष हो गए हैं ।

   My daughter has been studying in this school for twelve years.

Reduplicative use of IPC indicates continuous action

1. मैं सुबह से काम करते करते थक गई हूँ ।

   I am tired working continuously since the morning.

2. बच्चा चलते चलते थक गया है ।

   The child is tired walking continuously.

3. मैं बेकार बैठे बैठे ऊब गया हूँ ।

   I am bored sitting idle.

4. कमला लेटे लेटे दूरदर्शन देख रही हैं ।

   Kamla is watching TV lying down.

Use of PPC and IPC as noun

1. मरों (obl.m.pl.) को मत मारो ।

   Don't hit **the ones who are (already) dead**.

2. सीखे (obl. m. sg,) को क्या सिखाना !

   What to teach **the one who has already studied** !

3. जातों (obl. m.pl.) को मत रोको।	Don't stop **the ones who are going.**
4. बोलती (obl. f. sg.) को मत टोको।	Don't interrupt **the one who is talking.**

Examples :

PPC used as adv.

1. माली हाथ में फूल लिए हुए खड़ा था।	The gardener was standing with flowers in his hand.
2. मैंने ज़रूरी कागज़ों को फ़र्श पर बिखरे हुए देखा।	I saw important papers scattered on the floor.
3. मुझे बिना मिले कहीं न जाना।	Don't go anywhere without meeting me.
4. रानी को यह बटुआ सड़क पर गिरा हुआ मिला।	Rani found this purse lying on the road.
5. कुली सामान सिर पर उठाए हुए गाड़ी से उतर रहा था।	The porter, carrying the luggage on his head, was getting off the train.
6. दुल्हन लाल चुंदरी पहने हुए द्वार पर आई।	The bride, having put on a red saree, came to the door.
7. एक जवान आदमी डण्डा हाथ में उठाए बच्चे के पीछे दौड़ा।	A young man carrying a stick in his hand, ran after the child.

Examples :

Use of PPC as adj.

1. कमरे में बैठा हुआ आदमी मेरा भाई है।	The man sitting in the room is my brother.
2. अलमारी में रखी हुई पुस्तकें मेरी हैं।	The books kept in the cupboard are mine.
3. अन्दर सोया हुआ बच्चा किसका है?	Whose is the child sleeping inside?
4. मेज़ पर पड़ा हुआ गिलास किसका है ?	Whose is this glass standing on the table ?
5. माँ के हाथ का पकाया हुआ भोजन हमें अच्छा लगता है।	We like the food cooked by mother.
6. मुझे कमला का लिखा हुआ लेख बहुत पसन्द आया।	I liked the article written by Kamla very much.
7. तुम यह फटी हुई कमीज़ उतार दो।	You take off this torn shirt.

8. जाल में फँसी हुई सब मछलियाँ तड़प रही थीं।	All the fish trapped in the net were writhing in pain.
9. हम बरसात के मौसम में उबला हुआ पानी पीते हैं।	We drink boiled water in the rainy season.
10. भारत में अंग्रेज़ी सीखे हुए लोग बहुत हैं।	There are many people in India who have learnt English.
11. जनवरी के महीने में सुबह सुबह एक पतली चादर ओढ़े हुए एक भिखारी भीख मांग रहा था।	One early morning in the month of January a beggar wrapped in a thin sheet was begging.
12. वह टूटी हुई झोपड़ी में रहता है।	He lives in a broken hut.
13. कुछ पके हुए आम मुझे दो।	Give me some ripe mangoes.

Use of IPC as adv.

Examples :

1. शिक्षक ने छात्रों को पढ़ते हुए देखा।	The teacher saw the students studying.
2. कमला खाना खाते हुए बोल रही थी।	Kamla was speaking while eating.
3. कुत्ता भौंकते हुए गीदड़ का पीछा कर रहा था।	The dog was following the jackal barking.
4. अध्यापक ने विद्यार्थी को नकल करते हुए पकड़ा।	The teacher caught the student cheating.
5. मैंने कुछ औरतों को कुएँ पर पानी भरते देखा।	I saw some women filling water at the wel
6. क्या तुमने कभी मोरों को नाचते हुए देखा है ?	Have you ever seen peacocks dancing ?
7. वह हँसते हुए घर से बाहर निकल गया।	He went out of the house laughing.
8. आज दिल्ली हवाई अड्डे पर तीन व्यक्ति नशीली दवाइयाँ बेचते हुए पकड़े गये।	Today three men were caught at the Delhi Airport selling drugs.
9. बच्ची रोती हुई बोली, "मेरा खिलौना टूट गया है।"	The girl said crying, "my toy has broken".

10. मैं चलते चलते थक गयी हूँ।	I am tired from walking (continuously).
11. इसे चबाते चबाते मेरे जबड़े दुःखने लगे हैं।	My jaws have begun to ache from chewing it continuously.

Examples :

Use of IPC as adj.

1. अनिल चलती हुई बस से कूद पड़ा।	Anil jumped off the running bus.
2. उबलता हुआ पानी मेरे पैर पर गिर गया।	Boiling water fell on my foot.
3. लौटता हुआ यात्री मन्दिर पर रुका।	The returning traveller stopped at the temple.
4. डूबते हुए आदमी चिल्ला रहे थे।	The drowning men were shouting.
5. भौंकता हुआ कुत्ता चोर का पीछा कर रहा था।	The barking dog was running after the thief.
6. मैदान में खेलते हुए छात्रों को बुलाओ।	Call the students playing in the field.
7. मंच पर नाचती हुई लड़कियाँ बहुत सुन्दर लग रही थीं।	The girls dancing on the stage were looking very beautiful.
8. ग़लती से जलती हुई लकड़ी पर उसका पैर पड़ गया, और उसे चोट लग गई।	By mistake he stepped on the burning wood and hurt himself.
9. सब चलते हुए नलों को बन्द कर दो।	Turn off all the running taps.
10. बहती गंगा में तुम भी नहा लो।	You also bathe in the flowing Ganges.

★ ★ ★

See R-18

23 The Suffix 'वाला' (कर्तृवाचक कृदन्त)

The suffix 'वाला' frequently used in Hindi denotes various things with different kinds of words. Colloquially, it is used chiefly in association with nouns, adjectives, adverbs and the oblique form of the infinitive. It is an adjectival suffix and hence subject to change like any other adjective following the rule pertaining to 'आ', 'ए', 'ई' for m. sg., m. pl., f. sg. and pl., respectively.

1 **[(v.r. + ने) + वाला] can be used to convey two things :**

(a) it is equivalent to the English suffix 'er'; the one who does that activity

मदद करने वाला	helper	गाने वाला	singer
बोलने वाला	speaker	नाचने वाला	dancer
सुनने वाला	listener	बेचने वाला	seller
पढ़ने वाला	reader/student	लिखने वाला	writer
पढ़ाने वाला	teacher	ख़रीदने वाला	buyer

(b) It is used to convey that something is about to/expected to happen, e.g.

आनेवाला	about to come	जाने वाला	about to go
बोलने वाला	about to speak	होने वाला	about to be

वह कुछ बोलने वाला है।	He is about to speak something.
वह अगले हफ़्ते जाने वाला है।	He is about to go next week.

2 **Noun + वाला indicates**

Proprietorship

मकान वाला	houseowner
पैसे वाला	wealthy, owner of much money
दुकान वाला	owner of a shop/shopkeeper

Cost or value

दस पैसे वाला टिकट	a ticket that costs ten paise
पचास पैसे वाला लिफ़ाफ़ा	an envelope that costs fifty paise

Made of something

संगमरमर वाला भवन	a marble building
ईटों वाला घर	a brick house

Seller of an article

डबलरोटी वाला	one who sells bread
अण्डे वाला	one who sells eggs
फल वाला	one who sells fruit
किताब वाला	one who sells books

Driver of vehicle

रिक्शे वाला	one who drives a rickshaw
कार वाला	one who drives a car
बस वाला	one who drives a bus
साइकिल वाला	one who drives a cycle

Wearer of a dress

काले कोट वाला	he who is wearing a black coat
पगड़ी वाला	he who is wearing a turban
लाल साड़ी वाली	she who is wearing a red saree

3 Demonstrative pronouns + वाला, used to point to a particular person or thing:

यह वाला, वह वाला	this one, that one
ये वाले, वे वाले	these ones, those ones

4 Adjective + वाला, वाले, वाली, to single out one in a group, e.g.

काली वाली साड़ी	the black saree
बग़ल वाले लोग	the people in the neighbourhood
सामने वाला भवन	the house in front

5 When added to an adverb or the name of a place, it indicates position or residence, e.g.

नीचे वाला कमरा	the room downstairs
ऊपर वाला कमरा	the room upstairs
दिल्ली वाला परिवार	the family that belongs to Delhi
दिल्ली का रहने वाला	the resident of Delhi

Predicative use of वाला : X is about to do Y (कुछ करने वाले होना)

Language structure **1**

subj. + obj. + (v.r. + ने)+
nom.case (in any)

वाला, + <u>होना</u>
वाले, in the required tense
वाली

to agree with the N and G
of the subject

Examples :

1. माता जी बम्बई जाने वाली हैं। — Mother is about to go to Bombay.

2. वह अख़बार पढ़ने वाला है। — He is about to read the newspaper.

3. वह खाना बनाने वाली है। — She is about to cook food.

4. वह बाहर जाने वाला है। — He is about to go out.

5. वे घर लौटने वाले हैं। — They are about to return home.

6. मैं कुछ पत्र लिखने वाली हूँ। — I am about to write some letters.

7. विद्यार्थी 'वाइसचान्सलर' को शिकायत करने वाले हैं। — The students are about to complain to the Vice-Chancellor.

8. वह दुकान खोलने वाला है। — He is about to open the shop.

9. हम खाने वाले हैं। — We are about to eat.

10. सुनीता गाने वाली है। — Sunita is about to sing.

11. कार्यक्रम शुरू होने वाला है। — The programme is about to begin.

12. वे दरवाज़ा बन्द करने वाले थे। — They were about to close the door.

13. बारिश होने वाली है। — It is about to rain.

14. प्रोफ़ेसर थॉमस भारत जाने वाले हैं। — Prof. Thomas is about to go to India.

15. श्री अनिल नया व्यापार शुरू करने वाले हैं। — Mr. Anil is going to start a new business.

99

'X' was just about to do something when 'Y' happened

Language structure 2

subj.	+	obj.	+	(v.r. + ने)	+	ही	+	वाला	+	था, थे	+	कि ...
nom. case		(if any)						वाले		थी, थीं		
								वाली				

to agree with the N
and G of the subj.

☞ **This is used when one event in the past just about preceded the other one in the past.**

1. मैं जाने ही वाली थी कि डॉक्टर साहब आ गए।
   I was just about to go when the doctor came.

2. हम अस्पताल के अन्दर घुसने ही वाले थे कि फाटक बन्द हो गया।
   We were just about to enter the hospital when the (hospital) gate was shut.

3. हमारी परीक्षा शुरू होने ही वाली थी कि मुझे पीलिया हो गया और मैं परीक्षा न दे सकी।
   Our examinations were just about to start when I got jaundice and I could not take the exam.

4. मैं सोने ही वाली थी कि टेलीफ़ोन की घण्टी बजी।
   I was just about to sleep when the telephone bell rang.

5. जब वे मेरे घर आए, हम सब घूमने जाने ही वाले थे।
   When they came to my house, we were just about to go for a walk.

6. आँधी आने ही वाली थी कि हमने सब रोशनदान, खिड़कियाँ और दरवाज़े बन्द कर लिए।
   The storm was just about to come when we shut all the ventilators, windows and doors.

7. मैं वह किताब ख़रीदने ही वाली थी जब दुकानदार ने मुझे एक और किताब दिखाई।
   I was just about to buy the book when the shopkeeper showed me another book.

8. खूनी भागने ही वाला था कि पुलिस की गाड़ी वहाँ आ पहुँची।
   The killer was just about to run away when the police van arrived there.

100

Which one ? कौन सा वाला / से वाले / सी वाली

- कौन-सी वाली साड़ी पहनूँ,
  हरी वाली या काली वाली ?

  Which saree shall I wear,
  the green or the black one ?

- काली वाली पहनिये ।

  Wear the black one, please.

- कौन सा वाला कोट लाऊँ,
  भूरा वाला या सफ़ेद वाला ?

  Which coat shall I bring,
  the brown or the white one ?

- भूरा वाला लाओ ।

  Bring the brown one.

- कौन-सी वाली सब्ज़ी खरीदूँ,
  महँगी वाली या सस्ती वाली ?

  Which vegetable shall I buy,
  the expensive or the cheap one ?

- सस्ती वाली खरीदिये ।

  Buy the cheap one, please.

- कौन-सी वाली कॉपी लाऊँ,
  लाइन वाली या बिना लाइन वाली ?

  Which note book shall I bring,
  the ruled or the unruled one ?

- बिना लाइन वाली लाइये ।

  Bring the unruled one, please.

- कौन-सा वाला थैला उठाऊँ,
  भारी वाला या हल्का वाला ?

  Which bag shall I pick up,
  the heavy or the light one ?

- भारी वाला उठाओ ।

  Pick up the heavy one.

- कौन-सा पैन दूँ,
  लाल या नीला ?

  Which pen shall I give you,
  the red or the blue one ?

- लाल वाला दीजिए ।

  Give the red one, please.

24 Absolutive Participle (पूर्वकालिक कृदन्त)

कर - Conjunct

Absolutive participial construction (referred to as कर - conjunct) is used in Hindi primarily to join two (or sometimes even more than two) sentences having the same subject but two (or more) different activities, one preceding the other.

Language structure

subj. + obj. (if any) + v.r. of the preceding activity + कर/के + main verb. of the final activity + होना — **in the appropriate tense.**

☞ **In case the v.r. of the preceding activity is 'कर' (v.r. + के) is used.**

Example

1. वह काम **करती है** ।
   She works.
2. वह खेलती है ।
   She plays.

1+2. वह काम **करके** खेलती है ।
She works and then plays.

☞ **Colloquially, use of 'के' is more common.**

☞ **The subject of the absolutive and the subject of the finite verb are identical.**

☞ **Subject is used only once at the beginning of the compound sentence. See examples 1-6 given below.**

☞ **Subject agrees with the verb of the final activity. This is important in the past simple tense and other perfective tenses.** See examples 7,8 given below.

Uses of कर - conjunct

1 Activities following one another - same subject

Examples :

Imperative

1. तुम बाज़ार **जाओ** ।
   You go to the market.
2. तुम आम लाओ ।
   You bring mangoes.

1+2. तुम बाज़ार **जाकर** आम लाओ ।
You go to the market and bring mangoes.

Examples :

3. मैं पाँच बजे उठती हूँ।
I get up at five o'clock.

Present indefinite

4. मैं पूजा करती हूँ।
I worship God.

3+4. मैं पाँच बजे उठकर पूजा करती हूँ।
I get up at 5 o'clock and worship God.

Examples :

5. वह खाना खाएगा।
He will eat food.

Future

6. वह दफ़्तर जाएगा।
He will go to the office.

5+6. वह खाना खाकर दफ़्तर जाएगा।
He will eat food and go to office.

Examples :

7. वह दफ़्तर से आया।
He came from the office.

Past simple

8. उसने अख़बार पढ़ा।
He read the newspaper.

7+8. उसने दफ़्तर से आकर अख़बार पढ़ा।
He read the newspaper after coming from office.

2 Simultaneous activities.

Examples :

1. वह हँस कर बोला। He said, laughing.
2. ध्यान लगाकर पढ़ो। Study with concentration.
3. दोनों ओर देखकर सड़क पार करना। Look both ways before crossing the road.

3 Time expressions

1. दो बजकर दस मिनट । Ten past two.
2. तीन बजकर बीस मिनट। Twenty past three.

4 'न + v.r. + कर' = 'instead of' (के बजाय)

1. उसने आगे न पढ़कर दुकान खोल ली। Instead of studying further, he opened a shop.
2. वह स्कूल न जाकर फ़िल्म देखने चला गया। Instead of going to school, he went to see a film.

5 'v.r. + कर + भी' = in spite of (के बावजूद)

1. उसने भारत में रहकर भी हिन्दी नहीं सीखी। Inspite of having lived in India, he did not learn Hindi.

2. राम इतना धनी होकर भी घमण्डी नहीं। Inspite of being so rich, Ram is not arrogant.

6 Some idiomatic uses with 'कर'

- **लेकर**

1. १९६० से **लेकर** १९९२ तक वह बहुत बीमार था। He was very sick from 1960 to 1992.
2. यहाँ से **लेकर** उस कोने तक सब खेत हमारे हैं। All the fields from here to that corner are ours.
3. मैं अपने मित्र को **लेकर** अस्पताल जाऊँगा। I will go to the hospital with my friend.

- **होकर**

1. मैं लखनऊ से **होकर** दिल्ली जाऊँगी। I will go to Delhi via Lucknow.
2. मैं उसके यहाँ **होकर** आपके यहाँ आऊँगा। I will go to him and then come to you.

- **छोड़कर**

1. राम को **छोड़कर** सब दावत में आए। All except Ram came to the party.
2. मुझको **छोड़कर** वहाँ सभी औरतों ने साड़ी पहनी थी। All the women there except me had worn saree.

- **आगे चलकर**

कौन जाने **आगे चलकर** क्या होता है। Who knows what the future has in store for us!

Use of 'कर' as adverb.

1. हम **मिलकर** आगरा गये। We went to Agra together.
2. मैंने **जान बूझकर** उसका मन नहीं दुखाया। I did not hurt him deliberately.
3. वह **छिपकर** हमारी बातें सुन रहा था। He was hiding (himself) and listening to our conversation.
4. हमारा घर मंदिर से **सटकर** है। Our house is adjacent to the temple.
5. बच्चा **दौड़कर** माँ के पास आया। The child came running to the mother.
6. अपनी पुस्तकें **संभालकर** रखो। Keep your books carefully.
7. सामने **देखकर** चलो। Look ahead and walk.

★ ★ ★

25

The Continuative Compound
(नित्यता बोधक रचना)

Use of 'main verb + रहना/ जाना' corresponding to the English 'keep on doing. something', 'go on doing .... something'

☞ This language structure ' ' is used to talk about activities done continuously or repeatedly.

☞ Except with compulsion compounds होना, पड़ना, चाहिए where 'subject + को' is used (see Language structure **2** given below), in all other forms the continuative compound agrees with the subject in the nominative case.

Language structure **1**

subj. + obj. + v.r. + ता, + रहना + होना
nom. case (if any)   ते
                         ती   in the required tense

*to agree with the N and G of the subject.

Examples :

1. बच्चे खेलते रहते हैं ।
   The children keep on playing. (present indefinite)

2. रानी पढ़ती रहती थी ।
   Rani used to keep on studying. (past habitual)

3. हम हँसते रहे ।
   We kept on laughing. (past simple).

4. वह कई साल हिन्दी सीखती रही है ।
   She has continued learning Hindi for several years. (present perfect)

5. मैं चार महीने लगातार दवाई खाता रहा था ।
   I had been taking the medicine continuously for four months. (past perfect)

6. हम लोग अपनी माँगें दोहराते रहेंगे ।
   We will keep on repeating our demands. (future simple)

7. हो सकता है वे आपको बार बार बुलाते रहें ।
   They may keep on inviting you again and again. (probability)

8. आप हमारे यहाँ आते रहिए ।
   Keep on coming to our house (imperative).

105

Language structure 2 Compulsion + continuative compound

A.   subj. + obj. + v.r. + ते + रहना + चाहिए/चाहिए था
　　　　+ को   (if any)

<u>　　　　　　　　　invariable　　　　　　　　　</u>

B.   subj. + obj. + v.r. + ते + रहना + पड़ना + होना
　　　　+ को   (if any)

　　　　　　　<u>invariable</u>　　　　　　in the required tense always
　　　　　　　　　　　　　　　　　　　in m.sg. 3rd person form.

Examples :

1. आपको पढ़ते रहना चाहिए ।　　　　　　You ought to keep on studying.
　　　　　　　　　　　　　　　　　　　(present advice)

2. आपको परिश्रम करते रहना चाहिए　　　You ought to have kept on working hard.
　था ।　　　　　　　　　　　　　　　(past advice)

3. मुझे पढ़ते रहना पड़ता है ।　　　　　　I have to keep on studying.
　　　　　　　　　　　　　　　　　　　(present compulsion)

4. मुझे पढ़ते रहना पड़ता था ।　　　　　　I had to keep on studying.
　　　　　　　　　　　　　　　　　　　(Past compulsion)

5. मुझे हिन्दी पढ़ते रहना पड़ेगा ।　　　　I will have to keep on studying Hindi.
　　　　　　　　　　　　　　　　　　　(Future compulsion)

6. मुझे हिन्दी सीखते रहना पड़ सकता है ।　I may have to keep on learning Hindi.
　　　　　　　　　　　　　　　　　　　(Probability compare with 7, page 105)

7. काम करते रहिए ।　　　　　　　　　Keep doing your work. (imperative)

8. जीते रहो !　　　　　　　　　　　　May you live long ! (imperative - a blessing)

☞ **Instead of 'रहना', 'जाना' is sometimes used in the above given language structure. However the connotation is different.**

■ It conveys the sense of disapproval. Examples 1-6

■ Progressive change in the state of things. Example 7-15.

106

Examples :

1. वह बोलता जाता है ।

He goes on talking.

2. वह खाती जाती है ।

She goes on eating.

3. तुम कुछ सुनोगी भी या बोलती ही जाओगी ?

Will you also listen to something, or just go on talking ?

4. मेरे आवाज़ लगाते रहने पर भी वह चलता जा रहा था ।

Inspite of my repeatedly calling him, he went on moving (ahead).

5. विद्यार्थी अध्यापक के सामने बक-बक करता गया ।

The student went on talking nonsense in front of his teacher.

6. राम के पेट में दर्द था । फिर भी वह कल रात को दावत में घी-मसाले वाला भोजन खाता गया ।

Ram had a stomachache. Even so he went on eating fatty, spicy food at the party last night.

7. २१ जून के बाद दिन धीरे-धीरे छोटे होते जाते हैं और रातें लम्बी होती जाती हैं ।

After June 21, the days gradually become shorter and the nights longer.

8. वह बिना पूछे अपनी कहानी सुनाता गया, हम सुनते गये ।

Without asking (for our consent) he went on telling his story; we kept on listening (to it).

9. तुम सामान बाँधकर रखते जाओ, मैं गाड़ी में लदवाता जाऊँगा ।

You go on packing and putting the things aside; I shall go on having them loaded in the car.

10. वह एक के बाद एक तस्वीरें खींचता गया ।

He went on taking pictures one after the other.

11. माँ पूरियाँ बनाती गईं, हम खाते गये ।

Mother went on making poories (fried Indian bread) and we went on eating.

12. ज्यों ज्यों सर्दी बढ़ती जाती है, त्यों-त्यों लोग पहाड़ों से नीचे आते जाते हैं ।

As it becomes colder, people continue to come down from the hills.

13. ज्यों ज्यों व्यक्ति की उम्र बढ़ती जाती है, त्यों त्यों उसकी व्यावहारिक कुशलता भी बढ़ती जाती है ।

As one grows older, one becomes more tactful in worldly affairs.

14. ज्यों ज्यों दिन बढ़ते जाते हैं त्यों-त्यों रातें घटती जाती हैं। — As the days beome longer, the nights become shorter.

15. ज्यों-ज्यों कौवा पानी के घड़े में एक के बाद एक कंकड़ डालता गया, त्यों-त्यों घड़े का पानी ऊपर आता गया। — As the crow went on putting stones into the pitcher one by one, the water level kept on rising.

Language structure 2

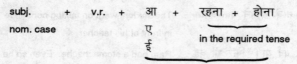

subj. + v.r. + आ / ए / ई + रहना + होना

nom. case

रहना + होना: in the required tense

आ / ए / ई: to agree with the N and G of the subject.

☞ **This structure is used with verbs such as** बैठना, लेटना, सोना, पड़ा होना, रखा होना **etc.**

☞ **It is used to talk about on going, continuing activities.**

Examples:

1. बुढ़िया दिन भर सोई रहती है।	The old woman keeps on sleeping all day.
2. लड़के दिनभर बैठे रहते थे।	The boys used to keep on sitting all day.
3. बालक रात भर पालने में लेटा रहा।	The child lay all night in the cradle.
4. पुस्तकें हर समय इसी ताक पर पड़ी रहती थीं।	The books used to keep lying on this shelf all the time.
5. किताबें अलमारी में रखी रहती हैं।	The books are always kept in the cupboard.
6. हम समुद्रतट पर पड़े रहते थे।	We kept on lying on the beach.
7. लेटे रहो/ रहिए।	Keep lying down.
8. बैठे रहो/रहिए।	Keep sitting.

Continuative compound in the Passive Voice

Language structure 3 :

(sub. + से) +   obj.   +   [v.r.+ आ] +   जाता + रहना + होना
    or   ए   जाते ⎯⎯⎯⎯⎯⎯⎯
के द्वारा   ई   जाती   in required tense

to agree with the N and G of the obj.

Examples :

1. नवरात्री में घरों में लोगों के द्वारा
    रामायण पढ़ी जाती रहती है ।

    During Navratri', Ramayana is
    continuously read by people in their
    homes.

2. वेद, उपनिषद आदि सदियों तक लिखे
    जाते रहे थे ।

    The Vedas and Upanisads etc. were
    being written for centuries.

3. दुर्गापूजा पर हमारे यहाँ दस दिन
    निरन्तर 'दुर्गा सप्तशति' का पाठ किया
    जाता रहता था ।

    At 'Durgapooja', Durga Saptsati used to
    be recited at our place all the time for
    ten days.

See R-19, R-20

26 Possessive Case (संबंधकारक)

☞ The possessive form has the case endings का, के, की

☞ These endings precede the object possessed.

☞ They agree with the number and gender of the object possessed and not with the number and gender of the possessor.

कमला का लड़का	Kamla's son	(m. sg.)
कमला के लड़के	Kamla's sons	(m. pl.)
कमला की लड़की	Kamla's daughter	(f. sg.)
कमला की लड़कियाँ	Kamla's daughters	(f. pl.)

☞ If the object possessed is in the oblique case i.e. if it is followed by a postposition, the masculine singular object is also preceded by 'के'

Examples :

Case	m.sg.	m. pl.
Direct	कमला का घर	कमला के घर
Oblique	कमला के घर +pp$_n$	कमला के घरों + pp$_n$
Direct	अनिल का भाई	अनिल के भाई
Oblique	अनिल के भाई +pp$_n$	अनिल के भाइयों + pp$_n$

.pp$_n$ = postposition

Examples:

1. चिड़िया का घोंसला — the nest of a bird.

2. चिड़िया के घोंसले में — in the nest of a bird.

3. लड़कों का खेल — the boys' game

4. लड़कों के खेल — boys' games

5. मेरे भाई का कमरा — my brother's room

6.	मेरे भाई के कमरे के सामने		in front of my brother's room
7.	बच्चे की टोपी		the child's cap
8.	बच्चों की टोपियाँ		the caps of the children.
9.	उनके घर का दरवाज़ा		the door of their house
10.	उनके घर के दरवाज़े के ऊपर		above the door of their house
11.	भारत का सबसे बड़ा शहर		the largest city of India
12.	दो महीने की छुट्टियों में		during the two months' vacation
13.	औरतों की साड़ियों के नमूने		the patterns of the women's sarees

Pronouns in the Possessive case

m.sg.	m.pl.	f.sg.	f.pl.	English equivalents	
मेरा	मेरे	मेरी	मेरी	my, mine	
हमारा	हमारे	हमारी	हमारी	our, ours	
तेरा	तेरे	तेरी	तेरी	your, yours (informal)	
तुम्हारा	तुम्हारे	तुम्हारी	तुम्हारी	your, yours (informal)	
तुम लोगों का	तुम लोगों के	तुम लोगों की	तुम लोगों की	your / yours / you people's	
आप का	आपके	आप की	आपकी	your, yours (formal; honorific)	
आप लोगों का	आप लोगों के	आप लोगों की	आप लोगों की	you people's (formal; honorific)	
उसका	उसके	उसकी	उसकी	his, her, hers, its	non-proximate
इसका	इसके	इसकी	इसकी		proximate
उनका	उनके	उनकी	उनकी	their, theirs	non-proximate
इनका	इनके	इनकी	इनकी		proximate
किसका	किसके	किसकी	किसकी	whose, singular	
किनका	किनके	किनकी	किनकी	whose, plural	

111

☞ The 'आ', 'ए', 'ई' endings of possessive pronouns depend upon the N and G of the object possessed and not that of the possessor.

Examples:

1.	यह मेरी पुस्तक है।	This is my book.
2.	वह मेरा भाई है।	He is my brother.
3.	ये तुम्हारी बहनें हैं?	Are they your sisters?
4.	ये किनके बच्चे हैं ?	Whose children are they ?
5.	उसके पिताजी क्या करते हैं ?	What does her father do ?
6.	आज मेरे स्कूटर के 'ब्रेक' ख़राब हो गये।	The brakes of my scooter failed today.
7.	मेरे भाई का कमरा बहुत गन्दा है।	My brother's room is very dirty.
8.	तुम्हारी बेटी का जन्मदिन २८ अप्रैल को है।	Your daughter's birthday is on 28th April.
9.	कल हम तुम्हारे घर आएँगे।	We will come to your house tomorrow.
10.	हमारा कैमरा काफ़ी अच्छा है लेकिन उनका हमारे वाले से कहीं ज़्यादा अच्छा है।	Our camera is quite good but theirs is much better than ours.

See R-7

112

27 Compulsion Constructions (अनिवार्यता बोधक)
'होना', 'पड़ना', 'चाहिए' 'must' 'have to', ... 'ought to'

Compulsion constructions involve the use of होना, पड़ना, चाहिए as shown in the language structure model given below.

Language structure

subj.	+ obj.	+ main verb	+ (1) forms of होना	Nature of compulsion
	(if any)	in infinitive	(in all tenses)	internal
with को		(1) transitive	(2) पड़ना + होना	external
		(2) intransitive	in all tenses	
			(3) चाहिए, चाहिएँ	moral
			sg. pl.	

☞ When the main verb is transitive, use (v.r. +ना/ने/नी) to agree with the number and gender of the object.

Examples :

Inner compulsion

1. मुझे अपनी माता जी को चिट्ठी लिखनी है।
2. मुझे अपनी माता जी को चिट्ठियाँ लिखनी हैं।
3. मुझे अपनी माता जी को पत्र लिखना है।
4. मुझे अपनी माता जी को पत्र लिखने हैं।

I must write a letter to my mother.
I must write letters to my mother.

External compulsion

1. मुझे अपनी माता जी को चिट्ठी लिखनी पड़ती है।
2. मुझे अपनी माता जी को चिट्ठियाँ लिखनी पड़ती हैं।
3. मुझे अपनी माता जी को पत्र लिखना पड़ता है।
4. मुझे अपनी माता जी को पत्र लिखने पड़ते हैं।

I have to write a letter to my mother.
I have to write letters to my mother.

Moral compulsion

1. मुझे अपनी माता जी को चिट्ठी लिखनी चाहिए।
2. मुझे अपनी माता जी को चिट्ठियाँ लिखनी चाहिएँ।
3. मुझे अपनी माता जी को पत्र लिखना चाहिएं।
4. मुझे अपनी माता जी को पत्र लिखने चाहिएँ।

I should write a letter to my mother.
I should write letters to my mother

113

चिट्ठी (f; sg.) letter;   पत्र (m. sg.) letter

☞ In the examples given above we have seen how the main verb 'लिखना', 'पढ़ना' changes form depending upon N and G of the object.

☞ Where the object is implied (not clearly stated), masculine singular form of the verb is used.

Examples:

1.	अब मुझे पढ़ना है।	Now I have to study.
2.	मुझे रोज़ चार घण्टे पढ़ना पड़ता है।	I have to study four hours everyday.
3.	तुम्हें बहुत पढ़ना चाहिए।	Your ought to study a lot.

☞ 'पढ़ना' is a transitive verb. Since the object to be read is not specified and its gender is unknown, masculine singular 3rd person form is used.

☞ Intransitive infinitives retain their final ना whether it be a case of inner compulsion, external compulsion or moral compulsion.

Examples:

1.	मुझे कलकत्ता जाना है।	I must (have to) go to Calcutta.

☞ Here the necessity or compulsion to go to Calcutta is felt by the subject. It is not imposed on him from outside.
It is a case of inner compulsion.

2.	मुझे कलकत्ता जाना पड़ता है।	Present habitual compulsion
3.	मुझे कलकत्ता जाना पड़ता था।	Past habitual compulsion
4.	मुझे कलकत्ता जाना पड़ा।	Past perfective compulsion
5.	मुझे कलकत्ता जाना पड़ेगा।	Future simple compulsion

☞ In these sentences, the compulsion to go to Calcutta is external. The circumstances force him to go. This is a case of external compulsion.

6.	मेरे पिता जी बीमार हैं। मुझे उन्हें देखने जाना चाहिए।	My father is sick. I should go to see him.

☞ In this sentence the compulsion to go there is moral.

☞ 'नहीं' precedes the infinitive to make negative sentences.

114

Examples :	Internal compulsion : Use of होना
1. मुझे घर का काम करना है।	I have to do housework.
2. राम को दिल्ली जाना है।	Ram has to go to Delhi.
3. क्या आप को साड़ियाँ ख़रीदनी हैं ?	Do you have to buy sarees ?
4. मुझे मिठाई बनानी है।	I must (have to) prepare sweets.
5. उन्हें हिन्दी सीखनी है।	They have to learn Hindi.
6. पिता जी को बाहर घूमने जाना है।	Father has to go out for a walk.
7. मुझे शादी में जाना है।	I have to go to a wedding.
8. मुझे बाज़ार जाना है।	I have to go to the market.
9. क्या आप को भी कहीं जाना है ?	Do you also have to go somewhere ?
10. मुझे व्यायाम करना है।	I have to exercise.
11. मुझे कुछ अख़बार ख़रीदने थे।	I had to buy some newspapers.
12. मुझे माताजी को फ़ोन करना था।	I had to telephone mother.
13. मुझे कल दफ़्तर में पाँच बजे तक काम करना होगा।	Tomorrow I will have to work in the office until 5 o'clock.
14. आप को कुछ दिन हमारे यहाँ रहना होगा।	You will have to stay at our place for a few days.
15. कल मुझे कमला को मिलने जाना होगा।	Tomorrow I will have to visit Kamla.

Examples :	External compulsion : Use of पड़ना
1. मुझे दिन में चार बार दवाई खानी पड़ती है।	I have to take medicine four times a day.
2. मैं सात बजे काम शुरू करती हूँ, इसलिए मुझे सुबह पाँच बजे उठना पड़ता है।	I start work at 7 o'clock, so I have to get up at 5 o'clock in the morning.
3. क्योंकि मेरी बेटी की आँखें कमज़ोर हैं, उसे हर समय ऐनक पहननी पड़ती है।	Since my daughter's eyes are weak, she has to wear spectacles all the time.
4. क्योंकि आज 'ड्राइवर' नहीं आया, मुझे दफ़्तर टेक्सी से जाना पड़ेगा।	Since the driver has not come today, I will have to go to the office by taxi.

5.	जब मेरी तबियत ठीक नहीं होती तब भी मुझे अपने परिवार के लिए खाना पकाना पड़ता है।	Even when I am not well, I have to cook food for my family.
6.	मुझे अपने परिवार के भरण-पोषण हेतु बहुत परिश्रम करना पड़ता है।	I have to work very hard to support my family.
7.	प्रबन्धकों को हर दिन भद्दी स्थितियों का सामना करना पड़ता है।	The administrators have to confront ugly situations every day.
8.	क्या सब भारतीय लड़कियों को शादी के बाद साड़ी पहननी पड़ती है?	Do all Indian girls have to wear a saree after marriage ?
9.	हमारे देश में हमें विश्वविद्यालय में पढ़ने के लिए अंग्रेज़ी नहीं पढ़नी पड़ती।	In our country we don't have to learn English to study at the university.
10.	हमें स्कूल में 'यूनिफ़ॉर्म' (वर्दी) पहननी पड़ती थी।	We had to wear a uniform in school.
11.	मैं तुम्हारे जन्म दिवस की दावत में नहीं आ पायी क्योंकि मुझे देर तक काम करना पड़ा।	I could not come to your birthday party as I had to work till late.
12.	तुम्हें कितनी दूर पैदल जाना पड़ा ?	How far did you have to go on foot ?
13.	आपको अपनी बेटी की शादी पर कितना पैसा ख़र्चना पड़ा ?	How much money did you have to spend on your daughter's wedding ?
14.	क्योंकि मुझे रिक्शा नहीं मिली, मुझे घर पैदल जाना पड़ा।	Since I did not find a rickshaw, I had to walk home.
15.	मेरी साइकिल का 'टायर' फट गया; मुझे इसे ठीक करवाना पड़ा।	The tyre of my bicycle got punctured; I had to get it mended.
16.	आज मुझे खाना नहीं पकाना पड़ा क्योंकि मैं एक मित्र के द्वारा दिन के खाने पर आमंत्रित थी।	I didn't have to cook today as I was invited to lunch by a friend.
17.	जब मैं अमरीका जाऊँगी मेरी बेटी को अपना भोजन स्वयं बनाना पड़ेगा।	When I go to America, my daughter will have to cook her own food.
18.	यदि तुम परीक्षा में उत्तीर्ण होना चाहते हो तो तुम्हें परिश्रम करना पड़ेगा।	You will have to work hard if you want to pass the examination.

19. मरीज़ की हालत बहुत ख़राब है; तुम्हें उसे अस्पताल ले जाना पड़ेगा।	The patient's condition is very bad; you will have to take him to hospital.
20. हो सकता है अगले सप्ताह उस का 'आपरेशन' करना पड़े।	She may have to be operated on next week.

Examples:

Moral compulsion : use of चाहिए

1. मुझे जाना चाहिए।	I ought to go.
2. आपको भारत में रहना चाहिए।	You ought to live in India.
3. यह पुस्तक हमेशा मेज़ पर रहनी चाहिए।	This book should always be on the table.
4. विद्यार्थियों को अध्यापकों का आदर करना चाहिए।	Students ought to respect their teachers.
5. मुझे सारनाथ देखने जाना चाहिए था।	I ought to have visited Sarnath.
6. आपको भारत में हिन्दी सीखनी चाहिए थी।	You should have learnt Hindi in India.
7. तुम्हें अपना समय व्यर्थ नहीं गँवाना चाहिए था।	You should not have wasted your time.
8. आप को यह पुस्तकें अब तक पुस्तकालय में लौटा देनी चाहिए थीं।	By now you ought to have returned these books to the library.
9. आपको चाहिए कि रोज़ ठण्डे पानी से नहाएँ।	You ought to have a bath with cold water everyday.
10. राम को चाहिए कि गाड़ी सावधानी से चलाए।	Ram ought to drive the car carefully.

Language structures expressing probability and compulsion

Language structure **1**

subj. + obj. + inf*. + पड़ + सकता + है / हैं
with को   (if any)   सकते
                                  सकती

117

☞* When v.i., the inf. has always 'ना' ending.

☞* When v.t., the inf. has 'ना', 'ने', 'नी' ending to agree with the N and G of the object.

Language structure 2

हो सकता है + subj. + obj. + inf. + पड़े / पड़ें

or   with को

शायद

1a. माँ, आज मुझे देर तक दफ़्तर में रुकना पड़ सकता है।

1b. माँ, हो सकता है आज मुझे देर तक दफ़्तर में रुकना पड़े।

Mother, I may have to stay back in the office until late (later than usual).

2a. पिता जी को अगले हफ़्ते इंग्लैंड जाना पड़ सकता है।

2b. हो सकता है पिता जी को अगले हफ़्ते इंग्लैंड जाना पड़े।

Father may have to go to England next week.

3a. अपनी बेटी की शादी के समय शर्मा जी को अपना मकान बेचना पड़ सकता है।

3b. हो सकता है अपनी बेटी की शादी के समय शर्माजी को अपना मकान बेचना पड़े।

Mr. Sharma may have to sell his house at the time of his daughter's marriage.

4a. केन्द्र को किसी भी समय कहीं भी फ़ौजें तैनात करनी पड़ सकती हैं।

4b. हो सकता है केन्द्र को किसी भी समय कहीं भी फौजें तैनात करनी पड़ें।

The Centre (the Central Government) may have to send the army anywhere any time.

5a. देश में खुशहाली लाने के लिए हमें बहुत कुर्बानी देनी पड़ सकती है।

5b. हो सकता है देश में खुशहाली लाने के लिए हमें बहुत कुर्बानी देनी पड़े।

We may have to make many sacrifices to bring prosperity to the country.

6a. चिकित्सा विद्यालय में प्रवेश पाने के लिए तुम्हें दूसरी बार भी प्रयास करना पड़ सकता है।

You may have to attempt a second time to get admission into the medical college.

6b. हो सकता है तुम्हें चिकित्सा विद्यालय में प्रवेश पाने के लिए दूसरी बार भी प्रयास करना पड़े।

7a. हमारी बैठक बहुत छोटी है। मुझे नया दूरदर्शन-यंत्र अपने शयन-कक्ष में रखना पड़ सकता है।

Our sitting room is very small. I may have to keep the new television set in my bedroom.

7b. हमारी बैठक बहुत छोटी है। हो सकता है मुझे नया दूरदर्शन-यंत्र अपने शयनकक्ष में रखना पड़े।

Use of 'चाहिए' to express need or desire

Language structure :

subj. + को + obj. + चाहिए + होना*

☞ * Appropriate form of होना in the required tense is used when चाहिए is used to express desire or want in the past and the future tenses as shown below.

Examples:

Present tense

1. आप को क्या चाहिए ?   What do you need ?
2. मुझको पानी चाहिए।   I need water
3. राम को क्या चाहिए ?   What does Ram need ?
4. क्या आपको कुछ चाहिए ?   Do you need anything ?

☞ In several parts of India, when the object needed or desired is plural चाहिएँ is used instead of चाहिए as shown below

1. माता जी को साड़ियाँ चाहिएँ।   Mother needs sarees.
2. मुझे कुछ पुस्तकें चाहिएँ।   I need some books.

119

Examples : **Past tense**

मुझे एक कुरता चाहिए था।	I needed a kurta (obj. m.sg.)
उसे मदद चाहिए थी।	He/She needed help. (obj. f. sg.)
उन्हें कुछ कांटे चाहिए थे।	They needed some forks. (obj. m. pl.)
कमला को तुम्हारी किताबें चाहिए थीं।	Kamla needed your books. (obj.f. pl.)

☞ **Past auxiliary corresponds to the N and G of the object desired.**

Examples : **Future tense**

कल मुझे तुम्हारा कुरता चाहिए होगा।	I will need your shirt tomorrow.
अगले हफ़्ते हमें आप के प्याले चाहिए होंगे।	I will need your cups next week.
परसों मुझे कुछ कुर्सियाँ चाहिए होंगी।	I will need some chairs the day after tomorrow.

☞ **Note that this use of चाहिए is different from its compulsion structure usage where subject+object are followed by a main verb in infinitive before adding चाहिए**

■ **Alternatively 'need' can be expressed by use of 'X की ज़रूरत होना' 'X की आवश्यकता होना'**

Language structure :

subj. with को	+	obj. n./ (v.r. + ने)	+	की ज़रूरत or की आवश्यकता	+	होना in the required tense

Examples:

मुझे हिन्दुस्तानी दोस्त की ज़रूरत है।	I need an Indian friend.
मुझे हिन्दी सीखने की आवश्यकता है।	I need to learn Hindi.
तुम्हें किस चीज़ की जरूरत है ?	What do you need?
तुम्हें किसी चीज़ की आवश्यकता नहीं है?	Don't you need something ?

Examples :

1. मुझे शांति चाहिए।	I need peace.
2. हमें आराम चाहिए।	We need rest.
3. तुम्हें क्या चाहिए ?	What do you need ?
4. आप को नौकरी चाहिए ?	Do you need a job ?
5. उसको पैसा चाहिए।	He / She needs money
6. उन्हें इज़्ज़त चाहिए।	They need respect.
7. हमें कुछ नहीं चाहिए।	We don't need anything.
8. उसे क्या नहीं चाहिए ?	What does he/she not need ?
9. उन्हें खिलौने चाहिएँ।	They need toys.
10. कमला को लाल रंग की मारुति कार ही क्यों चाहिए ?	Why does Kamla need only a red-colour Maruti.
11. मरीज़ को दवाई चाहिए थी।	The patient needed medicine.
12. बच्चों को पुस्तकें चाहिएँ थीं।	The children needed books.
13. राम को जन्मदिन पर नए कपड़े चाहिएँ थे।	Ram needed new clothes on his birthday.
14. मुझे एक बड़ा घर चाहिए होगा।	I will need a big house.

★ ★ ★

28 Inceptive Compounds - To Begin To Do Something
(v.r. + ने) + लगना; शुरू करना

Language structure 1

subj. nom. case	+	obj. if any	+	(v.r. + ने)	+	लगना + होना in the required tense

agree with the subject

Examples :

1. बच्चा माँ को देख कर हँसने लगता है ।

   The child begins to laugh on seeing his mother.

2. कुत्ता भौंकने लगा ।

   The dog began to bark.

3. छात्र अध्यापक के जाते ही शोर मचाने लगेंगे ।

   The students will begin to make a noise as soon as the teacher goes.

Language structure 2

subj. with or without ने	+	obj. (if any)	+	शुरू	+	करना + होना

see the notes given below

☞ When the subject is without 'ने', 'करना' and 'होना' agree with the subject.

☞ When the subject is with 'ने', 'करना' and 'होना' agree with the object.

Examples :

1. क्या आप घर आते ही खाना पकाना शुरू करती हैं ?

   Do you begin to cook as soon as you get home ?

2. मेहमानों ने खाना शुरू किया ।

   The guests began to eat.

3. छात्र अध्यापक के आते ही पढ़ना शुरू करेंगे ।

   The students will begin to study as soon as the teacher comes.

Compare and Comprehend

1a. सुबह होते ही चिड़ियाँ चहचहाने लगती हैं ।

1b. सुबह होते ही चिड़िया चहचहाना शुरू करती हैं ।

As soon as it is morning, the birds begin to chirp.

2a. शाम को पाँच बजते ही बच्चे खेलने लगते हैं ।

2b. शाम को पाँच बजते ही बच्चे खेलना शुरू करते हैं ।

As soon as it is 5 o'clock in the evening, the children begin to play.

3a. हम स्कूल से लौटते ही पढ़ने लगते थे ।

3b. हम स्कूल से लौटते ही पढ़ना शुरू करते थे ।

As soon as we came back from school, we used to begin to study.

4a. वे आम पकने से पहले ही तोड़ने लगते थे ।

4b. वे आम पकने से पहले ही तोड़ना शुरू करते थे/कर देते थे ।

They used to start picking the mangoes before they ripened.

5a. बच्चे पाठ पढ़ने लगे ।

5b. बच्चों ने पाठ पढ़ना शुरू किया ।

The children began to study.

6a. नर्तकी नृत्य करने लगी ।

6b. नर्तकी ने नृत्य करना शुरू किया ।

The dancer began to dance.

7a. खिलाड़ी क्रिकेट खेलने लगे ।

7b. खिलाड़ियों ने क्रिकेट खेलना शुरू किया ।

The players began to play cricket.

8a. बच्चा चलने लगा है ।

8b. बच्चे ने चलना शुरू किया है/कर दिया है ।

The child has begun to walk.

9a. राबर्ट तीन महीने में हिन्दी बोलने लगा था ।

9b. राबर्ट ने तीन महीने में हिन्दी बोलना शुरू कर दिया था ।

Robert had begun to speak Hindi in three months.

123

10a. क्या भारत पहुँच कर मैं हिन्दी बोलने लगूँगा?	Will I begin to speak Hindi on reaching India?
10b. क्या भारत पहुँच कर मैं हिन्दी बोलना शुरू कर दूँगा?	
11a. स्कूल पहुँचते ही हम पढ़ने लगेंगे।	As soon as we reach school, we will begin to study.
11b. स्कूल पहुँचते ही हम पढ़ना शुरू करेंगे।	
12a. माँ को देखते ही बच्चा हँसने लगेगा।	As soon as the child sees the mother, he will begin to laugh.
12b. माँ को देखते ही बच्चा हँसना शुरू करेगा।	
13a. जब तक आप अमरीका पहुँचेंगे, मैं अंग्रेज़ी बोलने लग चुका हूँगा।	By the time you arrive in America I will have begun to speak English.
13b. जब तक आप अमरीका पहुँचेंगे, मैं अंग्रेज़ी बोलना शुरू कर चुका हूँगा।	
14a. भोजन खाकर वे लोग बातचीत करने लगेंगे।	They will begin to talk after having eaten food.
14b. भोजन खाकर वे लोग बातचीत करना शुरू करेंगे।	
15a. हो सकता है मैं विदेश जाकर मांस खाने लगूँ।	I might begin to eat meat after going abroad.
15b. हो सकता है मैं विदेश जाकर मांस खाना शुरू कर दूँ।	
16a. शायद मैं बुढ़ापे में पूजा-पाठ करने लगूँ।	Perhaps I will begin to worship God in my old age.
16b. शायद मैं बुढ़ापे में पूजा-पाठ करना शुरू कर दूँ।	
17a. हो सकता है विदेश जाकर तुम्हें मांस खाने लगना पड़े।	You may have to begin eating meat after going to a foreign country.
17b. हो सकता है विदेश जाकर तुम्हें मांस खाना शुरू करना पड़े।	

29

Permissive Compound
(अनुमति बोधक वाक्य रचना)

☞ Corresponding to the English language structure 'to let X do Y', Hindi uses (v.r. +ने) + देना as shown below :

Language structure 1   Permissive compound : Imperative

subj.   + person obj. + obj. + (v.r. +ने) + दो/दीजिए
तुम or आप   + को   (if any)

the one   the one for   to agree with
requested   whom permission   the subject
to grant   is asked for
permission

☞ The subject is seldom explicitly stated in the imperative language constructions. Also the object, when contextually clear, is at times omitted.

Examples :

(तुम) मुझे खाने दो। (you, intimate) ————— Let me eat.
(आप) मुझे खाने दीजिए। (you, honorific)
उन्हें अन्दर आने दो/दीजिए।   Let them come in.

Language structure 2   Permissive compound : Present indefinite

subj. + person obj. +   obj. + (v.r. +ने) + देता, देते + हूँ, है
          + को   (if any)   देती   हो, हैं

                                                    agree with the subject

☞ Use the Language structure given above for past habitual tense; only put था, थे, थी, थीं instead of हूँ, है, हो, हैं ।

Examples:

1. मैं अपने बच्चों को तालाब में तैरने   I let my children swim in the pool.
   देती हूँ।

125

2. पिता जी हमें अक्सर 'सिनेमा' देखने देते हैं।	Father often lets us see a film.
3. अध्यापक विद्यार्थियों को पुस्तकालय में पढ़ने देता है।	The teacher lets the students read in the library.
4. वे हमें शाम को खेलने देते थे।	They used to let us play in the evening.
5. माँ हमें मांस नहीं खाने देती थीं।	Mother did not use to let us eat meat.

Language structure 3 : Permissive compound: Present/Past progressive tense

subj. +   person\obj. + obj.   + (v.r. +ने) + दे + रहा + हूँ or था
                + को   (if any)   रहे   है   थे
                                                                      रही   हो   थी
                                                                                 हैं   थीं

in the required tense;
agree with the subject

Examples:

1. नौकर महमानों को अन्दर आने दे रहा है।	The servant is letting the guests come in.
2. बच्चे मुझे पढ़ने नहीं दे रहे थे।	The children were not letting me study.

Language structure 4 : Permissive compound - future simple

subj. +   person obj. +   obj.   + (v.r.+ ने) + दूँगा, दूँगी
                     + को   (if any)   देगा, देगी
                                                                          दोगे, दोगी
                                                                          देंगे, देंगी

agree with the subject.

1. माँ मुझे पुस्तक पढ़ने देंगी।	Mother will let me read the book.
2. पिता जी मुझे फ़िल्म देखने जाने देंगे।	Father will let me go to see the film.
3. प्रधानाचार्य हमें मैच नहीं खेलने देंगे।	The principal will not let us play the match.

126

Language structure 5 : Permissive compound : Past simple tense

subj. + ने + person obj. + obj. + v.r.+ने + दिया, दिए, दी, दीं
        + को   (If any)

1. when v.i. , always m.sg. 3rd person
2. when v.t., agree with the object

Examples:

1.	माँ ने हमें केले खाने दिए।	Mother let us eat bananas.
2.	मेरी बहन ने मुझे बोलने नहीं दिया।	My sister did not let me talk.
3.	माँ ने मुझको पुस्तक पढ़ने दी।	Mother let me read the book.
4.	माँ ने मुझको नया कुर्ता पहनने दिया।	Mother let me wear the new shirt.
5.	अध्यापक ने छात्रों को जाने दिया।	The teacher let the students go.
6.	अधिकारी ने कर्मचारी को अन्दर आने दिया।	The officer let the employee come in.

☞ **Use the above model for present perfect and past perfect tenses by putting हूँ, हो, है, हैं, or था, थे, थी, थीं after दिया, दिए, दी, दीं as shown below :**

1.	माँ ने मुझको पुस्तक पढ़ने दी है/दी थी।	Mother has/had let me read the book.
2.	अधिकारी ने कर्मचारी को अन्दर आने दिया है/दिया था।	The officer has/had let the employee come in.
3.	माँ ने मुझको नया कुर्ता पहनने दिया है / दिया था।	Mother has/had let me wear the new kurta.
4.	मेरे माता-पिता ने मुझे तैराकी सीखने दी है/दी थी।	My parents have / had let me learn swimming.

Language structure 6 : Permissive + Compulsion compounds :

subj. + person obj. + obj. + (v.r. +ने) + देना + पड़ना + होना
      + को   + को   (if any)

in required tense

1. to agree with the object when v.t.
2. always m.sg. 3rd person form when v.i.

Examples :

1. हमें बच्चों को संगीत सुनने देना
   पड़ता है ।
   We have to let our children listen to music.

2. शर्मा जी को अपने पुत्र को नयी कार
   ख़रीदने देनी पड़ी ।
   Mr Sharma had to let his son buy a new car.

3. मुझे अपनी बेटी को छात्रावास में रहने
   देना पड़ेगा ।
   I will have to let my daughter stay in the
   hostel.

Language structure 7 : Permissive + advice compounds

subj. +	person obj. +	obj. +	(v.r. + ने) +	देना + चाहिए
को	+ को	(if any)		देने
				देनी

(1) agree with the object when v.t.;

● 'चाहिएँ' may be used when obj. pl.

(2) always 'देना' form is used when v.i.

Examples:

1. आपको अपने पुत्र को विदेश जाने
   देना चाहिए ।
   You should let your son go abroad.

2. आप को हमें दादी से कहानी सुनने
   देनी चाहिए ।
   You should let us hear a story from
   grandmother.

3. माता जी को बच्चों को नये कपड़े
   पहनने देने चाहिए ।
   Mother should let the children wear
   new clothes.

4. डाक्टर को मुझे केले खाने देने
   चाहिए ।
   The doctor should let me eat bananas.

128

Language structure 8 : Permissive compound + चाहिए + था
('X' should have let 'Y' do something)

subj. + person obj. + obj. + (v.r. + ने) + देना + चाहिए + था
को   + को   (if any)   देने   थे,
                                           देनी   थी
                                                           थीं

(1) agree with the object when v.t.
(2) always 3rd person m.sg. form when v.i.

Examples:

1. तुम्हें राम को जाने देना चाहिए था।   You should have let Ram go.
2. राम को आपको पुस्तक पढ़ने देनी   Ram should have let you read the book.
   चाहिए थी।

Language structure 9 : Permissive + subjunctive

अगर + subj.   + person obj. + obj. + (v.r. + ने) + दूँ दे, दो, दें
                   + को   (if any)

                                              agree with the subject

1. अगर मैं तुम्हें आज न जाने दूँ तो ?   What if I don't let you go today?
2. शायद माँ मुझे सिनेमा देखने जाने दें।   Mother may let me go to see the film.
3. हो सकता है अध्यापक छात्रों को यह   The teacher may let the students read
   पुस्तक पढ़ने दे।   this book.

Language structure 10 : Permissive + continuative.

subj. + person obj. + obj. + (v.r.+ने) + देता   + रहना + होना
        + को   (if any)   देते, देती   in the required tense

                                          agree with the subject.

Examples :

1. माँ बच्चे को खेलने देती रहती है।   Mother always lets the child play.
2. अध्यापक छात्रों को मिठाई खाने देते   The teachers always let the students
   रहते हैं।   eat sweets.

Language structure 11 : Permissive + present presumptive

subj. + person obj. + obj. + (v.r.+ने) +   देता + होगा/होगी
      + को   (if any)   देते   होंगे/होगी
                                    देती   होंगे/होंगी

agree with the subject

Examples :

1. वह बच्चों को दूरदर्शन पर नाटक देखने देता होगा। — He must be letting the children watch plays on T.V..

2. तुम अपने मित्रों को अपनी कार चलाने देते होगे। — You must be letting your friends drive your car.

3. रानी अपने पड़ोसियों को अपने बाग़ीचे में दावत करने देती होगी। — Rani must be letting her neighbours have a party in her garden.

Language structure 12 : Permissive + past presumptive

subj. + person obj.   +   obj. + (v.r.+ने) +   दिया + होगा/होगी
+ ने   + को   (if any)   दिए   होंगे/होंगी
                                     दी

(1) agree with the object when v.t.

(2) always 'दिया+होगा' when v.i.

Examples:

1. पिता जी ने तुम्हें तैरने जाने दिया होगा। — Father must have let you go swimming.

2. उन्होंने बच्चों को 'फुटबाल' खेलने दिया होगा। — They must have let the children play football.

3. रानी ने अपनी बहन को नये कपड़े पहनने दिये होंगे। — Rani must have let her sister wear new clothes.

4. राम ने तुमको अपनी पुस्तकें पढ़ने दी होंगी। — Ram must have let you read his books.

Language structure 13 : Permissive compound : Passive voice

subj.	+ person obj.	+ obj.	+ (v.r. + ने)	+ दिया	+ जाना	+ होना
से/के द्वारा	+ को	(if any)		दिए		
				दी		

in the required tense

to agree with the object

☞ **When the object of the verb is (1) followed by को, (2) not explicitly stated or (3) verb intransitive, then always m.sg. 3rd person form of जाना and देना is used.**

Examples:

1. विद्यार्थियों को पुस्तकालय में पुस्तकें पढ़ने दी जाती हैं ।
   The students are allowed to read books in the library.

2. त्योहारों पर हमें नये कपड़े पहनने दिये जाते थे ।
   We used to be allowed to wear new clothes at festivals.

3. कल मुझे पहली बार अकेले सिनेमा जाने दिया गया ।
   Yesterday for the first time I was allowed to go alone to the movies.

4. हो सकता है छात्रों को गंगा में तैरने न दिया जाय ।
   The students may not be allowed to swim in the Ganges.

5. हमारे यहाँ बच्चों को इन पुस्तकों को नहीं पढ़ने दिया जाता ।
   In our house the children are not allowed to read these books.

★ ★ ★

131

30 Conditionals (संकेतार्थ, शर्तबोधक)
(use of अगर/यदि/अगरचे....तो....)

☞ In the conditional construction, the occurence of an activity depends on the fulfilment of a certain condition ('X' depends on 'Y').

☞ Depending upon the degree of probability and the tense in question, one of the structures given below is used.

☞ The subsidiary clause containing the condition begins with 'अगर', 'यदि', 'अगरचे' etc., the main clause begins with 'तो' । 'अगर', 'यदि', 'अगरचे' are usually dropped in spoken language.

☞ The judgement regarding the degree of probability is subjective to some extent and hence there is quite a bit of overlapping in their use.

Language structure 1 : Highly probable condition; future tense

अगर + subj. + obj. + (v.r. + ऊँ, ए, + गा, गे,) + तो + subj. + obj. + (v.r. + ऊँ, ए, + गा, गे,)
                                  ओ, एँ   गी   ओ, एँ   गी

                            agrees with the subj.   agrees with the subj.

☞ This language structure is used when in the future there is high probability of fulfilment of the condition.

Examples:

1. अगर आप मुझे बुलाएँगे तो मैं अवश्य आऊँगी ।   If you call me, I will certainly come.

2. अगर तुम वर्षा में भीगोगे तो बीमार हो जाओगे ।   If you get wet in the rain, you will fall ill.

Language structure 2 : Less probable condition; future tense

अगर + subj. + obj. + (v.r. + आ, ए, ई) + तो + subj. + obj. + (v.r. + ऊँ, ए, + गा, गे,)
     (if any)   ओ, एँ   गी

                      1. agrees with the subj. when v.i.   agrees with the subj. as shown
                      2. agrees with the obj. when v.t.

132

☞ This language structure is used when in the future there is somewhat less probability of the fulfilment of the condition.

Examples:

1. अगर आपने मुझे बुलाया तो मैं आऊँगी ।   If you called me, I would come.

2. अगर तुम वर्षा में भीगे तो बीमार हो जाओगे ।   If you got wet in the rain, you would fall ill.

Language structure 3 : **Least probable / unrealistic; future tense**

अगर + subj. + obj. + [v.r.+ऊँ, ए, ओ, एँ] + तो +subj. + obj. [v.r. + ऊँ, ए, ओ, एँ]

               ↑   ↑

          agrees with the subj.   agrees with the subj.

☞ This language structure is used when in the future the probability of the fulfilment of the condition contained in the subsidiary clause is very low or even imaginary.

Examples:

1. अगर आप मुझे बुलाएँ तो मैं आऊँ ।   If you called me I would come.

2. अगर मैं चिड़ियाँ होऊँ तो आकाश में उड़ती रहूँ ।   If I were a bird, I would keep on flying in the sky.

Language structure 4 : **Impossible condition; past tense**

अगर + subj. + obj. + ⎰v.r. + आ + होता⎱ + तो + subj. + obj + ⎰v.r.+ आ + होता⎱
                          ए   होते   ए   होते
                          ई   होती   ई   होती

1. agree with the sub. when the main verb is intransitive.
2. agree with the object when the main verb is transitive.

☞ This structure is used, when in the past, if the condition contained in the subsidiary clause was different from what it had actually been, then consequently the dependent activity contained in the main clause would also have been different.

Examples:

1. अगर आपने मुझे बुलाया होता, तो मैं आई होती। — If you had called me, I would have come.
2. अगर तुम वर्षा में न भीगे होते, तो बीमार न हुए होते। — If you had not got wet in the rain, you would not have fallen ill.

Language structure 5

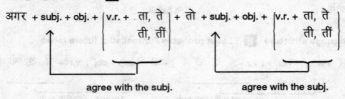

अगर + subj. + obj. + (v.r. + ता, ते / ती, तीं) + तो + subj. + obj. + (v.r. + ता, ते / ती, तीं)

agree with the subj.   agree with the subj.

☞ **This language structure is used in all three tenses i.e. the present, the past and the future tense.**

Examples:

1. अगर वह इस समय यहाँ होती, तो कितना अच्छा होता। (present tense) — How nice it would be if she were here at this time.
2. अगर आगामी दिवाली पर तुम हमारे यहाँ आते तो हम सबको बहुत खुशी होती। (future tense) — If you came to our house at coming Diwali, we would all be very happy.
3. अगर तुम मुझे अपने पिछले जन्मदिन पर बुलातीं तो मैं अवश्य आती। (past tense) — If you had invited me on your last birthday I would certainly have come.

Language sturcture 6

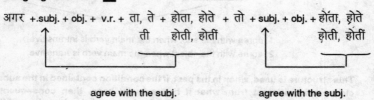

अगर +.subj. + obj. + v.r. + ता, ते / ती + होता, होते / होती, होतीं + तो + subj. + obj. + होता, होते / होती, होतीं

agree with the subj.   agree with the subj.

☞ **This language structure is used when the final activity contained in the main clause depends on habitual, regular doing or not doing of the activity contained in the dependent clause.**

Examples:

1. यदि वह रोज़ पढ़ता होता तो अच्छे अंकों में उत्तीर्ण होता ।
If he had studied everyday, he would have passed the exam with good grades.

2. यदि मैं रिश्वत लेता होता, तो अब तक बहुत अमीर होता ।
If I had been taking bribes, I would be very rich now.

3. यदि तुम रोज़ व्यायाम करती होतीं तो आज बीमार न होतीं ।
If you had exercised daily you would not be ill today.

135

31

Wishing ! (इच्छाबोधक)
Use of 'काश' to express wishes

Language structure 1

काश   +   subj.   +   v.r. + ता, ते, ती, तीं

<u>agree with the subj.</u>

☞ This structure is used when one wishes the situation in the present to be different from what it is.

Examples:

1. काश आज इतनी ठण्ड न होती !   I wish it would not be so cold today !
2. काश मैं इस समय अंग्रेज़ी बोल सकती !   I wish I could speak in English at this time!

Language structure 2

काश +   subj. +   v.r. + आ, ए, ई + होता, होते, होती, होतीं

<u>agree with the subj.</u>

☞ This structure is used when we wish that things in the past were different from what they had been.

Examples:

1. काश मैं विदेश में बसी होती !   I wish I had settled abroad !
2. काश वे हमारे घर न आए होते !   I wish they hadn't come to our house !

Language structure 3

काश +   subj. +   v.r. + ऊँ, ए, ओ, एँ

<u>agree with the subj.</u>

☞ This is used when:
1. One simply wishes fulfilment of one's desires.
2. One wishes the situation in the future to be different from what it is in the present.

136

Examples:

1. काश मुझे समय से गाड़ी मिल जाय ! I wish I catch the train on time !
2. काश मैं परीक्षा में उत्तीर्ण हो जाऊँ ! I wish I pass the exam !
3. काश कल इतनी धुंध न हो ! I wish it is not so foggy tomorrow !

★ ★ ★

32 To Be Used To Doing Something (का आदी होना/की आदत होना)

The Hindi language structure corresponding to the English language structure 'to be used to verb+ing something, is as follows. There are two possibilities :

(1) 'X' का आदी[1] होना; (2) 'X' की आदत[2] होना

☞ **'X' may be a simple noun or a verbal activity.**

Model 1 : 'X' का आदी होना; Present tense

m. मैं	लस्सी पीने	का	आदी	हूँ
f. मैं		की		
m. तू, वह, यह, कौन, क्या		का		है
f. तू, वह, यह, कौन, क्या		की		
m. तुम, तुम लोग		के		हो
f. तुम, तुम लोग		की		
m. हम, आप, वे, ये, कौन, कौन कौन		के		हैं
f. हम, आप, वे, ये, कौन, कौन कौन		की		

1. habituated (adj.) 2. habit (f.sg.)

Past Tense

m. मैं, तू, वह, यह, कौन	लस्सी पीने	का	आदी	था
f. मैं, तू, वह, यह, कौन		की		थी
m. हम, तुम, आप, वे, ये,		के		थे
f. हम, तुम, आप, वे, ये,		की		थीं

Future Tense

m. मैं	लस्सी पीने	का	आदी	हो जाऊँगा
f. मैं		की		हो जाऊँगी
m. तू, वह, यह, कौन, क्या		का		हो जाएगा
f. तू, वह, यह, कौन, क्या		की		हो जाएगी
m. तुम, तुम लोग		के		हो जाओगे
f. तुम, तुम लोग		की		हो जाओगी
m. हम, आप, वे, ये, कौन		के		हो जाएँगे
f. हम, आप, वे, ये, कौन		की		हो जाएँगी

☞ **In this construction :**

1. The subject is always in the nominative case -1 (i.e without को, ने etc.)
2. The verb agrees with the gender and number of the subject.
3. The possessive postposition का, के, की precedes and agrees with the gender and number of the subject.

Model 2 : 'X' की आदत होना

मुझे हमें, तुम्हें आप को उसे/उसको उन्हें/उनको किसे/किसको किन्हे/किनको	लस्सी (पीने) की आदत	है	'X' stands for PN or Pron.	am, is, are	used to drinking lassi
		नहीं है		(am, is,are)+not	
		थी		was, were	
		नहीं थी		was not, weren't	
		+हो गयी		got	
		*पड़ गई			
		+हो जाएगी		shall or will get	
		*पड़ जाएगी			

☞ **+It is a softer expression as if it happened or will happen naturally.**
*** It is a forceful expression meaning due to the circumstances the subject got used to the thing or activity in question or will get used to the thing or activity in question.**

☞ **In this construction, 1. Subject with को is used. 2. Possessive की precedes आदत (f. sg) 3. The auxiliary होना agrees with आदत**

Examples :

1a. अनिल को ज़मीन पर सोने की आदत है ।

Anil is used to sleeping on the floor.

1b. अनिल ज़मीन पर सोने का आदी है ।

2a. मुझको तेज़ दौड़ने की आदत नहीं ।

I am not used to running fast.

2b. मैं तेज़ दौड़ने का आदी नहीं ।

3a. जापानियों को छोटे घरों में रहने की आदत है ।

3b. जापानी छोटे घरों में रहने के आदी होते हैं ।

Japanese are used to living in small houses.

4a. उसको साड़ी पहनने की आदत नहीं है ।

She is not used to wearing a saree.

4b. वह साड़ी पहनने की आदी नहीं है ।

5a. मैं गर्मी की आदी नहीं, परन्तु भारत में रहते रहते मैं गर्मी की आदी हो जाऊँगी ।

I am not used to heat but living constantly in India I will get used to it.

5b. मुझे गर्मी की आदत नहीं, परन्तु भारत में रहते रहते मुझे गर्मी की आदत पड़ जायेगी ।

6a. उसे मिर्चदार भोजन की आदत पड़ गयी ।

She got used to spicy food.

6b. वह मिर्चदार भोजन की आदी हो गयी ।

7a. रानी को कम पैसे में रहने की आदत नहीं ।

Rani is not used to living on a small amount of money.

7b. रानी कम पैसे में रहने की आदी नहीं है ।

8a. हमें अपना काम अपने आप करने की आदत है ।

We are used to doing our work ourselves.

8b. हम अपना काम अपने आप करने के आदी हैं ।

140

9a. किसको सुबह चाय पीने की आदत है?
9b. कौन सुबह चाय पीने का आदी है ?

Who is used to drinking tea in the morning ?

10a. मुझे इतना शारीरिक काम करने की आदत नहीं।
10b. मैं (f.) इतना शारीरिक काम करने की आदी नहीं।

I am not used to doing so much physical work.

11a. हमें उबला हुआ पानी पीने की आदत है।
11b. हम उबला हुआ पानी पीने के आदी हैं।

We are used to drinking boiled water.

12a. पहले मुझे दायीं ओर कार चलाने की आदत नहीं थी। जब मैं यहाँ आया, मुझे जल्दी ही दायीं ओर कार चलाने की आदत पड़ गई। अब मुझे दायीं ओर कार चलाने की आदत है।
12b. मैं पहले दायीं ओर कार चलाने का आदी नहीं था। जब मैं यहाँ आया, मैं जल्दी ही दायीं ओर कार चलाने का आदी हो गया। अब मैं दायीं ओर कार चलाने का आदी हूँ।

At first I was not used to driving on the right. When I came here, I soon got used to driving on the right. Now I am used to driving on the right.

13a. मुझे सुबह जल्दी उठने की आदत नहीं थी। जब मैं भारत आई तो मुझे शीघ्र ही जल्दी उठने की आदत पड़ गयी। अब मुझे जल्दी उठने की आदत है।
13b. मैं सुबह जल्दी उठने की आदी नहीं थी। जब मैं भारत आई, तो मैं शीघ्र ही जल्दी उठने की आदी हो गयी। अब मैं जल्दी उठने की आदी हूँ।

I was not used to getting up early in the morning. When I came to India I soon got used to getting up early in the morning. Now I am used to getting up early.

141

14a. पहले कमला को मरीज़ों को देखने की आदत नहीं थी। कुछ समय के बाद उसे मरीज़ों को देखने की आदत पड़ गई। अब उसे मरीज़ों को देखने की आदत है।

14b. पहले कमला मरीज़ों को देखने की आदी नहीं थी। कुछ समय के बाद वह मरीज़ों को देखने की आदी हो गयी। अब वह मरीज़ों को देखने की आदी है।

At first Kamla was not used to seeing the patients. After a while she got used to seeing the patients. Now she is used to seeing the patients.

15a. जब मैं अमरीका आई मुझे जल्दी भोजन करने की आदत नहीं थी। शीघ्र ही मुझे जल्दी भोजन करने की आदत हो गई। अब मुझे जल्दी भोजन करने की आदत है।

15b. जब मैं अमरीका आई मैं जल्दी भोजन करने की आदी नहीं थी। शीघ्र ही मैं जल्दी भोजन करने की आदी हो गयी। अब मैं जल्दी भोजन करने की आदी हूँ।

When I came to America I was not used to eating early. I soon got used to eating early. Now I am used to eating early.

142

33 Verbs : Classifications and Usage
(क्रियापद : वर्गीकरण एवं प्रयोग)

Verbs are the part of speech that expresses existence, action or occurence.

Verbal agreement rules in Hindi (क्रिया सम्बन्धी नियम) :

Subject - verb agreement (कर्तरि प्रयोग)

Verb in the required tense agrees with the subject when the latter is in the nominative case without any postposition.

Examples :

राम पुस्तक पढ़ता है ।	Ram reads a book.
कमला तेज़ दौड़ी ।	Kamla ran fast.
लड़के मैदान में खेलेंगे ।	The boys will play in the field.

Object - verb agreement (कर्मणि प्रयोग)

When the subject is followed by some postposition 'ने', 'से', 'को' etc., verb in the required tense agrees with the object provided that the latter is not followed by any postposition.

Examples :

राम ने पुस्तक पढ़ी ।	Ram read the book.
मुझको घर पसन्द आया ।	I liked the house.
नौकर के द्वारा रोटी पकायी गयी ।	'Roti' was made by the servant.

Neutral - verb agreement (भावे प्रयोग)

When both the subject and the object are followed by some postposition, verb does not agree with either of them and is always in the masculine singular 3rd person form.

Examples :

राम ने पुस्तक को पढ़ा ।	Ram read the book.
मछुवे के द्वारा मछलियों को पकड़ा गया ।	The fish were caught by the fisherman.

143

Verb classification :

■ **Intransitive verbs (अकर्मक क्रिया) :** They do not require a direct object to complete their meaning e.g. 'सोना', 'उठना', 'बैठना', 'रोना' etc.

■ **Transitive verbs (सकर्मक क्रिया) :** These verbs require a direct object implied or explicitly stated, to complete their meaning eg. 'खाना', 'पढ़ना', 'सुनना' etc.

■ **Stative verbs (स्थितिद्योतक क्रिया) :** These verbs tell about the being or existence of a thing. In Hindi, 'होना' used alone with a noun or an adjective is a stative verb e.g.

1. यह मेज है। 2. फूल सुन्दर है।

■ **Change of state verbs (स्थिति परिवर्तनद्योतक क्रिया) :** These verbs convey the meaning of some change in the state 'जाना' and 'बनना' are examples of such verbs.

Examples :

1. रानी बीमार हो गयी।   Rani became ill.

2. सुनीता डॉक्टर बन गयी।   Sunita became a doctor.

■ **Causative verbs (प्रेरणार्थक क्रियाएँ) :** These are verbs where 'X' causes 'Y' to do something.

Hindi grammarians have further classified them into causative -1 and causative -2.

☞ **Causative -1** includes all verbs where 'X' directly causes 'Y' to do something. Study the examples given below to comprehend the distinction between causative -1 and the ordinary transitive verbs.

Examples :

1. माँ खाती है।   माँ बच्चे को खिलाती है।
    Mother eats.   Mother feeds the baby.

2. विद्यार्थी पढ़ता है।   अध्यापक विद्यार्थी को पढ़ाता है।
    The student studies.   The teacher teaches the student.

3. बच्चा सोता है।   नौकरानी बच्चे को सुलाती है।
    The child sleeps.   The maid-servant puts the child to sleep.

Causative -2 relates to verbs where 'X' uses some agent to cause 'Y' to do something. Study carefully the examples given below to comprehend the distinction between causative -1 and causative -2

Examples:

Causative 1	**Causative 2**
1. माँ बच्चे को **खिलाती** है। Mother feeds the child.	1a. माँ बच्चे को नौकरानी से **खिलवाती** है। Mother has the child fed by the maid servant.
2. पिता जी अपने पुत्र को **पढ़ाते** हैं। Father teaches his son.	2a. पिता जी अपने पुत्र को अध्यापक से **पढ़वाते** हैं। Father has his son taught by the teacher.

In the examples 1,2 mother causes the child to eat, father causes the son to read.

In the examples 1a, 2a mother initiates the servant to cause the child to eat; father initiates the teacher to cause the son to read.

Language structure : Causative - 2

Initiator subject. + mediary agent followed by से + obj. + causative verb + होना in the required tense

Use of the mediary agent is not obligatory. Ex. 1,3.

Mediary agent and object can mutually change places in a sentence. Ex. 2,4.

In all cases except those mentioned below, subject is in the nominative case and the causative and the auxiliary verbs agree with the subject.
See examples 1-7,18 given below.

'subject + ने' is used in the past simple and other perfective tenses.
See examples 8-10.

'subject + को' is used in compulsion and advice structures with होना, पड़ना, चाहिए। See examples 11-17.

In both these cases the verb endings agree with the object.

Examples :

1. गाड़ी में सामान **रखवा दो**। — Have the luggage kept in the car / (or on the train). (imperative)

2. मैं अपने कपड़े धोबी से **धुलवाती हूँ**।	I have my clothes washed by the washerman. (present simple)
3. हमारे पड़ोसी अपने आंगन में एक कुआँ **खुदवा** रहे हैं।	Our neighbours are getting a well dug in their courtyard. (present progressive)
4. रानी खाना नौकर से **पकवाती** थी।	Rani used to have her food cooked by the maid servant. (past habitual)
5. पिछले हफ़्ते मैं अपने घर की मरम्मत **करवा रही** थी।	Last week I was having my house repaired. (past progressive)
6. मैं नाई से बाल **कटवाने** की सोच रही हूँ।	I am planning to have my hair cut by the barber. (planned future)
7. मैं चित्रकार से अपना चित्र **बनवाऊँगी**।	I will have my picture made by a painter. (simple future)
8. मैंने यह घड़ी घड़ीसाज़ से **ठीक करवाई**।	I had my watch repaired by the watch-mender. (past simple)
9. आपने यह पौधे किससे **लगवाए हैं** ?	By whom have you had these plants planted. (present perfect)
10. हमने यह मकान सन् १९५० में **बनवाया था**।	We had had this house built in 1950. (past perfect)
11. मेरे बाल बहुत जल्दी बढ़ जाते हैं। मुझे हर पन्द्रह दिन पर **कटवाने** पड़ते हैं।	My hair grows very quickly. I have to have it cut every fifteen days. (present compulsion)
12. उसकी कार अक्सर ख़राब हो जाती थी। उसे अक्सर 'गराज' में भेज कर ठीक **करवाना** पड़ता था।	His car used to breakdown often. Often he had to send it to the garage and have it repaired. (past compulsion)
13. तुम चाहो तो पुरानी घड़ी ख़रीद लो; परन्तु तुम्हें इसको आए दिन ठीक करवाना पड़ सकता है। / तुम चाहो तो पुरानी घड़ी ख़रीद लो; परन्तु हो सकता है तुम्हें आए दिन ठीक **करवाना पड़े**।	You may buy a used watch if you like; but you may have to have it repaired every now and then. (probable compulsion)

146

14. आपको अपनी आँखों की जाँच नियमित रूप से आँखों के डाक्टर से **करवानी पड़ेगी**।	You will have to have your eyes tested by an opthalmologist regularly. (future compulsion)
15. मेरे विचार में अब तुम्हें अपनी 'जैकेट' **साफ़ करवाने** की आवश्यकता है।	I think you need to have your jacket cleaned now.
16. आप के बग़ीचे में घास बहुत बढ़ गयी है; आप को इसे माली से **छिलवाना** चाहिए।	The grass in your garden has grown much; you ought to have it mowed by the gardener. (advice + causative : present/future)
17. आप को अब तक अपने खून की जाँच **करवानी चाहिए** थी।	You should have had your blood tested by now. (advice + causative-past)
18. रानी अक्सर कलकत्ते से अपने लिए वस्त्र **मंगवाती रहती** है।	Rani often keeps on getting dresses brought for her from Calcutta. (continuative + causative)

Derivation of causative verb roots

☞ **All the causative verbs are always transitive.**

☞ **Their derivation from intransitive or transitive verbs is a morphological process. No special syntactic device is used to form causative expressions.**

There are no hard and fast rules as to their derivation. It is best to learn them individually.

☞ **Usually 'आ' or 'ला' is inserted between the v.r. and 'ना' ending to make causative - 1 and 'वा' or 'आ' is infixed between the v.r. and 'ना' ending to make causative - 2. See Table page 148.**

Some guidelines to their formation are given below.

1 When 'v.r.' does not end in any vowel symbol, add आ to make c-1, and वा to make c-2.

Examples :

v.i.	c-1	c-2
उठना (v.i.)	उठाना	उठवाना
to get up	to cause s. o. to get up; to lift s.th.	to have s. o. caused to get up; to cause s.th. to be lifted

2 When the 1st syllable of the verb root has 'ओ' ending, change it to 'उ' before inserting 'आ' or 'वा' to make c-1, c-2 respectively.

Example :

v.i.	c-1	c-2
रोना	रुलाना	रुलवाना
to cry	to cause s.o. to cry	to have s.o. caused to cry

3 When the first syllable has 'ए' ending, it changes to 'इ' before inserting 'आ' or 'वा' to form c-1, c-2 respectively.

Examples.

v.i.	c-1	c-2
लेटना	लिटाना	लिटवाना
to lie down	to cause s.o. to lie down	to have s.o. caused to lie down

4 When the first syllable of the verb root has 'आ', 'ऊ', 'ई' ending, it is changed to short 'अ', 'उ', 'इ' before inserting 'आ' or 'वा' to make c-1, c-2 respectively

Examples:

	c-1	c-2
भागना (v.i.)	भगाना	भगवाना
to run	to chase s.o. away	to have s.o. chased away
सीखना (v.t.)	सिखाना	सिखवाना
to learn	to teach to s.o.	to have s.o. taught
डूबना (v.i.)	डुबोना	डुबवाना
to drown	to drown s.o.	to have s.o. drowned

148

5 When there is a single syllable verb root, normally long vowel is changed to short one, 'ला' is added to make c-1, 'लवा' is added to make c-2.

Single syllable verb root with ओ ending changes to 'उ'

Examples

	c-1	c-2
1. खाना (v.t.) to eat	खिलाना खवाना to feed	खिलवाना to have s.o. fed
2. पीना (v.t.) to drink	पिलाना to offer to drink	पिलवाना to offer s.o. to drink through s.b.
3. सोना (v.i.) to sleep	सुलाना to put s.o. sleep	सुलवाना to have s.o. put to sleep

☞ **Some verb roots have only c-2 form.**

v.t.	c-2
1. गाना to sing.	गवाना to have sung by x
2. खेना to row	खिवाना to have rowed by x
3. बोना to sow	बोआना to have sowed by x
4. लेना to take	लिवाना to have taken by x.

149

Table of verbs for ready reference

v.i.	v.t.	c-1	c-2
आना to come	बुलाना to call	----	बुलवाना to send for *s.b.*
औटना to boil	औटाना to boil	----	औटवाना to have boiled by *s.b.*
उखड़ना to be uprooted	उखाड़ना to uproot	----	उखड़वाना to have uprooted
उठना to get up	उठाना to lift or pickup	उठाना to cause s.o. to get up	उठवाना to have lifted or picked up
कटना to be cut	काटना to cut	----	कटाना, कटवाना to have cut
---	करना to do	कराना to cause s.o. to do	कराना, करवाना to have s.th. done
---	कहना to say	कहाना/कहलाना to cause to say	कहवाना to send word to s.b.
---	खाना to eat	खिलाना to cause to eat	खिलवाना to have s.o. fed
खुदना to be dug	खोदना to dig	----	खुदाना, खुदवाना to have dug
खुलना to be open	खोलना to open	----	खुलवाना, खुलाना to have opened
---	खेना to row a boat	----	खिवाना to have a boat rowed.
---	खेलना to play	खिलाना,खेलाना to cause s.o. to play	खिलवाना, खेलवाना to have s.o. caused to play

गड़ना	गाड़ना		गड़ाना, गड़वाना
to be fixed in or buried	to fix in or to bury		to cause to be fixed in/or buried
गलना	गलाना	---	गलवाना
to melt	to melt s.th.		to have s.th. melted
गिरना	गिराना	---	गिरवाना
to fall	to cause s.o./s.th to fall; to drop		to cause to be dropped
घिरना	घेरना	---	घिरवाना
to be surrounded	to surround		to cause to be surrounded
घुलना	घोलना	---	घुलाना, घुलवाना
to be dissolved	to dissolve		to cause to be dissolved
घूमना	----	घुमाना	घुमवाना
to revolve		to cause to revolve	to have s.th. caused to revolve
चढ़ना	चढ़ाना	----	चढ़वाना
to climb	to cause to climb		to have s.th. / s.b. caused to climb
चमकना	चमकाना	----	चमकवाना
to shine	to cause to shine		to have s.th. caused to shine
चुकना	चुकाना	----	चुकवाना
to come to an end	to finish; to settle		to cause to be settled
चूना	चुआना	----	चुलवाना
to ooze, to leak	to cause to drip		to have s.th. oozed
छपना	छापना	----	छपाना, छपवाना
to be printed	to print		to cause to be printed
छिदना	छेदना	----	छिदाना, छिदवाना
to be pierced	to pierce		to cause to be pierced

151

छुटना, छूटना to be released	छोड़ना to release	----	छुड़ाना, छुड़वाना to cause to be released
--	छूना to touch	----	छुलवाना, छुलाना to cause to be touched
जगना/जागना to wake up	----	जगाना to cause to wake up	जगवाना to cause to be woken up
जाना to go	भेजना to send	----	भिजवाना to have s.th./s.b. sent
जीना to live	----	जिलाना to cause to live	जिलवाना to have s.o. caused to live
जुटना to be assembled	जोड़ना to assemble; to join	----	जुड़वाना to cause to be assembled; to cause to be joined.
झूलना to swing	----	झुलाना to cause to swing	झुलवाना to cause to be swung
टलना to be post- poned	टालना to postpone	-----	टलवाना to cause to be postponed
टहलना to go for a stroll	----	टहलाना to cause s.o. to go for a stroll	टहलवाना to cause to be taken for a stroll
टूटना to get broken	तोड़ना to break	----	तुड़वाना to cause to be broken
डूबना to sink down	डुबाना to cause to sink/drown	----	डुबवाना to have s.o. drowned
----	ढोना to carry	----	ढुआना/ढुलाना, ढोआना/ढुलवाना to have carried

थकना to be tired	----	थकाना to tire	थकवाना to have s.o. tired
	देना to give	दिलाना to cause to be given	दिलवाना to cause to be given by s.o.
दिखना to be visible	देखना to see	दिखाना to show	दिखवाना to have shown
धुलना to be washed	धोना to wash	----	धुलाना, धुलवाना to have washed
निकलना to emerge	निकालना to take out	----	निकलवाना to have taken out
पलना to be brought up	पालना to bring up	----	पलवाना to have brought up
पिघलना to melt	पिघलाना to melt	----	पिघलवाना to have melted
पिटना to be beaten	पीटना to beat	----	पिटवाना to have beaten
पिसना to be ground	पीसना to grind	----	पिसवाना to have ground
फटना to be torn	फाड़ना to tear	----	फड़वाना to have torn
फिकना to be thrown	फेंकना to throw	----	फिकवाना to have thrown
फूटना to break	फोड़ना to break	----	फुड़वाना to have broken
फैलना to spread	फैलाना to spread	----	फैलवाना to have spread
बँधना to be tied	बाँधना to tie	----	बँधवाना to have tied

बनना to become	बनाना to make	----	बनवाना to have made
बिकना to be sold	बेचना to sell	----	बिकवाना to have sold
बिखरना to be scattered	बिखेरना to scatter	----	बिखरवाना to have scattered
बिगड़ना to get spoiled	बिगाड़ना to spoil	----	बिगड़वाना to have spoiled
बैठना to sit	----	बिठाना, बैठाना, बैठालना to cause to sit	बिठवाना to have s.o. seated
भीगना to get wet	----	भिगोना,भिगाना to cause s.o. to get wet	भिगवाना to have s.o./s.th. made wet
भूलना forget	भुलाना to forget s.th. or s.b.	भुलाना to cause s.o. to forget	भुलवाना to have s.o. caused to forget
मरना to die	मारना to kill	----	मरवाना to have s.o. killed
मिटना to be erased	मिटाना to erase	----	मिटवाना to have erased
रहना to be in a place	रखना to keep	----	रखवाना, रखाना to have kept
रुकना to stop	रोकना to stop	रुकाना to cause to stop/stay	रुकवाना to have s.o. caused to stop/stay
रोना to cry	----	रुलाना to cause s.o. to cry	रुलवाना to have s.o. caused to cry.
लटकना to be hanging	लटकाना to hang	----	लटकवाना to have s.th. hung

लदना to be loaded	लादना to load	----	लदाना, लदवाना to have loaded
----	लाना to bring	----	लिवाना to have brought
लुटना to be looted	लूटना/लुटाना to loot/to squander	----	लुटवाना to have s.o. looted
लेटना to lie	----	लिटाना to cause to lie	लिटवाना to have s.o. caused to lie.
सिमटना to be gathered	समेटना to gather up	----	सिमटवाना to cause s.th. to be gathered up
सिलना to be sewn	सीना to sew	----	सिलाना, सिलवाना to have sewn
----	सीखना to learn	सिखाना to teach	सिखवाना to have s.o. taught by s.b.
सूखना to dry	सुखाना to dry	----	सुखवाना to cause to be dried
सोना to sleep	----	सुलाना to cause to sleep	सुलवाना to have s.o. put to sleep
हटना to be removed	हटाना to remove	----	हटवाना to have removed
हँसना to laugh	----	हँसाना to cause s.o. to laugh	हँसवाना to have s.o. caused to laugh.

Compound Verbs (संयुक्त क्रियाएँ)

The Hindi language makes profuse use of compound verbs. This requires the use of v.r. + compound verb + auxiliary. Some examples are given below.

■ **main verb + जाना + auxiliary verb**

It denotes the completion of an action as well as the carrying out of an action through a process. This use is more frequent with verbs of motion.

Examples :

1.	जल्दी आ जाना।	Come soon.
2.	तुम समझ गए ?	Have you understood ?
3.	बिस्तर पर लेट जाओ।	Lie down on the bed.
4.	बैठ जाइए।	Please sit down.
5.	कुछ देर सो जाइए।	Go to sleep for a while.
6.	वह गर्म-गर्म चाय एक घूँट में पी गया।	He drank very hot in one sip.
7.	तुम बारह बजे तक अवश्य मेरे घर आ जाना।	Do come to my house by 12 o'clock.
8.	अपनी सेहत का ध्यान रखो, नहीं तो मर जाओगी।	Take care of your health or else you will die.
9.	खाना पक गया ?	Is the food ready ?
10.	आप लोग तैयार हो गए ?	Are you people ready ?
11.	सब काम हो गया है।	All the work has been done.

■ **Main verb + उठना/बैठना + (auxiliary)**

Implies completion of some sudden or foolish, thoughtless act.

Examples :

1.	सितार की मधुर ध्वनि कमरे में गूँज उठी।	Melodious sound of the sitar resounded in the room.
2.	वह बीच में बोल उठा।	He cut in on the conversation.

156

3. अचानक सब उठ बैठे।   Suddenly everybody got up.

4. वह हर किसी से लड़ बैठता है।   He fights with everybody.

5. हाय मैं यह क्या कर बैठा।   Oh ! What have I done !

■ v.r. + पड़ना + (auxiliary)

Suddenness / unexpectedness of the action completed

Examples :

1. वह ख़बर सुनकर रो पड़ी।   On hearing the news, she burst out crying.

2. उनकी बातें सुनकर मैं हँस पड़ा।   On hearing what they said, I burst out laughing.

3. वह नींद में चौंक पड़ा।   He startled up in sleep.

4. हम नदी में कूद पड़े।   We jumped into the river.

5. वह साइकिल से गिर पड़ा।   He fell off the bicycle.

6. बस चल पड़ी।   The bus moved.

7. उसपर भारी मुसीबत आ पड़ी है।   A great calamity has befallen him.

8. जब सिर पर आ पड़ती है, तो मनुष्य झेलता है।   When misery comes, one endures.

9. आइसक्रीम देखते ही बच्चे उस पर टूट पड़े।   The children fell on the icecream as soon as they saw it.

10. कक्षा में आते ही बिना वजह अध्यापक विद्यार्थियों पर बरस पड़ा।   As soon as the teacher came to the class, he shouted at the students for no reason.

■ v.r. + निकलना

Like compound verbs with पड़ना, this has the element of suddenness and unexpectedness.

Examples :

1. अचानक घर के पीछे से चोर आ निकला।   Suddenly a thief appeared from behind the house.

2. घोड़ा लगाम छुड़ा कर भाग निकला।   The horse freed himself from the reins and galloped away.

157

Main verb + धमकना

This is used to mean unwelcome arrival.

1. राम आज सुबह सुबह मेरे यहाँ आ धमका। मैं अभी उठा भी नहीं था।

   Ram came to my house very early in the morning today. I hadn't even got up yet.

2. उसे जब पैसे माँगने होते हैं, वह मेरे यहाँ आ धमकता है।

   Whenever he has to ask for money, he just comes to my place.

Main verb + देना + auxiliary

Compounds with देना are complementary to compounds with लेना. It implies the action benefits someone other than the subject.

1. बच्चे ने काँच का फूलदान तोड़ दिया।

   The child broke the glass-vase.

2. मैंने उसका सब सामान कमरे से बाहर फेंक दिया।

   I threw all her things out of the room.

3. क्या तुमने पुस्तकें पुस्तकालय में लौटा दीं?

   Have you returned the books to the library?

4. किताब अलमारी में रख दो।

   Keep the book into the cupboard.

5. दरवाज़े, खिड़कियाँ बन्द कर दो।

   Shut the doors and windows.

6. राम ने अपनी पत्नी को तलाक दे दिया।

   Ram divorced his wife.

Main verb + लेना + (auxiliary if necessary)

Denotes completion of the action with some advantage to the subject. There is quite often implied cleverness or sometimes difficulty is inferent in the action.

1. मैंने किताब पढ़ ली है।

   I have read the book.

2. उन्होंने नया घर बनवा लिया है।

   They have had the new house built.

3. मैंने नई कार ख़रीद ली है।

   I have bought a new car.

4. कमला ने बहुत अच्छी तरह हिन्दी सीख ली है।

   Kamla has learnt Hindi very well.

5. मेरे परिवार ने हिन्दुस्तान में रहने का फ़ैसला कर लिया है।

   My family have decided to live in India.

6. क्या आप सबने अपना–अपना हिस्सा ले लिया है।

   Have all of you taken your share?

☞ **Main verb + लेना is also used sometimes to express the meaning of achievement of some skill to do something.**

Example :

1. रानी कुछ अंग्रेजी बोल लेती है।	Rani can speak some English.
2. मैं थोड़ा-बहुत खाना बना लेती हूँ।	I can cook a little.

■ **Main verb + डालना**

Used in the case of actions involving force, violence, sometimes carelessness, sometimes acquiring some new habits.

1. ताला तोड़ डालो।	Break the lock.
2. साँप को मार डालिए।	Kill the snake.
3. जो सोचा है कर डालिए।	Do what you have decided to do.
4. मैंने हिन्दुस्तान आने से पहले अपना सब सामान बेच डाला।	I sold all my things before coming to India.
5. रानी ने अपने बच्चों में बहुत अच्छी आदतें डाली है।	Rani has inculcated very good habits in her children.

Conjunct verbs (नामबोधक क्रियाएँ)

In Hindi a commonly used device for making transitive or intransitive verbs is by adding 'करना' or 'होना' respectively to nouns or adjectives.

Examples :

■ **nouns + करना / होना**

1. काम करना	(v.t.) to do the work.
2. काम होना	(v.i.) for the work to be done.
3. आशा करना	(v.t.) to hope.
4. आशा होना	(v.i.) hope to be

5. मालूम करना (v.t.) to find out
6. मालूम होना (v.i.) to know
7. फ़ैसला करना (v.t.) to decide
8. फ़ैसला होना (v.i.) decision to be
9. कोशिश करना (v.t.) to try
10. कोशिश होना (v.i.) attempt to be

■ **adj. + करना/होना**

1. बन्द करना (v.t.) to close
2. बन्द होना (v.i.) to be closed
3. खुश करना (v.t.) to please
4. खुश होना (v.i.) to be pleased
5. दुखी करना (v.t.) to cause unhappiness
6. दुखी होना (v.i.) to be unhappy
7. साफ़ करना (v.t.) to wash
8. साफ़ होना (v.i.) to be washed

■ **noun + पड़ना**

1. बर्फ़ पड़ना snow to be / snow to fall
2. गर्मी पड़ना hot to be
3. ओस पड़ना dew to be
4. ओले पड़ना hailstorm to be
5. बारिश पड़ना rain to be / to rain
6. अकाल पड़ना famine to be
7. सूखा पड़ना drought to be
8. बीमार पड़ना to be sick
9. मार पड़ना to be hit by so

■ **noun + मचाना/मचना**

1. शोर मचाना (v.t.) to make a noice
2. शोर मचना (v.i.) noise to be

3.	कुहराम मचाना	(v.t.) to weep and wail
4.	कुहराम मचना	(v.i.) weeping and wailing to be
5.	भगदड़ मचाना	(v.t.) to cause panic
6.	भगदड़ मचना	(v.i.) panic to break out
7.	खलबली मचाना	(v.t.) to cause confusion
8.	खलबली मचना	(v.i.) to be in confusion
9.	लूट मचाना	(v.t.) to plunder; to waste
10.	लूट मचना	(v.i.) for there to be plundering

■ noun + लगना

1.	भूख लगना	to be hungry
2.	प्यास लगना	to be thirsty
3.	चोट लगना	to be injured
4.	गोली लगना	to be hit by a bullet
5.	दुःख लगना	to be hurt
6.	नाम लगना	to be accused

■ adj. + लगना

1.	गर्म लगना	to feel hot
2.	ठण्डा लगना	to feel cold
3.	खुरदरा लगना	to feel rough
4.	अमीर लगना	to look rich
5.	महँगा लगना	to look expensive
6.	बेस्वाद लगना	to taste insipid
7.	बुरा लगना	to feel offended
8.	मधुर लगना	to sound pleasing
9.	बुरा लगना	to sound harsh

161

Sense Verbs - Uses of 'लगना'

1 To look

1. तुम्हारी पोशाक बहुत महँगी लगती है। Your dress looks very expensive.
2. ये फल देखने में तो ताजे लग रहे हैं परन्तु खाने में बासी। This fruit looks fresh but tastes stale.
3. वह दुकानदार-सा लगता है। He looks like a shop keeper.
4. वह बहुत तकलीफ़ में लगता है। He looks as though he is in great distress.

2 To seem :

1. वह कुत्तों से डरता लगता है। He seems to be afraid of dogs.
2. लगता है उसे बागवानी में कोई विशेष रुचि नहीं। He doesn't seem to be very keen on gardening.
3. लगता है वह यहाँ बहुत लोगों को जानती है। She seems to know a lot of people here.
4. वह बहुत भावुक लगता है। He seems to be very emotional.

3 To taste :

1. यह खाना बासी लग रहा है। This food tastes stale.
2. यह पानी उबला हुआ-सा लग रहा है। This water tastes boiled.
3. यह आम खट्टा लग रहा है। This mango tastes sour.
4. यह रसगुल्ले डिब्बे के लगते हैं। These 'Rasogullas' taste tinned.
5. यह 'करी' भारतीय लगती है। This curry tastes Indian.

4 To smell :

1. रसोई में सड़े अण्डों की महक लग रही है। The kitchen smells like rotten eggs.
2. यह साबुन महक से महँगा लगता है। This soap smells expensive.

5 To feel :

1. यहाँ अन्दर ठण्ड लग रही है।	It feels cold in here.
2. मेज़ चिपचिपा लग रहा है।	The table feels sticky.
3. यह कपड़ा खुरदरा लग रहा है।	This fabric feels rough.
4. यहाँ फर्श फिसलना लग रहा है।	The floor feels slippery here.

6 To sound :

1. यह बहुत ईमानदार नहीं लगा।	He didn't sound very honest.
2. यह योजना बहुत अच्छी नहीं लग रही।	This plan does not sound very good.
3. मेरे नये गिटार की ध्वनि बहुत ख़राब लगती है।	My new guitar sounds horrible.

Sound Verbs (ध्वन्यात्मक क्रियाएँ)

Hindi like any other language has a rich vocabulary of words based on sound, feel, appearance of things. Given below is a short list of such words. Usually 'आ' is added to the base word before joining 'ना' to it.

Examples :

भन भन	(f.)	humming, buzzing sound of insects	भनभनाना	to buzz, to hum (insects)
खट खट	(f.)	knocking	खटखटाना	to knock
टप टप	(f.)	sound of drops falling on the ground	टपटपाना	to fall in drop
टन टन	(f.)	ringing	टनटनाना	to ring
गड़ गड़	(f.)	rumbling in the stomach	गड़गड़ाना	to rumble (clouds)
चह चह	(f.)	chirping of the birds	चहचहाना	to chirp

163

धड़ धड़	(f.)	a thudding sound	धड़धड़ाना	to do s.th. with a thudding sound
छम छम	(f.)	a jingling sound	छमछमाना	to jingle
ठक ठक	(f.)	repeated tapping sound	ठकठकाना	to tap repeatedly
पिलपिला	(adj.)	limp, not stiff	पिलपिलाना	to limp
चिपचिप	(f.)	stickiness viscosity	चिपचिपाना	to be sticky viscous
ढुल ढुल	(adj.)	unsteady	ढुलढुलाना	to be unsteady
झुलझुल	(adj.)	loosely hanging	झुलझुलाना	to be, loosely hanging
जगमग	(adj.)	glittering	जगमगाना	to glitter
तिलमिलाहट	(f.)	state of getting restless	तिलमिलाना	to become suddenly enraged
चमचम	(adj.)	glittering	चमचमाना	to glitter; to make s.th. shine
झिलमिल	(f.)	shimmer; twinkle	झिलमिलाना	to shimmer, to twinkle
झरझर	(f.)	sound produced by the flow of water	झरझराना	to produce such a sound
सरसर	(f.)	sound produced by air, snake etc.	सरसराना	to produce such a sound
मर मर (मर्मर)	(f.)	rustling sound as of leaves, silk etc.	मरमराना	to produce such rustling sound
छपछप	(f.)	sound of splashing water	छपछपाना	to splash water
छलछल	(f.)	overflowing	छलछलाना	to over flow
खड़खड़		rattling sound (of doors, windows)	खड़खड़ाना	to make this rattling sound
टिकटिक	(f.)	ticking of a clock	टिकटिकाना	to produce the ticking sound

Nominal Verbs (नाम धातु / नामिक क्रियाएँ)

In Hindi sometimes verbs are formed by adding the suffixes 'ना' 'आना' 'इयाना' etc. to nouns, adjectives, pronouns. A list of commonly used verbs of this group made from Sanskrit, Persian, Hindi words is given below.

Nouns/adj./pronoun	Verb
अनुराग (m.) attachment	अनुरागना to show attachment towards sb.
स्वीकार (m.) acceptance	स्वीकारना (v.t.) to accept
उद्धार (m.) deliverance	उद्धारना (v.t.) to deliver, to rescue
धिक्कार (m.) reproach	धिक्कारना (v.t.) to reproach
त्याग (m.) abandoning	त्यागना (v.t.) to abandon
फटकार (f.) scolding	फटकारना (v.t.) to scold
ख़रीद (f.) buying	ख़रीदना (v.t.) to buy
ख़र्च (m.) expenditure	ख़र्चना (v.t.) to spend
दाग़ (m.) spot	दाग़ना (v.t.) to fire (a gun)
गुज़र (m.) passing	गुज़रना (v.i.) to pass
बदल (m.) change	बदलना (v.t.) to change
शर्म (f.) shame, shyness	शर्माना (v.i.) to feel shy
लाज (f.) shyness	लजाना (v.i.) to blush/ to be shy
दुख (m.) pain	दुखाना (v.t.) to cause pain
गुस्सा (m.) anger	गुस्साना (v.i.) to be angry
अपना (adj.) one's own	अपनाना (v.t.) to make so/sth one's own
गरम (adj.) hot	गरमाना (v.t.) to heat (v.i.) to become warm
चिकना (adj.) oily, greasy	चिकनाना (v.t.) to grease to oil
रिस (f.) anger	रिसाना/रिसियाना (v.i.) to grow angry
बात (f.) talk, speak	बताना/बतियाना (v.t.) to tell / to talk
हाथ (m.) hand	हथियाना (v.t.) to seize s.th.
लात (f.) leg	लतियाना (v.t.) to hit s.b. with leg
पानी (m.) water	पनियाना (v.t.) to irrigate (v.i.) to become watery
लाठी (f.) stick	लठियाना to hit s.b. with a stick

34

Passive Voice (कर्म वाच्य)

Language structure **1** Where object is followed by को

subj. + से + (obj + को) + (v.r. + आ / या) + जाना + होना
or
के द्वारा

<u>in the appropriate tense</u>

<u>always 3rd person m.sg.</u>

Examples :

1. अध्यापक के द्वारा पुस्तक को लिखा
   जाता है ।

   The book is written by the teacher.

2. विद्यार्थियों के द्वारा पुस्तकों को पढ़ा
   जाता है ।

   The books are read by the students.

3. दर्ज़ी के द्वारा कपड़े को सिया जायगा ।

   The dress will be sewn by the tailor.

4. ग्राहकों के द्वारा कपड़ों को पहना
   जायगा ।

   The dresses will be worn by the
   customers.

Language Structure **2** Object without को

subj. + से + obj. + (v.r. + आ, ए, ई) + जाना + होना
or
के द्वारा

<u>in the appropriate tense</u>

to agree with the N and G of the object.

Examples :

1. अध्यापक के द्वारा पुस्तक लिखी जाती है । The book is written by the teacher.

2. विद्यार्थियों के द्वारा पुस्तकें पढ़ी जाती हैं । The books are read by the students.

3. दर्ज़ी के द्वारा कपड़ा सिया जायगा । The dress will be sewn by the tailor.

4. ग्राहकों के द्वारा कपड़े पहने जाएँगे । The dresses will be worn by the
   customers.

Uses of passive voice in Hindi

☞ **In Hindi, the passive language structure is used mostly in the situations given below :**

1 When it is either not of any significance to know who actually did the work or the identity of the actual doer is unknown.

Examples:

1. हमारे घर के सामने नयी सड़क बनायी जा रही है।	A new road is being constructed in front of our house.
2. पिछले साल हमारे शहर में दो नये सिनेमा घर बनाये गये।	Last year two new cinema halls were built in our city.
3. अगले साल यहाँ पुल बनाया जायगा।	Next year a bridge will be built here.

2 For official, impersonal, legal announcements.

Examples:

1. इस स्थान पर धूम्रपान न किया जाय।	Smoking is not allowed here.
2. अपराधी को कचहरी में पेश किया जाय।	The criminal may be produced in the court.

3 To propose something or express one's desire to do something.

सोया जाय !	Let's sleep !
चला जाय!	Let's go !
तनिक आराम किया जाय।	Let's rest a bit.

4 To know if the other person agrees with the speaker.

चला जाय ?	Shall we go ?
आज शाम को फ़िल्म देखी जाय ?	Shall we go to the movies this evening ?
गर्मी की छुट्टियों में इस ब्रार कन्याकुमारी जाया जाय ?	Shall we go to Kanyakumari during summer holidays this time ?

5 In Hindi Passive voice is also used in the case of intransitive verbs. It uses (v.r. + आ, ए, ई) +जाना + होना in the appropriate tense always in the 3rd person m.sg. It expresses inability.

Examples:

1. उससे रात भर सोया नहीं जाता ।   He cannot sleep all night.
2. मुझ से वहाँ नहीं जाया गया ।   I could not go there.
3. पैर में चोट लगने के कारण आज   Because of my injured foot I won't be
    मुझसे पैदल न चला जायगा ।   able to go on foot today.

Present simple passive

Examples:

Active: माँ खाना पकाती है ।   Mother cooks food.
Passive: माँ के द्वारा खाना पकाया जाता है ।   Food is cooked by mother.
Active: नौकर घर साफ़ करता है ।   The servant cleans the house.
Passive: घर नौकर के द्वारा साफ़ किया   The house is cleaned by the
    जाता है ।   servant.
Active: माता बच्चों की देखरेख करती है ।   Mother takes care of the
    children.
Passive: बच्चों की देखरेख माता के द्वारा   The children are taken care of by
    की जाती है ।   the mother.
Active: दादाजी किराना, फल और सब्ज़ियाँ   Grandfather buys groceries,
    ख़रीदते हैं ।   fruit and vegetables.
Passive: किराना, फल और सब्ज़ियाँ दादाजी   Groceries, fruit and vegetables
    के द्वारा ख़रीदी जाती है ।   are bought by grandfather.

Present progresssive passive

Active: माता जी खाना पका रही हैं ।   Mother is cooking food.
Passive: खाना माता जी के द्वारा पकाया   Food is being cooked by
    जा रहा है ।   mother.
Active: माली 'लॉन' छील रहा है ।   The gardener is mowing the lawn.
Passive: 'लॉन' माली के द्वारा छीला जा   The lawn is being mowed by the
    रहा है ।   gardener.

168

Active:	बिजली मिस्त्री 'कूलर' ठीक कर रहा है।	The electrician is repairing the cooler.
Passive:	'कूलर' बिजली मिस्त्री के द्वारा ठीक किया जा रहा है।	The cooler is being repaired by the electrician.
Active:	रंग करने वाले घर रंग कर रहे हैं।	The painters are painting the house.
Passive:	घर रंगा जा रहा है।	The house is being painted.

Present perfect passive

Active:	माता ने खाना पकाया है।	Mother has cooked food.
Passive:	खाना माता के द्वारा पकाया गया है।	Food has been cooked by mother.
Active:	उन्होंने हमारे शहर में एक नया पुल बनाया है।	They have built a new bridge in our town.
Passive:	हमारे शहर में एक नया पुल बनाया गया है।	A new bridge has been built in our town.
Active:	उन्होंने राजीव गाँधी को मार दिया है।	They have killed Rajiv Gandhi.
Passive:	राजीव गाँधी मारा गया है।	Rajiv Gandhi has been killed.
Active:	एक साँप ने हमारे माली को काट लिया है।	A snake has bitten our gardener.
Passive:	हमारा माली साँप के द्वारा काट लिया गया है।	Our gardener has been bitten by a snake.
Active:	उग्रवादियों ने दस आदमी मार दिए हैं।	Terrorists have killed ten men.
Passive:	दस आदमी उग्रवादियों के द्वारा मारे गए हैं।	Ten men have been killed by terrorists.

Present perfect continuous passive

Active:	माँ सुबह से खाना पका रही हैं।	Mother has been preparing lunch since the morning.
Passive:	सुबह से माँ के द्वारा खाना पकाया जा रहा है।	Lunch has been being prepared by mother since the morning.

Active:	वह साल भर से यह पुस्तक लिख रही है।	She has been writing this book for a year.
Passive:	यह पुस्तक साल भर से उसके द्वारा लिखी जा रही है।	This book has been being written by her for a year.
Active:	वे जनवरी से नयी भूमिगत पानी की नालियाँ (पाइप) डाल रहे हैं।	They have been laying new underground water pipes since January.
Passive:	सालभर से नयी भूमिगत पानी की नालियाँ डाली जा रही हैं।	New underground water pipes have been being laid for a year.
Active:	वह दो घण्टे से मेरी घड़ी ठीक कर रहा है।	He has been repairing my watch for two hours.
Passive:	मेरी घड़ी दो घण्टे से उसके द्वारा ठीक की जा रही है।	My watch has been being repaired by him for two hours.

Past habitual passive

Active:	माँ खाना पकाया करती थी।	Mother used to cook food.
Passive:	खाना माता जी के द्वारा पकाया जाता था।	Food used to be cooked by mother.
Active:	वह जीविका हेतु कपड़े सीया करती थी।	She used to sew clothes for a living.
Passive:	उसके द्वारा जीविका हेतु कपड़े सीए जाते थे।	Clothes used to be sewn by her her for a living.
Active:	उसके अध्यापक उसे प्रतिभायुक्त व्यक्ति मानते थे।	His teachers used to consider him a genius.
Passive:	वह अपने अध्यापकों के द्वारा प्रतिभायुक्त व्यक्ति माना जाता था।	He used to be considered a genius by his teachers.
Active:	सब कोई उसे सलाहकार मानते थे।	Everybody used to regard him as a mentor.
Passive:	वह सबके द्वारा सलाहकार माना जाता था।	He used to be regarded as a mentor by everybody.

Active:	हम उनके लिए रसद (खाद्य सामग्री) अथवा दवाइयाँ भेजा करते थे।	We used to send provisions and medicines for them.
Passive:	हमारे द्वारा उन्हें रसद (खाद्य सामग्री) अथवा दवाइयाँ भेजी जाती थीं।	Provisions and medicines used to be sent by us for them.

Past simple passive

Active:	माँ ने खाना पकाया।	Mother cooked food.
Passive:	माँ के द्वारा खाना पकाया गया।	Food was cooked by mother.
Active:	उसने मुझे डाँटा।	He scolded me.
Passive:	मैं उसके द्वारा डाँटा गया।	I was scolded by him.
Active:	उसने नया कारोबार शुरू किया।	He started a new business.
Passive:	उसके द्वारा नया कारोबार शुरू किया गया।	A new business was started by him.
Active:	किसी ने मेरा बटुआ चुराया।	Somebody stole my handbag.
Passive:	मेरा बटुआ किसी के द्वारा चुराया गया।	My handbag was stolen by somebody.

Past perfect passive

Active:	माँ ने खाना पकाया था।	Mother had cooked food.
Passive:	माँ के द्वारा खाना पकाया गया था।	Food had been cooked by mother.
Active:	मोची ने जूते ठीक किए थे।	The cobbler had repaired the shoes.
Passive:	जूते मोची के द्वारा ठीक किए गए थे।	The shoes had been repaired by the cobbler.
Active:	उसने हमें रसायनशास्त्र पढ़ाया था।	He had taught us chemistry.
Passive:	हमें उसके द्वारा रसायनशास्त्र पढ़ाया गया था।	We had been taught chemistry by him.
Active:	उन्होंने ज़ंजीर खींचकर गाड़ी रोकी थी।	They had pulled the chain and stopped the train.
Passive:	ज़ंजीर ख़ींचकर गाड़ी रोकी गयी थी।	The chain had been pulled and the train stopped.

Active:	उन्होंने दीवाली के दिन बाज़ार में रोशनी की थी।	They had lit the bazaar on Diwali Day.
Passive:	दीवाली के दिन बाज़ार में रोशनी की गई थी।	The bazaar had been lit on Diwali day.

Past perfect continuous passive

Active:	वे दस साल से मिठाइयाँ बेच रहे थे।	They had been selling sweets for ten years.
Passive:	उनके द्वारा दस साल से मिठाइयाँ बेची जा रही थीं।	Sweets had been being sold by them for ten years.
Active:	जीवनभर वह ट्रकों की तस्करी कर रहा था।	He had been smuggling trucks all his life.
Passive:	जीवनभर उसके द्वारा ट्रकों की तस्करी की जा रही थी।	Trucks had been being smuggled by him all his life.
Active:	वह सन् १९७५ से विदेशियों को हिन्दी सिखा रही थी।	She had been teaching Hindi to foreigners since 1975.
Passive:	उसके द्वारा सन् १९७५ से विदेशियों को हिन्दी सिखाई जा रही थी।	Hindi had been being taught by her to foreigners since 1975.
Active:	वह सुबह से रात का खाना बना रही थी।	She had been preparing dinner since morning.
Passive:	उसके द्वारा सुबह से रात का खाना बनाया जा रहा था।	Dinner had been being prepared by her since the morning.
Active:	पुलिस कई घंटों से चोर का पीछा कर रही थी।	The police had been chasing the thief for several hours.
Passive:	पुलिस के द्वारा कई घंटों से चोर का पीछा किया जा रहा था।	The thief had been being chased by the police for several hours.

Future simple passive

Active:	माँ खाना पकाएँगी।	Mother will cook food.
Passive:	माता जी के द्वारा खाना पकाया जाएगा।	Food will be cooked by mother.
Active:	वे कल सभा करेंगे।	They will hold a meeting tomorrow.

Passive:	उनके द्वारा कल सभा की जाएगी।	A meeting will be held by them tomorrow.
Active:	वे कल दूरदर्शन पर एक नया धारावाहिक शुरू करेंगे।	They will start a new TV serial tomorrow.
Passive:	दूरदर्शन पर कल एक नया धारावाहिक शुरू किया जाएगा।	A new TV serial will be started tomorrow.

Future progressive passive

Active:	माता जी कल दिन के ११ बजे खाना पका रही होंगी।	Mother will be cooking food at 11a.m. tomorrow.
Passive:	कल दिन के ११ बजे माता जी के द्वारा खाना पकाया जा रहा होगा।	Food will be being cooked by mother at 11 a.m.
Active:	कल से वह रोज़ इस समय हिन्दी पढ़ा रहा होगा।	From tomorrow onwards he will be teaching Hindi at this time every day.
Passive:	कल से रोज़ इस समय उसके द्वारा हिन्दी पढ़ाई जा रही होगी।	From tomorrow onwards Hindi will be being taught by him at this time every day.
Active:	श्री भल्ला अनिल को प्रति सोमवार को शाम चार बजे धनुर्विद्या सिखा रहे होंगे।	Mr. Bhalla will be training Anil in archery at 4 p.m. on Mondays.
Passive:	श्री भल्ला के द्वारा अनिल को प्रति सोमवार को शाम चार बजे धनुर्विद्या सिखाई जा रही होगी।	Anil will be being trained by Mr. Bhalla in archery at 4 p.m on Mondays.
Active:	वह रोज सुबह चार बजे से छ: बजे तक पुस्तक लिख रहा होगा।	He will be writing this book every morning from 4 a.m. to 6 a.m.
Passive:	यह पुस्तक उसके द्वारा रोज़ चार बजे से छ: बजे तक लिखी जा रही होगी।	This book will be being written by him every morning from 4 a.m. to 6 a.m.
Active:	विद्यार्थी आज खेल के घण्टे में मैदान में फुटबॉल (पदकन्दुक) का अभ्यास कर रहे होंगे।	Students will be practising football in the field during the games-hour today.
Passive:	आज खेल के घण्टे में विद्यार्थियों के द्वारा मैदान में फुटबाल का अभ्यास किया जा रहा होगा।	Football will be being practised by students in the field during the games-hour today.

Future perfect passive

Active: माता जी एक बजे तक खाना पका चुकी होंगी।

Mother will have prepared lunch by 1 p.m.

Passive: माता जी के द्वारा एक बजे तक खाना पका लिया गया होगा।

Lunch will have been prepared by 1 p.m. by mother.

Active: वे दिसम्बर तक नया घर बना चुके होंगे।

They will have constructed a new new house by December.

Passive: दिसम्बर तक उनके द्वारा नया घर बना लिया गया होगा।

By December a new house will have been constructed by them.

Active: अगले माह तक वह कम्प्यूटर चलाना सीख गया होगा।

He will have mastered computer operation by next month.

Passive: अगले महीने तक कम्प्यूटर चलाना उसके द्वारा सीखा जा चुका होगा।

By next month computer operation will have been mastered by him.

Active: आगामी सोमवार तक वे उसका आपरेशन कर चुके होंगे।

By coming Monday, they will have operated on him.

Passive: आगामी सोमवार तक उसका 'आपरेशन' हो चुका होगा।

He will have been operated upon by this coming Monday.

Future perfect progressive passive

1. जनवरी में वह तीन वर्ष से मेरे द्वारा हिन्दी सिखायी जा रही होगी।

   In January she will have been being taught Hindi for three years by me.

2. कल वह घर दो सप्ताह से रंगा जा रहा होगा।

   That house will have been being painted for two weeks by tomorrow.

3. जनवरी में यह पुस्तक सात वर्ष से लिखी जा रही होगी।

   This book will have been being written for seven years in January.

4. इस अगस्त में चालीस वर्षों से भारत-पाकिस्तान के सीमा-विवाद का समाधान किया जा रहा होगा।

   The Indo-Pak border dispute will have been being disputed for forty years this August.

5. अगले हफ़्ते मैं पाँच वर्ष से इस 'कोच' के द्वारा तीरंदाज़ी में प्रशिक्षित किया जा रहा हूँगा।

   Next week I will have been being taught archery by this coach for five years.

Ability structure + passive

1. झगड़े का निपटारा कचहरी के बाहर किया जा सकता है।	The dispute can be settled out of court.
2. इस मामले में सौहार्दपूर्ण समझौता किया जा सकता है।	An amicable agreement can be reached in this matter.
3. क्या सामान मेरे घर पर पहुँचाया जा सकता है?	Can the goods be delivered to my house?
4. संस्कृत फिर से सक्रिय भाषा बनायी जा सकती है।	Sanskrit can be made an active language again.
5. वर्तमान आवश्यकताओं के अनुसार संविधान में संशोधन किया जा सकता है।	The constitution can be amended to suit the present needs.
6. मरीज़ ठीक नहीं किया जा सका।	The patient could not be cured.
7. विद्यार्थी प्रशिक्षित किए जा सके।	The students could be trained.
8. मैच खेला जा सका।	The match could be played.
9. भारी वर्षा के बावजूद वार्षिक समारोह किया जा सका।	The annual function could be held in spite of heavy rain.

Present compulsion structure + passive

1. ये कपड़े आज धोए जाने हैं।	These clothes have to be washed today.
2. उन लड़कों को सबक सिखाया जाना है।	Those boys have to be taught a lesson.
3. खिलाड़ियों को उचित खुराक और प्रशिक्षण दिया जाना है।	The athletes have to be given proper nutrition and training.
4. लड़कियों को हर क्षेत्र में समान अवसर दिया जाना है।	The girls have to be given equal opportunities in every field.
5. विवाह के प्रबन्ध किए जाने हैं।	The arrangements for the wedding have to be made.
6. पाकिस्तान और भारत के नेताओं की एक बैठक तय की जानी है।	A meeting of Pakistani and Indian leaders has to be fixed.

Past compulsion structure + passive

1. आज बच्चों को घर लाया जाना पड़ा।	The children had to be brought home today.
2. हमारा कुत्ता आज डाक्टर के पास ले जाया जाना पड़ा।	Our dog had to be taken to the vet today.
3. इस उग्रवादी को बन्दी बनाने के लिए बहुत बड़ा पुरस्कार देने का वचन दिया जाना पड़ा।	A big reward had to be promised to arrest this terrorist.
4. प्रमाण पत्र प्राप्त करने के लिए रिश्वत दी जानी पड़ी।	A bribe had to be given to get the certificate.
5. आग स्थल पर छह दमकल भेजे जाने पड़े।	Six fire-engines had to be rushed to the site of the fire.
6. भीड़ पर काबू पाने के लिए आँसू गैस छोड़ी जानी पड़ी।	Tear gas had to be used to control the mob.

Future compulsion structure + passive

1. रक्षा बजट काटा जाना होगा।	The defence budget will have to be curtailed.
2. महँगाई पर नियन्त्रण किया जाना होगा।	Inflation will have to be controlled.
3. बेरोज़गारों को सहारा दिया जाना होगा।	The unemployed people will have to be supported.
4. शिक्षा के स्तर ऊँचे उठाए जाने होंगे।	Educational standards will have to be raised.
5. विश्वविद्यालयों में विद्यार्थियों की संख्या कम की जानी होगी।	The number of students enrolled in universities will have to be reduced.
6. अपराधी को जेल में रखा जाना पड़ेगा।	The criminal will have to be kept in prison.
7. और सूचना प्राप्त करने के लिए कुछ किया जाना होगा।	Something will have to be done to get more information.
8. सभा में खाने-पीने का सामान दिया जाना होगा।	Refreshments will have to be served at the meeting.

Probability + compulsion structure + passive

1. हो सकता है 'बजट' के बाद गैस के दाम बढ़ाए जाने पड़ें।	The price of gas may have to be raised after the budget.
2. हो सकता है अगले महीने उसका आपरेशन किया जाना पड़े।	She may have to be operated upon next month.
3. हो सकता है भूकम्प पीड़ितों को बहुत समय तक मदद दी जानी पड़े।	The earthquake victims may have to be helped for a long time.
4. हो सकता है हड़ताल कर्त्ताओं को नौकरी से निकाला जाना पड़े।	The strikers may have to be dismissed.
5. हो सकता है निर्णय लेने से पूर्व और सूचना प्राप्त की जानी पड़े।	More information may have to be obtained befor taking any decision.
6. हो सकता है इस दवाई का आयात किया जाना पड़े।	This medicine may have to be imported.

Probability + passive

1. हो सकता है रक्षा पर अधिक धनराशि खर्च की जाए।	More funds may be spent on defence.
2. हो सकता है शिक्षा स्तर ऊपर उठाने हेतु विद्यार्थियों की संख्या कम की जाए।	The number of students might be curtailed to improve educational standards.
3. सम्भव है जल्दी ही ब्याज की दरें घटाई जाएँ।	Interest rates may be reduced soon.
4. हो सकता है भारत में आयात का उदारीकरण किया जाए।	Imports may be liberalized in India.
5. हो सकता है बढ़ती स्वचालितता के कारण बहुत कर्मचारियों की छटनी की जाए।	Many workers may be made redundant as a result of increased automation.
6. हो सकता है नई आर्थिक नीतियों के द्वारा भुगतान संतुलन स्थिति को सुधारा जाए।	The balance of payments situation may be improved by new economic policies.

Advice + passive

1.	रक्षा पर कम पैसा खर्चा जाना चाहिए।	Less money should be spent on defence.
2.	शिक्षा और समाज कल्याण के लिए अधिक धन नियत किया जाना चाहिए।	More funds should be allocated for education and social welfare.
3.	बनारस की सड़कें चौड़ी की जानी चाहिएँ।	The streets in Varanasi should be widened.
4.	स्कूल के बच्चों को मुफ़्त किताबें, कापियाँ व वर्दी दी जानी चाहिएँ।	School children should be provided with free books, stationery and uniforms.
5.	दीवार में कील नहीं लगाए जाने चाहिए।	Nails should not be hammered into walls.
6.	पुलिस को चोरी के बारे में सूचना दी जानी चाहिए।	The police ought to be informed about the theft.

★ ★ ★

35   Noun (संज्ञा)

Gender (लिङ्ग)

In Hindi there are only two genders.

Masculine (पुल्लिंग) and feminine (स्त्रीलिंग). Gender is obvious in the case of nouns denoting living objects, human beings or animals.

☞ **Based on usage some non-human living beings are always conceived as belonging to the masculine gender and some others to the feminine gender.**

Examples :

masculine :	पक्षी	चीता	उल्लू	भेड़िया	केचुआ
	bird	a tiger	an owl	a wolf	an earthworm
feminine :	चील	कोयल	बटेर,	तितली	मछली
	an eagle	the black cuckoo	a quail	a butterfly	a fish

☞ **However for clarity and accuracy the masculine prefix: 'नर' or the feminine prefix 'मादा' are added where necessary.**

Example :

नर चीता   मादा चीता
male tiger   female tiger

नर तितली   मादा तितली
male butterfly   female butterfly

However determining the gender of the non-living objects, real or imaginary, is truly baffling. It is chiefly a matter of usage. The natives grow up with the language and automatically learn it without much special effort. There are no fool proof rules to determine the gender of the inanimate objects. Nevertheless its accurate knowledge is of utmost importance as in most language structures in Hindi, the noun as subject or object governs the verb conjugation. It is necessary for the students learning Hindi as a foreign language to learn the gender along with every noun.

The tables given below contain some guidelines for beginners. However, there are always exceptions and when in doubt a dictionary should be consulted or else one may safely treat a noun as masculine.

Table - 1

The Names of	non-living objects that are predominantly masculine

Days of the week

सोमवार, मंगलवार, बुधवार, बृहस्पतिवार, शुक्रवार, शनिवार, रविवार

दिनों के नाम

Monday, Tuesday, Wednesday, Thursday, Friday, Saturday, Sunday

Months of Hindu calendar

चैत (चैत्र),   बैसाख (वैशाक)
March - April,   April-May etc.
(see page 396)

Mountains

हिमालय,   विन्ध्याचल,   एल्प्स

पहाड़

Himalaya   Vindhyachal   Alps etc.

Planets
ग्रह

सूर्य,   चाँद,   मंगल

Sun,   Moon, Mars etc. (see page 337)

Exception

पृथ्वी (Earth)

Minerals :
धातुएँ

सोना,   लोहा,   पीतल, ताँबा

gold,   iron,   brass copper etc.

Exception

चाँदी (silver)

Gems
रत्न

हीरा,   मोती,   माणिक, पन्ना,   नीलम

diamond, pearl, ruby   emerald, blue saphire etc.

Liquids
तरल पदार्थ

दूध,   दही, शरबत, तेल, घी, पानी, सिरका, इत्र

milk, yogurt, sharbat, oil, ghee, water, vinegar, perfume etc.

Exception

चाय (tea, कॉफी (coffee), शराब (alcohol), लस्सी (lassi) etc.

Geographical places
भू-स्थल

पहाड़, पर्वत देश प्रान्त   मैदान
mountain   country province plain
आकाश पाताल   तट सरोवर
sky   the underworld coast pond

Exceptions :

धरती, ज़मीन (land),   खाई (trench)

180

Hindi alphabet हिन्दी की वर्णमाला	All consonants and most vowels सभी व्यंजन और लगभग सभी स्वर
Exceptions	इ, ई, ऋ
Fresh fruits फल	केला, सेब, संतरा, अमरूद, अनानास, अनार banana, apple, orange, guava, pineapple, pomegranate etc.
Exceptions :	खुमानी (apricot), नारंगी (orange), लीची (lichi), नाशपाती (pears)
Dry fruits मेवे	बादाम, पिस्ता, काजू, अख़रोट, मुनक्का, नारियल, तिलगोजा almonds, pistachio, cashew, apricot, currants, coconut, pinenuts etc.
Exceptions :	किशमिश (raisins), खजूर (dates)
Household gadgets घरेलु उपकरण	रेफ़्रिजरेटर टोस्टर ब्लैन्डर अवन refrigerator toaster blender oven पंखा कूलर एयरकंडिशनर fan cooler airconditioner
Exceptions :	सिलाई मशीन (sewing machine)
Musical insruments वाद्य	सितार हारमोनियम ढोलक गिटार sitar harmonium drum guitar तानपुरा तबला वायलिन सरोद tanpura tabla violin sarod
Exceptions :	वीणा (veena), शहनाई (shahnai), बाँसुरी (flute)
Name of the grains अनाज	गेहूँ, चना, चावल, तिल, जौ, बाजरा wheat, gram, rice, sesame seed, barlery, millet etc.
Exceptions :	दाल (lentil), जई (oats)
Ailments : बिमारियाँ	बुख़ार, मलेरिया, टाइफाइड, हैज़ा fever, malaria typhoid cholera etc.
Exceptions :	खांसी (cold), चोट (injury), कब्ज़ (constipation)

Table - 2

Names of	Inanimate objects predominantly feminine

Rivers
नदियाँ

गंगा, यमुना, सरस्वती, नर्मदा,
Ganges, Yamuna, Saraswati, Narmada etc.

Exceptions : ब्रह्मपुत्र (Brahmaputra), सोन (Sone)

Hindi dates
तिथियाँ

प्रतिपदा, द्वितीया, तृतीया
first, second, third etc. See page 396.

Sound words
ध्वन्यात्मक
शब्द

टर्र टर्र, टन टन, ठक ठक, छन छन
croaking, ringing sound, sound of knocking, a jingling sound

Spices

मसाले

इलायची, राई, कलौंजी, सौंफ, लौंग, जावित्री
cardamom, mustard seed, onion seed fennel, cloves, mace

दारचीनी, हल्दी, सोंठ, अजवायन, इमली
cinnamon, turmeric, dry ginger, carum seed, tamarind etc.

Exceptions : धनिया (corriander), जीरा (cumin seed), नमक (salt) etc.

Foods :
भोजन सामग्री

रोटी
Indian
bread

पूरी
fried
bread

कचौड़ी
stuffed fried
bread

कढ़ी
sour soup made of
yogurt and gramflour

मठरी
a snack

दाल
lentil soup

सब्ज़ी
vegetable

चटनी
a pickle or sauce

खीर
rice
pudding

फिरनी
ground rice,
cooked in milk
and sugar

खिचड़ी
rice and dal
cooked
together

इडली
steamed rice cakes

Exceptions :

हलवा
semolina
pudding

पराठा
shallow
fried bread

पुलाव
fried
rice

रायता
yogurt
mix

182

Table - 3

Nouns with masculine suffixes

- त्त्व	महत्त्व importance	बहुत्त्व abundance	दासत्त्व slavery	पुरुषत्त्व manhood	सतीत्व chastity
- पन	बचपन childhood	लड़कपन boyhood	बड़प्पन magnanimity		छुटपन childhood
- आव	बहाव flow	चुनाव election	लगाव attachment	बदलाव change	चढ़ाव ascent
- आना	गाना song	बहाना excuse	सिरहाना pillow	किराना groceries	
- पा	आपा self	बुढ़ापा old age	अपनापा kinship		
- त्य	नृत्य dance	कृत्य an act			
- र्य	धैर्य patience	कार्य work	माधुर्य sweetness	चातुर्य cleverness	सूर्य Sun
- त्र	नेत्र eye	क्षेत्र field	पात्र container	अस्त्र weapon	चित्र picture
- अक	पाठक reader	सेवक servant	बालक child	शिक्षक student	रक्षक protector
- वाद	यथार्थवाद realism	भौतिकवाद materialism	रूढ़िवाद conservatism		पूंजीवाद capitalism
- दान	फूलदान vase	पानदान a container for betel leaves	पायदान foot-rest	चूहेदान mouse-trap	
- तंत्र	गणतंत्र a republic	लोकतंत्र democracy	तंत्रिका-तंत्र the nevous system		

Table - 4

Examples of nouns witn feminine suffixes

Suffix	Noun			
–इन	धोबिन washerwoman	मालिन woman gardener wife of gardener	दर्ज़िन seamstress	महाराजिन woman cook
	मास्टिरिन teacher (f.)	इन्सपैक्टरिन inspector (f.)	डाक्टरिन doctor (f.)	
–आइन	पंडिताइन wife of a pandit; a brahmin woman	ठकुराइन wife of Thakur - a subcaste of the warrior class	बनियाइन wife of a Bania (a member of the trading class)	खतराइन wife of a Khatri (one of the sub-castes)
–नी	शेरनी lioness	मोरनी a pea-hen	स्वामिनी mistress; lady of the house	हिन्दुनी a Hindu woman
–इका	गायिका woman singer	पाठिका female student	शिक्षिका teacher (f.)	परिचारिका nurse (f.)
–इया	गुड़िया doll	बुढ़िया old woman	लुटिया a small metal pot	डिबिया a small container
–आवट	थकावट fatigue	सजावट decoration	बनावट form	मिलावट adulteration
–आई	लम्बाई length	चौड़ाई width	गहराई depth	चतुराई cleverness
–दानी	चूहेदानी mouse trap	चीनीदानी sugar pot	राख़दानी ashtray	मच्छरदानी mosquito net
–शाही	तानाशाही autocracy	नौकरशाही bureaucracy	अफ़सरशाही bureaucracy	

Cases (कारक)

Hindi grammarians differentiate between eight cases (कारक). Each case has a special case-ending (विभक्ति/कारक चिन्ह). A noun or a pronoun is said to belong to one of these cases and is followed by the appropriate case-ending depending upon whether it is the subject (कर्त्ता), object (कर्म), instrument (करण) etc. of the action.

Table - 5 : Various cases and their respective case endings

Cases कारक	Case endings विभक्ति/कारक चिन्ह
1. कर्त्ता (nominative)	ɸ, ने
2. कर्म (accusative)	ɸ, को
3. करण (instrumental)	से
4. सम्प्रदान (dative)	को
5. अपादान (ablative)	से
6. संबध (possessive)	का, के, की
7. अधिकरण (locative)	में, पर
8. संबोधन (vocative)	अजी, हे, ए, अरे,

☞ **It may be noted here (reference Table 5 given above) that in Hindi, in some constructions, the subject of the sentence, noun or pronoun is followed by 'ने' I**

☞ **The native speakers often drop the case - endings following the nouns in the accusative case.**

Examples :

1. लड़के ने पुस्तक पढ़ी। — The boy read the book.
2. लड़कों ने पुस्तकें पढ़ीं। — The boys read the books.

☞ **In both the sentences given above, the subject लड़के, लड़कों is followed by the post position 'ने', where as the naturally required postposition 'को' with the objects पुस्तक, पुस्तकें has been dropped.**

☞ **When a noun or a pronoun is used without a postposition (कारक चिन्ह) it is said to be in the direct case (मूलरूप)**

☞ When a noun or a pronoun is followed by a postposition (कारक चिन्ह), it is said to be in the oblique case (विकृत रूप) ।

☞ Hindi has a special vocative form (सम्बोधन रूप) of noun or pronoun which is used when addressing or invoking a person or thing. This is similar to the oblique form except that the vocative plural form has ओ or यो instead of ओं or यों ending.

Number (वचन)

On the basis of number in Hindi the nouns are classified into (1) singular (एकवचन), (2) plural (बहुवचन)

Declension of the noun (संज्ञा का रूपान्तर)

In Hindi changing the noun from singular to plural varies with gender and case; within the gender, it varies with the noun-endings. Given below are the rules for declining the masculine and feminine nouns in the direct, the oblique as well as the vocative cases.

■ **Masculine Nouns**

For the purpose of declension, the masculine nouns can be classified as follows :

(1) Nouns with 'आ' – ending e.g. लड़का (boy)

(2) Nouns with any ending other than 'आ'.

e.g. फल, कवि, भाई, शिशु, नीबू, etc.
fruit   poet   brother   child   lemon

☞ In the direct case, masculine nouns ending in 'आ' change to 'ए' when pluralised. Example : 1, Table 6.

☞ Oblique and vocative singular of the masculine nouns with 'आ' ending is the same as their direct plural. Example : 1, Table 6.

☞ In the case of all other masculine nouns with any ending (other than 'आ'), their direct singular, direct plural, oblique singular and vocative singular forms are the same. Examples : 2-10 Table 6.

Oblique plural of

1. the nouns ending in 'अ' or 'आ' has vowel symbol for 'ओं' at the end.
Examples : 1,2 Table 6.

2. the nouns having 'इ' or 'ई' has यों ending.

   However long 'ई' is changed to short 'इ' before adding यों । Example : 3,4 Table 6.

3. the nouns ending in 'उ', 'ऊ', 'ए', 'ऐ', 'ओ', 'औ' has 'ओं' ending; 'ऊ' is changed to 'उ' before adding 'ओं' । Example : 5-10 Table 6.

☞ **Vocative plurals are the same as oblique plurals except that 'ओ' or 'यो' are used instead of 'ओं' or 'यों' ।**

☞ **Rules for oblique and vocative plural are the same for masculine as well as feminine nouns.**

■ **Feminine nouns**

   In the direct case :

☞ **The feminine nouns ending in 'अ' change to vowel symbol for 'एँ' when pluralised. Example : 1-Table 8.**

☞ **'एँ' is added to the feminine nouns ending in 'आ', 'उ', 'ऊ', 'ए', 'ओ', 'औ' when pluralised. Example 2,3,4,5 , Table 8.**

☞ **'ऊ' is shortened to 'उ' before adding 'एँ' to it.**

☞ **'याँ' is added to the feminine nouns ending in 'इ' or 'ई' when pluralised.**

☞ **Long 'ई' is shortened before adding 'याँ' to it. Example 6,7, Table 8.**

☞ **Plurals of feminine nouns with 'या' ending are formed by putting अनुस्वार on 'या' as shown in example 8, Table 8.**

Table - 6

Case	Suffix Singular	Suffix Plural	Masculine Nouns Singular	Masculine Nouns Plural
Direct	1. -आ	-ए	1. लड़का	लड़के
oblique	-ए	-ओं	लड़के + pp_n	लड़कों + pp_n
vocative	-ए	-ओ	हे लड़के	हे लड़को
Direct	2. -अ	-अ	2. गाहक	गाहक
	-अ	-ओं	गाहक + pp_n	गाहकों + pp_n
	-अ	-ओ	हे गाहक	हे गाहको
Direct	3. -इ	-इ	3. कवि	कवि
	-इ	-यों	कवि + pp_n	कवियों
	-इ	-यो	हे कवि	हे कवियो
Direct	4. -ई	-ई	4. भाई	भाई
	-ई	-इयों	भाई + pp_n	भाइयों + pp_n
	-ई	-इयो	हे भाई	हे भाइयो
Direct	5. -उ	-उ	5. साधु	साधु
	-उ	-ओं	साधु + pp_n	साधुओं + pp_n
	-उ	-ओ	हे साधु	हे साधुओ
Direct	6. -ऊ	ऊ	6. डाकू	डाकू
	-ऊ	उओं	डाकू + pp_n	डाकुओं + pp_n
	-ऊ	उओ	हे डाकू	हे डाकुओ
Direct	7. -ए	ओ	7. चौबे	चौबे
	-ए	ओं	चौबे + pp_n	चौबेओं + pp_n
	-ए	ओ	हे चौबे	हे चौबेओ
Direct	8. -ओ	ओ	8. रासो	रासों
	-ओ	ओं	रासो + pp_n	रासो + pp_n
	-ओ	ओ	हे रासो	हे रासो
Direct	9. -ओं	ओं	9. कोदों	कोदों
	–	–	कोदों + pp_n	कोदों + pp_n
	–	–	हे कोदों	हे कोदो
Direct	10. -औ	औ	10. जौ	जौ
	–	औं	जौ + pp_n	जौओं + pp_n
	–	ओ	हे जौ	हे जौओ

Exceptions :

Regarding the 'आ' ending nouns given below :

(1) Their direct plural and oblique singular cases 'आ' does not change to 'ए' ।

(2) In their oblique plural case, 'आ' does not chang to 'ओं'; instead 'ओं', is actually added after 'आ' as shown in the Table - 7 below :

Examples :

- Words from Sanskrit e.g. नेता, श्रोता, दाता, पिता, महात्मा etc.
- Words of Persian, Arabic origin e.g. दारोगा, मुल्ला, मियाँ etc.
- Repetitive words e.g. मामा, चाचा, दादा, नाना, बाबा ।
- Words ending in या or वा e.g. मुखिया, अगुवा, भगुवा ।

Table - 7

Case	Suffix sing.	Suffix Pl.	Masculine Nouns Sing.	Masculine Nouns Pl.
Direct	आ	आ	नेता	नेता नेता
Oblique	आ	ओं	नेता + pp_n	नेताओं
Vocative	आ	ओ	हे नेता	हे नेताओ
Direct	आ	आ	मामा	मामा
Oblique	आ	ओं	मामा + pp_n	मामाओं + pp_n
Vocative	आ	ओ	हे मामा	हे मामाओ
Direct	आ	आ	दारोग़ा	दारोग़ा
Oblique	आ	ओं	दारोग़ा + pp_n	दारोगाओं + pp_n
Vocative	आ	ओ	हे दारोग़ा	हे दारोगाओ
Direct	आ	आ	मुखिया	मुखिया
Oblique	आ	ओं	मुखिया + pp_n	मुखियाओं + pp_n
Vocative	आ	ओ	हे मुखिया	हे मुखियाओ

Table 8

Case	Suffix		Feminine Nouns	
	Singular	Plural	Singular	Plural
Direct	1. अ	ें	1. औरत	औरतें
Oblique	–	ों	औरत + pp_n	औरतों + pp_n
Vocative	–	ो	हे औरत	हे औरतो
Direct	2. आ	एँ	2. माता	माताएँ
Oblique	–	ओं	माता + pp_n	माताओं + pp_n
Vocative	–	ओ	हे माता	हे माताओ
Direct	3. उ	एँ	3. वस्तु	वस्तुएँ
Oblique	–	ओं	वस्तु + pp_n	वस्तुओं + pp_n
Vocative	–	ओ	हे वस्तु	हे वस्तुओ
Direct	4. ऊ	एँ	4. बहू	बहुएँ
Oblique	–	उओं	बहू + pp_n	बहुओं + pp_n
Vocative	–	उओ	हे बहू	हे बहुओ
Direct	5. औ	एँ	5. गौ	गौएँ
Oblique	–	ओं	गौ + pp_n	गौओं + pp_n
Vocative	–	ओ	हे गौ	हे गौओ
Direct	6. इ	याँ	6. तिथि	तिथियाँ
Oblique	–	यों	तिथि + pp_n	तिथियों + pp_n
Vocative	–	यो	हे तिथि	हे तिथियो
Direct	7. ई	इयाँ	7. चूड़ी +	चूड़ियाँ
Oblique	–	इयों	चूड़ी + pp_n	चूड़ियों + pp_n
Vocative	–	इयो	हे चूड़ी	हे चूड़ियो
Direct	8. या	याँ	8. गुड़िया	गुड़ियाँ
Oblique	–	यों	गुड़िया + pp_n	गुड़ियों + pp_n
Vocative	–	यो	हे गुड़िया	हे गुड़ियो

☞ **Some masc. proper nouns that are the names of cities change to 'ए' when followed by a post position.**

e.g. Direct case	Oblique case
कलकत्ता	कलकत्ते + pp_n
पूना	पूने + pp_n
आगरा	आगरे + pp_n
पटना	पटने + pp_n

Exceptions :

गया   अयोध्या

☞ **When explanation or meaning of a masculine noun with 'आ' ending is expected, it does not change to 'ए' e.g.**

'दरवाजा' का क्या अर्थ है ?

'दरवाजा' का अर्थ है .... ।

☞ **When a noun is followed by a postposition, it is written separately.**

e.g. मकान में; लड़के का; दिल्ली से, बम्बई तक etc.

☞ **In Hindi it is common to add 'गण', 'जन', 'वर्ग', 'लोग' etc. to indicate plural character of the noun.**

e.g.	श्रोता (sg.)	श्रोतागण (pl.)
	अधिकारी (sg.)	अधिकारी वर्ग (pl.)
	अध्यापक (sg.)	अध्यापक लोग (pl.)
	स्त्री (sg.)	स्त्री वर्ग (pl.)

☞ **In Hindi it is common practice to use proper noun as common noun.**

e.g. वह राम है — He is Ram !

(Here Ram stands for an ideal man)

वह सावित्री है — She is Savitri !

(Here Savitri stands for a chaste woman)

तुम हरिशचन्द्र हो — You are Harischandra !

(Here Harishchandra stands for a man of absolute truth)

वह तो नारद है — He is Narada !

(Here Narad stands for a man always causing disputes and problems)

Use of Infinitives as Noun (क्रियार्थक संज्ञा)

☞ In Hindi, the verb in its infinitive form is used as noun. It can take the place of a subject, direct object or indirect object.

Infinitive used as a Noun

1.	हिन्दी **पढ़ाना** अति सरल है ।	It is extremely easy to teach Hindi.
2.	**कहना** आसान है, **करना** मुश्किल ।	It is easy to say, difficult to do.
3.	**झूठ बोलना** पाप है ।	It is a sin to tell a lie.
4.	सुबह-शाम खुले में **टहलना** श्रेष्ठतम व्यायाम है ।	To take a stroll in the open in the morning as well as in the evening is the best exercise.
5.	भारत में बिना उबाले पानी **पीना** स्वास्थ्य के लिए हानिकारक है ।	In India it is harmful for health to drink water without boiling it.
6.	अपने देश के लिए **मरना** गर्व की बात है ।	It is a matter of pride to die for one's motherland.
7.	छात्रों का ग्रन्थागार की पुस्तकों से पृष्ठ **फाड़ना** बड़े दु:ख की बात है ।	It is very bad on the part of students to tear away pages from the library books.
8.	इस शहर में रात के समय देर से बाहर **जाना** ठीक नहीं ।	In this city it is not proper to go out late at night.
9.	सड़क पर **कूड़ा फेंकना**, दीवार पर **इश्तहार लगाना**, सार्वजनिक स्थान पर **धूम्रपान करना** अच्छे नागारिक को शोभा नहीं देता ।	It does not become a good citizen to throw garbage on the road, to paste posters on the walls, and to smoke in public places.
10.	मेरी बहन चित्र **बनाना** जानती है ।	My sister knows drawing and painting.
11.	अगले महीने मैं **तैरना** सीखूँगी ।	I will learn swimming next month.
12.	मेरी पुत्री तबला **बजाना** जानती है ।	My daughter knows how to play the tabla.
13.	आपने इतना अच्छा **गाना** कहाँ सीखा?	Where did you learn to sing so well ?
14.	मुझे नृत्य **देखना** अच्छा लगता है ।	I like to watch dance.
15.	मुझे **शराब पीना** बिल्कुल पसन्द नहीं ।	I don't like drinking at all.

Oblique Infinite followed by a postposition used as object

1. मुझे आज दफ़्तर **जाने में** देर हो गई।	I got late in going to my office today.
2. आपको यहाँ **पहुँचने में** कितना समय लगा?	How long did you take to reach here ?
3. क्या मेरे यहाँ **रहने से** आप को परेशानी होगी ?	Will you be put to any inconvenience by my staying here ?
4. नहीं, मुझे तो लगता है आप के यहाँ **रहने से** मुझे लाभ ही होगा।	No, I think I will gain by your staying here.
5. कविता ने मुझे रुपये **उधार देने से** इन्कार कर दिया।	Kavita refused to lend me money.
6. क्षमा कीजिए। मुझे वहाँ **पहुँचने में** कुछ देर हो गई।	Excuse me, I got a bit late in getting there.
7. बच्चों को **पढ़ने के लिए** पुस्तकें चाहिए।	Children need books to read.
8. हमें अपने **रहने के लिए** एक छोटा मकान चाहिए।	We need a small house for ourselves to live in.
9. उन्होंने मुझे भारत **आने पर** मजबूर किया।	They forced me to come to India.
10. मेरे देर से घर **पहुँचने पर** माता जी चिन्तित होंगी।	My mother will be worried by my reaching home late.
11. मैं जर्मन भाषा **सीखने की** बहुत कोशिश करने पर भी सीख न पाई।	I could not learn German even after trying very hard.
12. क्या आपने कभी कोई विदेशी भाषा **सीखने की** कोशिश की है ?	Have you ever tried to learn some foreign language ?
13. कल दिनभर बिजली **न होने के कारण** हम बहुत परेशान हुए।	We were put to much inconvenience because of there being no electricity all day yesterday.
14. बहुत समय से **बीमार रहने के कारण** वह चिड़चिड़ा हो गया है।	He has become very peevish because of being ill for a long time.
15. हर समय **बैठे रहने की वजह से** वह बहुत मोटा हो गया है।	He has become very fat because of sitting all the time.

★ ★ ★

36

Pronouns (सर्वनाम)

In Hindi, pronouns viz. the words used instead of nouns are declined according to person, number and case and not according to gender. They have been classified as:

1.	Personal pronouns	पुरुषवाचक सर्वनाम
2.	Definite pronouns	निश्चयवाचक सर्वनाम
3.	Indefinite pronouns	अनिश्चयवाचक सर्वनाम
4.	Interrogative pronouns	प्रश्नवाचक सर्वनाम
5.	Reflexive pronouns	निजवाचक सर्वनाम
6.	Relative pronouns	संबंधवाचक सर्वनाम

Personal Pronouns

Person पुरुष	direct case		oblique case	
	sg.	pl.	sg.	pl.
First प्रथम	मैं	हम	मुझ + pp_n	हम + pp_n
Second मध्यम	तू	तुम	तुझ + pp_n	तुझ + pp_n
	तुम	तुम लोग	तुम + pp_n	तुम लोगों + pp_n
	आप	आप लोग	आप + pp_n	आप लोगों + pp_n
Third अन्य	यह	ये/ये लोग	इस + pp_n	इन + pp_n Prox.
	वह	वे/वे लोग	उस + pp_n	उन + pp_n Non prox.

☞ 'pp_n' stands for any of the postpositions ने, को, से, का, के, की, में, पर etc.

☞ In the objective case only where the case ending को is used with the direct or indirect object, Hindi language uses a special contracted form of pronouns given on page 14.

☞ Personal pronouns in the third person are also used as definite pronouns signalling at animate or inanimate object. See page 196.

☞ In serveral regions in India, specially U.P., Bihar where Bhojpuri (the local dialect) is the spoken language, people use हम for मैं !   This is a regional use and not standardized Hindi.

■ तू – second person singular is used for youngsters, intimate close friends, menial workers; gods, goddesses and one's mother are often addressed with 'तू' ।

■ तुम is second person plural. However तुम is used as singular while talking to informal friends. To specify plural meaning लोग follows तुम ।

Examples :

तुम अन्दर आओ ।	You (sg.) come in !
तुम लोग अन्दर आओ ।	You (people) come in !

■ आप is second person plural used as second person singular in formal conversation, or to show respect to the person addressed. To specify plural meaning लोग follows आप ।

Examples :

आप बैठिये ।	You (sg. honorific) sit.
आप लोग बैठिये ।	You (people) sit.

☞ Hindi speakers often use 'आप' 'वे', 'ये' as honorific expressions while addressing older people, parents, teachers, bosses or formal acquaintances and in that case even singular takes plural verb endings.

☞ 'आप' is sometimes used for third person singular both when he or she is present or absent at the time of reference.

Examples :

1. यह पुस्तक जयशंकर प्रसाद की लिखी है; आप एक महान लेखक हैं । — This book is written by Jaishankar Prasad; he is a great writer.

2. आप से मिलिये; आप हैं श्रीमती कपूर । — Meet her; she is Mrs. Kapoor.

3. निराला जी महान कवि थे; आपने अनेक कविताएँ रचीं । — Nirala was a great poet; he wrote many poems.

☞ 'आप' does not change in the oblique case e.g. आप को, आप से, आपमें, आपका, के, की etc.

☞ But when 'आप लोग' is used to indicate plural meaning, it changes to 'आप लोगों' in the oblique case.

195

Definite pronouns (निश्चयवाचक सर्वनाम)
यह, वह, ये, वे

case	sg.	pl.	
Direct	यह, इसने	ये, इन्होंने	prox.
	वह, उसने	वे, उन्होंने	non-prox.
Oblique	इस + pp_n	इन + pp_n	prox.
	उस + pp_n	उन + pp_n	non-prox.

☞ **Definite pronouns are used as :**

- third person personal pronouns (see page 194)
- definite pronouns
- demonstrative adjectives (see page 207)

☞ **For emphasis 'ही' is added to them.**

Examples :

1.	उसको यहाँ बुलाओ।	Call him here.
2.	वह कौन है ?	Who is he ?
3.	ये क्या कर रहे हैं ?	What are they doing ?
4.	इन आमों को मत काटो; ये कच्चे हैं।	Don't cut these mangoes; they are raw.
5.	यहं तो मुश्किल नहीं।	This is not difficult.
6.	इस पर कुछ मत रखो।	Don't put anything on it.

Indefinite Pronouns (अनिश्चयवाचक सर्वनाम)
कोई, कुछ

☞ कुछ **is indeclinable**

☞ कोई **is declined as shown below**

case	sg.	pl.
Direct	कोई, किसी ने	कोई, किन्ही ने
Oblique	किसी + pp_n	किन्हीं + pp_n

Use of कोई – Somebody

1. **कोई** है ? — Is somebody there ?
2. घर पर **कोई** नहीं है। — Nobody is at home.
3. केवल अमीर होने से **कोई** सम्भ्रान्त नहीं होता। — One doesn't became cultured by being rich.
4. **हर कोई** अमीर होना चाहता है। — Everybody wants to be rich.
5. **हर कोई** हर काम नहीं कर सकता। — Everybody cannot do everything.
6. मेरे पास आप की **कोई** चीज़ नहीं। — I don't have anything belonging to you.

कोई एक/कोई कोई – Some people

1. **कोई एक** ऐसा मानते हैं। — Some people believe so.
2. **कोई कोई** तो बिल्कुल नहीं बोलते। — Some people don't speak at all.
3. **कोई कोई** तो एक दम ही बेकार होते हैं। — Some(people/things) are absolutely useless.

कोई न कोई – Someone or the other

1. **कोई न कोई** तो अवश्य यहाँ था। — Someone (or the other) was certainly here.
2. **कोई न कोई** तो मेरी बात सुनेगा। — Someone (or the other) will listen to me.

कोई + number + एक – Approximately

A: यहाँ से डाकघर कितनी दूर है ? — How far is the post office from here ?
B: यही **कोई दस एक** कदम आगे। — Approximately 10 steps further.
A: आप के पास कितनी साड़ियाँ हैं ? — How many sarees do you have ?
B: यही **कोई पचास** एक। — Approximately fifty.

कोई भी, कोई सा/से/सी – Anyone, anyone of them

1. **कोई भी** मेरे साथ चल सकता है। — Anybody can accompany me.
2. **कोई सा/सी** भी दे दीजिए। — Give me any of these !

कोई और; और कोई – Anyone else / anything else Someone else / something else

1. **कोई और** भी आ रहा है ? — Is someone else coming too ?
2. यहाँ **और कोई** है ? — Is anybody else there ?
3. **कोई और** बात सुनाओ। — Tell me something else.
4. **और कोई** चीज़ दिखाइये। — Show me something else.

जो कोई – Whosoever

1. **जो कोई** चाहे यहाँ बैठ सकता है। — Whosoever wants, can sit here.
2. **जो कोई** चाहें, मेरे साथ चलें। — Whosoever want, may come with me.

किसी/किन्ही + Postposition

1. **किसी** को बुरा मत कहो। — Don't speak badly to anyone.
2. **किसी** से बुरा मत सुनो। — Don't hear evil from anyone.
3. **किसी** की भलाई करो। — Help someone.
4. क्या **किसी** ने मेरी चाभियाँ देखी हैं ? — Has anyone seen my keys ?
5. मुझे **किसी** की मदद नहीं चाहिए। — I don't need anybody's help.
6. क्या आप मुझे **किसी** अच्छे होटल का पता बता सकते हैं? — Could you tell me the address of some good hotel.
7. यह वस्त्र **किन्हीं** में बाँट दो। — Distribute these clothes among anyones.
8. **किन्हीं** चार प्रश्नों के उत्तर दीजिए। — Answer any four questions.

कुछ – Some persons / some things

☞ **कुछ is not variable.**

☞ **It is used both as indefinite pronoun as well as adjective.**

1 **As pronoun it refers to :**

☞ **Some unknown material or abstract object**

Examples :

1. तेरे मन में कुछ है। — You have something on your mind.
2. लगता है आज दूध में कुछ है। — It seems there is something in the milk today.

2 **As adjective it refers to :**

☞ **Unspecified quantity of uncountable object**

☞ **Undifferentiated group of countable objects, animate as well as inanimate.** **(see page 207)**

कुछ – Used as adverb of degree/measure

1. इस वक्त उसका बुख़ार कुछ कम है। — His/Her fever is a little less at the moment.
2. उसका वर्ण कुछ साँवला है। — He/She is somewhat dark complexioned.
3. उसकी सूरत कुछ कुछ अपनी नानी से मिलती है। — She looks somewhat like her grandmother.
4. वह कुछ कुछ सनकी है। — She/He is somewhat crazy.

बहुत कुछ – Quite a bit

1. उनके पास बहुत कुछ है। — They have a lot.
2. हमने भारत में रह कर बहुत कुछ सीखा। — We learnt a lot, having lived in India.
3. वह जाने अनजाने बहुत कुछ कह गया। — He said quite a bit inadvertently.

कुछ न कुछ – Something (emphatic)

1. उसने तुम्हें कुछ न कुछ तो अवश्य कहा होगा। — He must have said something to you.
2. वह तुम्हें कुछ न कुछ तो देगा। — He will give you something.

कुछ भी – Anything

A : मैं क्या बोलूँ ?   What shall I say ?

B : कुछ भी।   Anything.

A : आज क्या खाया जाय ?   What shall we eat today ?

B : कुछ भी।   Anything.

कुछ का कुछ   Used to express change in state

1. वह थोड़े ही समय में कुछ का कुछ बन गया।

   In a short time he made great progress.

2. आप स्वयं जा कर देखें; वहाँ तो कुछ का कुछ हो गया है।

   You go and see yourself; things have completely changed there.

Interrogative Pronouns (प्रश्नवाचक सर्वनाम)
कौन, क्या

☞ 'क्या' is indeclinable.

☞ Declension of 'कौन' is as shown below.

Case	sg.	pl.
कर्त्ता (subject)	कौन, किसने	कौन, किनने, किन्होंने
कर्म (object)	किसको, किसे	किन को, किन्हें
करण (instrumental)	किससे	किनसे
सम्प्रदान (dative)	किसको, किसे	किन को, किन्हें
अपादान (ablative)	किससे	किनसे
संबंध (possessive)	किसका किसके किसकी	किनका किनके किनकी
अधिकरण (locative)	किसमें किस पर	किनमें किन पर

Use of कौन – Who

1. कौन है ?	Who is there ?
2. उस घर में कौन रहता है ?	Who lives in that house ?
3. यह कौन मुश्किल काम है !	This is not at all a difficult task !
4. कौन मेरे साथ सैर करने चलेगा ?	Who will come with me for a walk ?
5. तुम्हारी पसन्द का अभिनेता कौन है?	Who is your favorite actor ?
6. दावत में कौन कौन आये थे ?	Who all had come to the party ?
7. कौन मेरे प्रश्नों का उत्तर दे सकता है?	Who can answer my questions ?

☞ **कौन + सा/से/सी is used both for living as well as nonliving objects to point towards someone or something in particular.**

1. मैं कौन-सी पुस्तक पढ़ूँ ?	Which book shall I read ?
2. उनमें कौन-सा उसका पति है?	Who among them is her husband ?
3. मैं कौन-से कुर्ते ख़रीदूँ ?	Which shirts should I buy ?
4. यहाँ कौन-सी फ़िल्म लगी है ?	Which film is running here ?

कौन जाने – Who knows

1. कौन जाने आगे चलकर क्या होगा ?	Who knows what will happen later ?
2. कौन जाने वह लौटेगा भी या नहीं ?	Who knows whether he will return or not ?

किसने, किन्होंने – Who

1. 'गोदान' किन्होंनें लिखा ?	Who (hon.) wrote 'Godan'?
2. आज किसने घर साफ़ किया?	Who cleaned the house today ?
3. कुछ पता लगा, तुम्हारी पुस्तक किसने चुराई?	Did you come to know, who stole your book ?
4. मेरा फूलदान किसने तोड़ा ?	Who broke my flower vase ?
5. तुम्हें हिन्दी पढ़नी और लिखनी किसने सिखायी ?	Who taught you to read and write Hindi ?
6. किस किसने प्रश्नों के ठीक उत्तर दिये?	Who all answered the questions right ?

201

| किससे, किनसे, किस / किन को Who /Whom etc. |

1. मैं उस दफ़्तर में **किसको** मिलूँ ?   Whom shall I meet in that office ?
2. उसने **किससे** बात की ?   Who did he (or she) talk to ?
3. आपने **किससे** पैसे माँगे ?   Who did you ask the money from ?
4. वह **किनके** साथ था ?   Who was he with ?
5. वे **किनके** साथ घूमने गये हैं ?   With whom have they gone for a walk ?
6. श्याम **किसके** बारे में पूछ रहा था ?   Who was Shyam asking about ?
7. आपने **किनकिन को** अपने जन्मदिन पर बुलाया है ?   Who all have you invited on your birthday ?

| Uses of **क्या** |

■ '**क्या**' comes at the beginning of an interrogative sentence the answer to which is 'yes' or 'no'.

1. **क्या** तुम हिन्दी सीखती हो ?   Do you learn Hindi ?
2. **क्या** आप भारत के रहने वाले हैं ?   Are you Indian ?

■ **क्या** comes after the subject for all other questions the answer to which is some object.

1. तुम **क्या** खाते हो ?   What do you eat ?
2. उसने **क्या** ख़रीदा ?   What did he buy ?

■ Reduplicative use of '**क्या क्या**' is like 'what all' in American English. It is used in expectation of a detailed account of something.

1. आपने भारत में **क्या क्या** किया ?   What all did you do in India ?
2. आप वहाँ से **क्या क्या** लाए ?   What all did you bring from there ?

■ '**क्या**' at the beginning of a sentence is used sometimes to express disappointment

1. **क्या** तुम इतना भी नहीं समझते !   You don't understand even this !

■ '**क्या** + adj. + noun' is used to express astonishment.

1. **क्या** सुन्दर पोशाक !   What a beautiful dress !
2. **क्या** बढ़िया मिठाई !   What a fine sweet !

3. **क्या** बुद्धिमान बालक ! What an intelligent child !

4. **क्या** घटिया आदमी निकला वह ! What a mean person he turned out to be !

■ '**क्या का क्या**', '**क्या से क्या**' – **to express complete change in state :**

1. उसकी मृत्यु के पश्चात परिवार का **क्या का क्या** हो गया । After his death, the family's state changed absolutely.

2. आप लोग क्यों नहीं समझते कि आयात निर्यात उदारीकरण से देश साल दो साल में **क्या से क्या** हो सकता है । Why don't you people understand that by liberalisation of exports and imports the country can improve tremendously in a couple of years.

3. नया व्यापार शुरू करते ही वह **क्या से क्या** हो गया । As soon as he started a new business, he became a very rich man.

4. विभाजन के कारण लाखों लोग **क्या से क्या** हो गये थे । Millions of peole were reduced to misery due to partition.

■ **Use of** '**क्या – क्या**' – **Whether .... or**

1. **क्या** अमीर **क्या** ग़रीब, सबके खून का रंग लाल है । Whether rich or poor, the color of everybody's blood is red.

2. **क्या** मनुष्य **क्या** जानवर सभी को ब्रह्मा ने रचा है । Whether human beings or animals, Brahma created all.

Use of **काहे**

■ **काहे ?/ काहे को ? / काहे लिए ?** – **why ?**

काहे को फालतू बोल रहे हो ? Why are you talking in vain ?

■ **काहे में** – **in what; wherein**

यह कपड़े **काहे में** रखूँ ? Wherein shall I keep the clothes ?

सन्दूक में या अलमारी में ? In the box or in the cupboard ?

■ **काहे पर** – **on what; where upon**

मैं **काहे पर** बैठूँ, कुर्सी पर या चारपाई पर ? Where shall I sit, on the chair or on the cot ?

203

- **काहे से** – **with what; how**

सब्जी **काहे से** काटूँ ? — What shall I cut the vegetables with ?

- **काहे का/के/की** – **of what**

यह फूलदान **काहे** का बना है, लकड़ी का या प्लास्टिक का ? — What is this vase made of, wood or plastic ?

Relative Pronouns (संबंधवाचक सर्वनाम)
जो, सो

कारक case	कारक चिन्ह pp_n	जो sg.	जो pl.	सो sg.	सो pl.
कर्त्ता subject	ϕ, ने	जो, जिसने	जो, जिनने जिन्होंने	सो, तिसने	सो, तिनने, तिन्होंने
कर्म object	ϕ, को	जिसको, जिसे	जिनको जिन्हें	तिसको, तिसे	तिनको, तिन्हें
करण instrumen.	से	जिससे	जिनसे	तिससे	तिनसे
सम्प्रदान dative	को	जिसको, जिसे	जिनको जिन्हें	तिसको, तिसे	तिनको, तिन्हें
अपादान ablative	से	जिससे	जिनसे	तिससे	तिनसे
संबंध genitive	का, के, की	जिसका जिसके जिसकी	जिनका जिनके जिनकी	तिसका तिसके तिसकी	तिनका तिनके तिनकी
अधिकरण locative	में, पर	जिसमें जिस पर	जिनमें जिनपर	तिसमें, तिस पर	तिनमें तिन पर

☞ **सो is synonym of वह, वे । It is usually used as a correlalive of 'जो', but sometimes it is used indendently.**

Examples :

1. जो पेड़ मैंने दो वर्ष पूर्व लगाया था सो (=वह) अब फल देगा।

   The tree that I had planted two years ago will give fruit now.

2. जो बीमारी उसे है सो (वहाँ) किसी को न हो।

   May nobody suffer from the illness that he is suffering from.

3. जो चिन्ताएँ मुझे हैं सो (वे) किसी को न हों।

   No one should have the worries that I have.

4. वह जो न कहे सो कम !

   He can say almost anything !

Reflexive pronouns (निजवाचक सर्वनाम)
'आप'

☞ As reflexive pronoun 'आप', 'आप ही', 'आप ही आप', 'अपने से', 'अपने आप' etc are used to mean by oneself, without anybody's help etc.

☞ Their exact meaning depends upon the subject they reflect.

☞ They remain the same for all three persons, singular as well as plural.

> Use of अपने आप, आप ही – corresponds to the English expressions myself, ourselves, yourself, yourselves, himself, herself, themselves etc.

☞ स्वयं (Sanskrit), खुद (Urdu) can be used instead.

1. मैं आप ही सब काम करती हूँ।

   I do all the work myself.

2. यह हमारा अपना घर है; हमने इसे स्वयं बनवाया।

   This is our own house; we had it built ourselves.

3. "क्या तुमने यह वस्त्र दर्ज़ी से बनवाया?" "नहीं, मैंने इसे अपने आप बनाया है।"

   "Did you get this dress made by the tailor ?" "No, I have made it myself."

4. वह अपने आप हिन्दी सीखता है।

   He learns Hindi by himself.

5. बुढ़िया सारा दिन आप ही आप बोलती रहती है।

   The old woman keeps on talking all day by herself.

6. आप अच्छा तो जग अच्छा।

   When one is good oneself, (then) the whole world is good.

अपने से – **Corresponds to the English expressions 'by oneself' etc when they are used idiomatically to mean 'alone', 'by oneself' etc.**

☞ अकेला, अकेले, अकेली **can be used instead.**

Examples :

1.	मैं अपने से फ़िल्में देखने गयी।	I went to see the film by myself.
2.	मैंने अपने से खाना पकाया और खाया।	I cooked and ate by myself.
3.	तुम अपने से इतनी दूर कैसे जाओगी ?	How will you go so far all by yourself ?
4.	जब मैं दफ़्तर गयी, अधिकारी अपने से सब काम कर रहा था।	When I went to the office, the boss was doing all the work by himself.

'आपस' **is used to mean mutual, among etc. It is used with possessive case** का, के, की **or locative** में

Examples :

1.	आपस में बाँट लो।	Share it among you.
2.	यह हमारी आपस की बात है।	This is our private matter.
3.	यह उनका आपस का झगड़ा है।	This is their mutual dispute.

अपने से **+ adj.**

1.	अपने से बड़ों के मुँह न लगना चाहिये।	One should not argue with one's elders.
2.	अपने से छोटों को प्यार करो।	Love the ones younger than yourself.
3.	अपने से कमज़ोरों की मदद करो।	Help the ones weaker than yourself.

अपना, अपने, अपनी **corresponds to English 'one's own'. It is used adjectivally and agrees with the N and G of the noun it modifies. The object in the sentence or a clause belongs to the subject.**

Examples :

1.	वह अपने घर गया।	He went to his own house.
2.	यह मेरी अपनी कहानी है।	This is my own story.
3.	कमला अपना हाथ मुँह धो रही है।	Kamla is washing (herself) up.

206

4. माता जी अपने कपड़े सी रही हैं ।	Mother is sewing her own clothes.
5. मैंने अपने पिताजी को कुछ रुपये दिये । उन्होंने उन्हें अपनी अलमारी में रख लिया ।	I gave some money to my father. He kept it in his cupboard.
6. कमला ने मुझे अपना पता दिया; मैंने उसको अपना पता दिया ।	Kamla gave me her address; I gave her my address.
7. मुझे अपना काम अपने से करना अच्छा लगता है ।	I like to do my work myself.

अपना अपना – one's respective

8. अपना – अपना नाम बताइये ।	Please tell your (respective) names.
9. अपनी-अपनी चीज़ें संभालों ।	Take care of your things.
10. सब बच्चों ने एक-दूसरे को अपने-अपने पते दिये ।	All the children gave their respective addresses to each other.

★ ★ ★

37 Adjectives (विशेषण)

Pronominal Adjectives (सार्वनामिक विशेषण)

Except मैं, तू, तुम, हम, आप all other pronouns, in their direct as well as oblique form, when they precede a noun, are used as adjectives. Given below are some examples.

■ **Pronouns as demonstrative adjective**

1. उस लड़की को बुलाओ।	Call that girl.
2. वह औरत मेरी संगीत की अध्यापिका है।	That woman is my music teacher.
3. किस लड़के ने तुम्हें मारा ?	Which boy hit you ?

■ **'कुछ'** refers to unspecified quantity of a non-countable object.

कुछ चीनी some sugar;   कुछ चावल some rice;   कुछ दूध some milk

■ **'कुछ'** refers to undifferentiated group of countable objects, animate as well as inanimate

1. कुछ औरतें घास काट रही हैं।	Some women are cutting the grass.
2. कुछ कुर्सियाँ यहाँ रखो।	Keep some chairs here.
3. कुछ लोग सड़क पर जमा हैं।	Some people have assembled in the street.

■ **Pronoun 'कुछ'** expressing indefiniteness

1. कुछ ध्यान लगा कर पढ़ो।	Study with some concentration.
2. उसने कुछ सलाह दी।	He gave some advice.
3. मुझे उससे कुछ भय नहीं।	I am not at all afraid of him.

■ **Pronoun 'क्या'** expressing surprise

1. क्या दृश्य था !	What a (wonderful) scene it was !
2. वह भी क्या लड़की है !	What a girl she is !

Pronominal adjectives of quality (गुण वाचक सार्वनामिक विशेषण)

इस	⟹	ऐसा, ऐसे, ऐसी	this type of
उस	⟹	वैसा, वैसे, वैसी	that type of
तिस	⟹	तैसा, तैसे, तैसी	the type of
किस	⟹	कैसा, कैसे, कैसी	what type of
जिस	⟹	जैसा, जैसे, जैसी	the type of

Examples :

1. मैंने ऐसा बालक पहले कभी नहीं देखा।   I have never seen such a child.

2. आपके पास वैसा कपड़ा और है ?   Do you have more of that type of cloth.

3. आप कैसा भोजन पसन्द करते हैं ?   What kind of food do you like ?

4. तुम जैसा निकम्मा व्यक्ति मुझे आज   I haven't so far met a person as
   तक नहीं मिला।   useless as you are.

5. ऐसे मत बोलो।   Don't talk like this !

6. यह अध्यापक ऐसे विद्यार्थियों को   This teacher encourages such
   प्रोत्साहित करता है।   students.

■   **ऐसे वैसे** (idiomatic use) unimportant; of a questionable character.

1. मैं ऐसे वैसे लोगों से दोस्ती नहीं करता।   I don't make friends with unimportant
   people. (or people of questionable
   character).

2. कोई ऐसा वैसा काम न करना।   Don't do anything bad! (i.e. something
   that might bring shame).

■   Use of **वैसे (ही)... जैसे** – the same as;   **वैसे नहीं ... जैसे** – not the same as

1. यह मशीन ठीक वैसी ही है जैसी वह   This machine is exactly the same as
   वाली।   that one.

209

2. मेरे कुर्ते का रंग वैसा ही है जैसा आप की साड़ी का।
The colour of my shirt is the same as that of your saree.

3. मेरी बेटी का स्वभाव वैसा नहीं जैसा आप की बेटी का।
My daughter's nature is not the same as that of your daughter.

4. मेरी आमदनी वैसी नहीं जैसी आप समझते हैं।
My income is not the same as you think (it to be).

■ जैसा का तैसा, जैसे के तैसे, जैसी की तैसी – **exactly like before.**

Examples:

इतने वर्षों बाद भी वह जैसी की तैसी है।
After so many years, she is exactly like before.

■ Use of जैसे को तैसा – **an idiomatic or proverbial use**

1. जैसे को तैसा मिले करके लम्बे हाथ
Birds of the same feather flock together

2. जैसे को तैसा
tit for tat

■ जैसे ही .... वैसे ही – **as soon as.**

जैसे ही वे आएँ, वैसे ही मुझे बुलाना।
Call me as soon as they come.
see page 71.

Pronominal adjectives of quantity परिमाण/ संख्या वाचक सार्वनामिक विशेषण

इस	⇒	इतना, इतने, इतनी	so much, so many
उस	⇒	उतना, उतने, उतनी	that much, that many
तिस	⇒	तितना, तितने, तितनी	that much, that many
किस	⇒	कितना, कितने, कितनी	how much, how many
जिस	⇒	जितना, जितने, जितनी	as much, as many

■ They can be used both for countable as well as uncountable nouns.

Examples:

1. इतना दूध
so much milk.

2. उतनी चीनी
that much sugar.

3. कितने लड़के	how many boys ?
4. जितनी औरतें उतने आदमी	as many men as women
5. जितना दूध उतना पानी	as much water as milk

■ उतना + adj + नहीं जितना – not as + adj. + as

1. मैं इतनी अच्छी विद्यार्थी नहीं जितनी रमा है।	I am not as good a student as Rama.
2. रामो उतना सौहार्दपूर्ण नहीं जितना कमल।	Ramo is not as friendly as Kamal.
3. कमला इतनी अच्छी नर्तकी नहीं जितना वह अपने को समझती है।	Kamla is not as good a dancer as she thinks herself to be.
4. वे जूते उतने महँगे नहीं जितने यह वाले।	Those shoes are not as expensive as these ones.
5. यह कैमरा उतना सस्ता नहीं जितना आपका वाला।	This camera is not as cheap as yours.

☞ Comparing two different qualities

1. वह उतना ही जिद्दी है जितना शैतान।	He is as stubborn as mischievous.
2. राम उतना ही उदार हृदय है जितना अमीर।	Ram is as generous as rich.

☞ Comparing two different objects

1. भारत में जीवन उतना ही सरल है जितना पश्चिमी देशों में जटिल।	Life in India is as simple as it is complex in the western countries.
2. हमारा शहर उतना ही पिछड़ा हुआ है जितना तुम्हारा विकसित है।	Our city is as backward as yours is developed.

■ कितने ही/ कितने एक – many; several

कितने ही लोग रोज़ विश्वनाथ मंदिर जाते हैं।	Several people go to the Vishwanath temple every day.

■ **कैसा, कितना** – as pronominal adjectives are used to express surprise.

विदेश यात्रा की सोच कर वह कैसी खुश थी।	How happy she was at the thought of a foreign journey !
माता ने बालक को कितना मारा।	How much the mother hit the child !

■ **कैसा ही, कितना ही** – expresses indefiniteness.

1. मैं कैसी ही सलाह दूँ, वह नहीं मानेगा। — Whatever advice I may give, he won't agree to it.

2. वह कितना ही धन कमाए, उसके घर वाले खुश नहीं होते। — However much wealth he may earn, his family is never happy.

Adjectives of quality (गुणवाचक विशेषण)

They cover a wide range of adjectives of colour, shape, state, place, time of nouns they qualify.

Examples:

colour:	लाल	नीला	पीला	भूरा
(रंग)	red	blue	yellow	brown;
	काला	सफ़ेद	गोरा	साँवला
	black	white	fair	dark complexion
shape	गोल	चकोर	लम्बा	
आकार	round	square	long	
	चौड़ा	ऊँचा	नीचा	
	wide	high	low	
	अण्डाकार	त्रिकोण	षटकोण	
	oval	triangle	sexagon	
state	दुबला	पतला	मोटा	बीमार
दशा,	weak	slim	fat / thick	sick
स्थिति	कमज़ोर	बलवान	शान्त	पुराना
	weak	strong	peaceful	old
	नया	चिन्तित	परेशान	भूखा
	new	worried	harassed	hungry

time	भूत	वर्तमान	भविष्यत्	अगला
समय	past	present	future	next
	पिछला	आगामी		गत
	last	coming; next		previous
place	विदेशी	स्वदेशी	भीतरी	बाहरी
स्थान	foreign	native	inner	outer
	जलीय	आकाशीय	तटीय	पर्वतीय
	acquatic	aerial	coastal	mountaineous

☞ **Use of affix सा, से, सी with the adjective of quality (1) moderates the degree of quality. See page 257-258.**

Examples:

छोटी-**सी** रसोई — a rather small kitchen.

पीला-**सा** रुमाल- — a yellowish handkerchief

☞ **Sometimes it signals 'likeness'**

बन्दर-**सा** आदमी — a monkey-like man (could be in looks or habits)

चाँद-**सी** बेटी — a moon-like (i.e. pretty) daughter.

गुलाब-**सा** रंग — rose like colour

☞ **Use of सरीखा, समान, तुल्य, सदृश, नामक as adjectives:**

1. उसकी हाथी **सरीखी** देह है। — His body is like that of an elephant.
2. तुम्हारे **समान** विद्वान इस संसार में विरले ही हैं। — Learned (people) like you are rare in this world.
3. वे हमारी माता **तुल्य** अध्यापिका है। — She is our mother-like teacher.
4. क्या आपने जर्मनी के लेखक 'काफ़्का' का प्रोत्सेस **नामक** उपन्यास पढ़ा है। — Have you read the novel named 'Prozess' by the German writer Kafka.

Adjectives - base form (विशेषण – मूलावस्था)

Adjectives are used both as predicates as well as attributes:

Examples:

Predicative use	Attributive use.
1. यह साबुन अच्छा है। This soap is good.	अच्छा साबुन लाओ। Bring good soap.
2. वह कपड़ा सफ़ेद है। That piece of clothing is white.	यह सफ़ेद कपड़ा पहनो। Wear this white dress.
3. ये आम मीठे हैं। These mangoes are sweet.	मीठे आम खाओ। Eat sweet mangoes.
4. यह पुस्तक मनोरंजक है। This book is interesting.	आप मनोरंजक पुस्तकें पढ़ा करें। Read interesting books.
5. यह भोजन पौष्टिक है। This food is nutritious.	सदैव पौष्टिक भोजन खाओ। Always eat nutritious food.

Comparative (उत्तरावस्था); Superlative (उत्तमावस्था)

In Hindi, in the case of a few adjectives borrowed from Sanskrit or from Persian, there are morphological comparative and superlative formations. The suffixes 'तर' and 'तम' are added to the base form of the adjective to form comparatives and superlatives respectively.

Examples:

Base form मूलावस्था	Comparative उत्तरावस्था	Superlative उत्तमावस्था
प्रिय (dear)	प्रियतर (dearer)	प्रियतम (dearest)
उच्च (high)	उच्चतर (higher)	उच्चतम (highest)
प्राचीन (old)	प्राचीनतर (older)	प्राचीनतम (oldest)
लघु (small)	लघुतर (smaller)	लघुतम (smallest)
गुरु (heavy)	गुरुतर (heavier)	गुरुतम (heaviest)
युवन (young)	युवतर (younger)	युवतम् (youngest)
विद्वस् (learned)	विद्वत्तर (more learned)	विद्वत्तम (most learned)
महत् (great)	महत्तर (greater)	महत्तम (greatest)
बृहत् (larger)	बृहत्तर (larger)	बृहत्तम (largest)

214

अधिक (much)	अधिकतर (more)	अधिकतम (most)
बद (bad)	बदतर (worse)	
ज़्यादा (much)	ज़्यादातर (mostly)	

☞ In most cases Hindi uses syntactic devices for comparative and superlative constructions.

■ To change the base adjective to comparative state, से, से कहीं, से अधिक / से ज़्यादा, से कम, से बढ़कर, की अपेक्षा, की तुलना में, में से etc. are used.

☞ However use of अधिक/ज़्यादा etc. is optional. 'से' + base form of the adjective' are enough to signal relative superiority of the object of comparison.

☞ When the object in comparison is comparatively less adjective , 'से + कम + base form of the adjective' are used. Here to signal the meaning of 'less', use of 'कम' is obligatory

Language structure :

object of comparison +	object with which +	से,	+	base form
=	the comparison	से अधिक		of the adj.
subject	is made	etc.		

Example :

1. राम अनिल **से** बड़ा है ।   Ram is older than Anil.
2. अनिल राम **से** ज़्यादा बुद्धिमान है ।   Anil is more intelligent than Ram.
3. राम दोनों **में से** अधिक परिश्रमी है ।   Of the two, Ram is more hard working.
4. मेरा पुत्र मुझ **से** कहीं अमीर है ।   My son is much richer than me.
5. यह उससे **कम** मीठा है ।   This is less sweet than that.
6. राम अनिल **से** कम होशियार है ।   Ram is less clever than Anil.
7. ग्रामीण जीवन शहरी जीवन **की तुलना में** शान्त है ।   Village life is more peaceful than city life.
8. हमारा गाँव दस वर्ष पूर्व **की तुलना में** अधिक जनसंकुल है ।   Our village is more crowded than it was ten years ago.
9. धन **की तुलना में** स्वास्थ्य कहीं मूल्यवान है ।   Health is more valuable than wealth.

215

10. वह अपने भाई **से अधिक** बुद्धिमान है।

He is more intelligent than his brother.

11. योरूप में भारत **की तुलना में** घर अधिक महँगे हैं।

Houses in Europe are more expensive than they are in India.

12. बड़े शहरों में रहने **की बनिस्बत** गाँव में रहना ज़्यादा स्वास्थ्यप्रद है।

Living in the country side is healthier than living in big cities.

■ **For superlative adjectival formations** सबसे, सबमें, सब से बढ़कर **precedes the base form of the adjective.**

Examples :

यह आम **सब से** मीठा है।

This mango is the sweatest of all.

राम अपनी कक्षा में **सब से बढ़कर** होशियार है।

Ram is the cleverest (boy) in his class.

☞ अत्यन्त, अतिशय, परम, बहुत ही, एक ही **etc are also sometimes used for superlative constructions.**

Examples :

1. वह मेरा **परम** प्रिय मित्र है।

He is my dearest friend.

2. उसका हृदय **अत्यन्त** कठोर है।

He is the most hard hearted (person).

3. काव्यग्रन्थों में कामायनी **अतिशय** श्रेष्ठ है।

'Kamayani' is the best of all poetry works.

4. फूलों में **एक ही** सुन्दर चमेली है।

Jasmine is the most beautiful of all the flowers.

☞ **Superlative quality of the adjective is sometimes expressed through its repetitive use.**

☞ **Sometimes** से **is infixed between the reduplicated adjectives.**

Examples :

1. इस शहर में **ऊँची-ऊँची** इमारतें हैं।

There are very high buildings in this city.

2. दावत में **सुन्दर से सुन्दर** लड़कियाँ थी।

There were most beautiful girls at the party.

3. ईद के दिन **ग़रीब से ग़रीब** भी नये वस्त्र पहनते हैं।

On 'Id' day, even the poorest wear new clothes.

4. मंदिर में **अमीर से अमीर** भी नंगे पैर जाते हैं।

Even the richest go into the temple barefoot.

☞ **'एक से एक' is used to express collective excellence.**

Examples :

1. लड़ाई के मैदान में **एक से एक** सूरमा खड़े थे।	The bravest men stood in the battle field.
2. कक्षा में **एक से एक** होशियार लड़के थे।	The cleverest of boys were in the class.

जितना ज़्यादा .... उतना ज़्यादा – The more .... the more ....

1. आप **जितना ज़्यादा** काम करेंगे, **उतना ज़्यादा** कमाएँगे।	The more you work, the more you earn.
2. **जितना ज़्यादा** आलसी व्यक्ति होता है, **उतनी ही कम** उसकी सफलता की संभावना होती है।	The lazier you are, the less your chances of success are.
3. **जितनी ज़्यादा** मुश्किल समस्या होती है, **उतना ज़्यादा** आनन्द मुझे उसे सुलझाने में आता है।	The more difficult the problem is, the more I enjoy solving it.
4. **जितनी ज़्यादा** तुम शिकायत करते हो, **उतना अधिक** मुझे गुस्सा आता है।	The more you complain, the more you make me angry.
5. **जितना अधिक** व्यक्ति भारत में रहता है, **उतना अधिक** वह भारतीयों को समझता है।	The longer you stay in India, the better you understand the Indians.

Superlatives

Examples :

अ – मैंने अभी-अभी सर्फ़ का प्रयोग किया है। यह बहुत अच्छा साबुन है।	I have just used surf. It is a very good soap.
ब – अभी तक जितने साबुन मैंने प्रयोग किये हैं उनमें यह साबुन सबसे अच्छा है।	Of all the soaps I have used so far, this is the best.
अ – मैंने अभी एक पुस्तक पढ़ी है। यह बहुत मनोरंजक है।	I have read a book. It is very interesting.

ब – मेरी अब तक पढ़ी हुई पुस्तकों में यह सबसे अधिक मनोरंजक है।	Of all the books I have ready so far, this is the most interesting.
अ – मैंने पिछले हफ़्ते एक 'फ़िल्म' देखी है। वह बहुत उत्तेजक है।	I saw a film last week. It was very exciting.
ब – मेरी अभी तक देखी गयी 'फ़िल्मों' में यह सबसे अधिक उत्तेजक है।	Of all the films I have seen so far, this is the most exciting.
अ – मैंने यह नया शरबत अभी पिया है। इसका स्वाद अच्छा है।	I just drank this new 'Sharbat'. It tastes good.
ब – अभी तक जितने शरबत मैंने पिये हैं उनमें यह सबसे अधिक स्वादिष्ट है।	Of all the 'Sharbats' I have drunk so far, this is the tastiest.
अ – मैंने हाल में एक नयी पोशाक खरीदी है। यह बहुत महँगी है।	I purchased a new dress recently. It is very expensive.
ब – मेरे द्वारा अभी तक ख़रीदी गयी सभी पोशाकों में यह सबसे महँगी है।	Of all the dresses bought by me so far, this is the most expensive.

Adjectives : Declinable (विकारी); Indeclinable (अविकारी)

In Hindi the adjectives can be categorised as (1) Indeclinable adjectives (अविकारी विशेषण), and (2) Declinable adjectives (विकारी विशेषण)

1. **Declinable adjectives :**

■ **All the adjectives whose base form has long 'आ' ending, change according to the number, gender and case of the nouns they qualify. However, they have no ओं or ओ forms to qualify the plural nouns in the oblique or vocative cases.**

Example :

Case	**adj.**	**m. sg.**	**adj.**	**m. pl.**
Direct	अच्छा	लड़का	अच्छे	लड़के
Oblique	अच्छे	लड़के + pp_n	अच्छे	लड़कों + pp_n
Vocative	अच्छे	लड़के	अच्छे	लड़को

☞ **Feminine forms 'अच्छी' etc. don't change with number and case.**

☞ **Sometimes adjectives are used as nouns. In that case their oblique and vocative forms will have 'ओं', 'ओ' respectively.**

Examples :

1. बड़े को बुलाओ।	Call the older one.
2. बड़ों का कहना मानो।	Listen to the elders.
3. छोटियों को पहले खाना दो।	Give food first to the younger ones.
4. ए छोटियो ! चुप से बैठो।	Hey, younger ones ! Sit quietly.
5. हे बड़ो। इधर आओ।	Hey big ones ! Come here.

Exceptions :

Some 'आ' ending adjectives don't change to agree with the number, gender or case of the noun. Given below are a few examples :

जरा	old
जरा पुरुष	an old man
जरा औरत	old woman
जरा लोग	old people
नाना (pl. use)	of various kinds
नाना मिठाइयाँ	various sweets
नाना फल	various fruits
नाना छात्र/छात्राएँ	various students
बचकाना –	childish
बचकाना आदतें –	childish habit
बचकाना स्वभाव –	childish nature
मज़ाकिया – with a sense of humour	
मज़ाकिया आदमी – a man with a good sense of humour	

बढ़िया – of a very good quality

बढ़िया साड़ी/साड़ियाँ – good quality saree /sarees

बढ़िया दृश्य – good scene

घटिया – of poorers quality

घटिया चीज़ – a poor quality

घटिया विचार – a poor thought

उमदा – of a very good quality

उमदा ग़लीचा/ग़लीचे – good quality carpet (s)

जुड़वाँ – twins

जुड़वाँ भाई/बहनें – twin brothers / sisters.

सालाना – annual

सालाना जलसा – annual festival

सालाना आय – annual income

■ **Given below are some Sanskrit adjectives that end in consonants and have a special feminine form.**

m.		f.
रूपवान	handsome	रूपवती
गुणवान	talented	गुणवती
भाग्यवान	lucky	भाग्यवती
विद्वान	learned	विदुषी
महान्	great	महती
कुरूप	ugly	कुरूपा

■ **Indeclinable adjectives**

All the adjectives not ending in 'आ' are indeclinable. They don't change with the number, gender and the case of the noun they qualify.

Examples :

1. सुन्दर handsome; beautiful
2. भारी heavy
3. ढालू sloping
4. होशियार clever
5. उत्साही enthusiastic
6. झगड़ालू quarrelsome

☞ **If an adjective qualifies more than one noun of different gender, number etc, it agrees with the noun that immediately follows it.**

Example :

1. हमने **काला** कुर्ता, साड़ी, कमीज़े ख़रीदीं। — We bought a black kurta, (black) sarees and (black) shirts.

☞ **काला qualifies कुर्ता (m. sg.), साड़ी (f. sg.) कमीज़ें (f. pl.) but it agrees with the first object कुर्ता**

2. हमने काली साड़ी, कमीजें और कुर्ता ख़रीदा। — We bought a black Saree, (black) shirts and 'Kurta'

☞ **here also काली agrees with saree, i.e. the object immediately following it, though it qualifies the nouns कमीज़ें and कुर्ता as well.**

Adjectives of Number (संख्यावाचक विश्लेषण)

Cardinal numbers (गणन संख्या)

१	एक	one
२	दो	two
३	तीन	three
४	चार	four
५	पाँच	five
६	छः/छह	six
७	सात	seven
८	आठ	eight
९	नौ	nine
१०	दस	ten
११	ग्यारह	eleven
१२	बारह	twelve
१३	तेरह	thirteen
१४	चौदह	fourteen
१५	पन्द्रह	fifteen
१६	सोलह	sixteen
१७	सत्रह	seventeen
१८	अट्ठारह	eighteen
१९	उन्नीस	nineteen
२०	बीस	twenty
२१	इक्कीस	twentyone
२२	बाईस	twentytwo
२३	तेईस	twentythree
२४	चौबीस	twentyfour
२५	पच्चीस	twentyfive
२६	छब्बीस	twentysix
२७	सत्ताईस	twentyseven
२८	अट्ठाइस	twentyeight
२९	उन्तीस	twentynine
३०	तीस	thirty
३१	इक्तीस	thirtyone
३२	बत्तीस	thirtytwo
३३	तैंतीस	thirtythree
३४	चौंतीस	thirtyfour
३५	पैंतीस	thirtyfive
३६	छत्तीस	thirtysix
३७	सैंतीस	thirtyseven
३८	अड़तीस	thirtyeight
३९	उन्तालीस	thirtynine
४०	चालीस	forty
४१	इकतालीस	fortyone
४२	बयालीस	fortytwo
४३	तैंतालीस	fortythree
४४	चौवालीस	fortyfour
४५	पैंतालीस	fortyfive
४६	छिआलीस	fortysix
४७	सैंतालीस	fortyseven
४८	अड़तालीस	fortyeighty
४९	उन्चास	fortynine
५०	पच्चास	fifty
५१	इक्यावन	fiftyone
५२	बावन	fiftytwo
५३	तिरपन	fiftythree
५४	चौवन	fiftyfour
५५	पच्चपन	fiftyfive
५६	छप्पन	fiftysix

५७	सत्तावन	fiftyseven	७९	उन्यासी	seventynine
५८	अट्ठावन	fiftyeight	८०	अस्सी	eighty
५९	उन्नसठ	fiftynine	८१	इक्यासी	eightyone
६०	साठ	sixty	८२	बयासी	eightytwo
६१	इक्सठ	sixtyone	८३	तिरासी	eightythree
६२	बासठ	sixtytwo	८४	चौरासी	eightyfour
६३	तिरसठ	sixtythree	८५	पच्चासी	eightyfive
६४	चौंसठ	sixtyfour	८६	छियासी	eightysix
६५	पैंसठ	sixtyfive	८७	सत्तासी	eightyseven
६६	छियासठ	sixtysix	८८	अट्ठासी	eightyeight
६७	सड़सठ	sixtyseven	८९	नवासी	eightynine
६८	अड़सठ	sixtyeight	९०	नब्बे	ninety
६९	उनहत्तर	sixtynine	९१	इक्यानवे	ninetyone
७०	सत्तर	seventy	९२	बानवे	ninetytwo
७१	इक्हत्तर	seventyone	९३	तिरानवे	ninetythree
७२	बहत्तर	seventytwo	९४	चौरानवे	ninetyfour
७३	तिहत्तर	seventythree	९५	पंचानवे	ninetyfive
७४	चौहत्तर	seventyfour	९६	छियानवे	ninetysix
७५	पचहत्तर	seventyfive	९७	संतानवे	ninetyseven
७६	छिहत्तर	seventysix	९८	अट्ठानवे	ninetyeight
७७	सतहत्तर	seventyseven	९९	निन्यानवे	ninetynine
७८	अट्ठहत्तर	seventyeight	१००	सौ	hundred

१००० हजार, १००००० लाख, १०००००० करोड़

Ordinal numbers (क्रमसूचक संख्या)

पहला (first), दूसरा (second), तीसरा (third), चौथा (fourth)
पाँचवाँ (fifth), छठवाँ (sixth), सातवाँ (seventh), आठवाँ (eighth)

☞ **After five, add वाँ to make ordinals.**

☞ When the number is more than 100, than put वाँ with the number above hundred

Examples :

101	एक सौ एकवाँ	one hundred and first
102	एक सौ दोवाँ	one hundred and second
103	एक सौ तीनवाँ	one hundred and third
111	एक सौ ग्यारहवाँ	one hundred and fourth

and so on.

■ **Multiplicatives number + गुना**

दुगुना	तिगुना	चौगुना
two times	three times	four times
पँचगुना	छगुना/छहगुना	सतगुना
five times	six times	seven times
अठगुना	नौगुना	सौगुना
eight times	nine times	a hundred times
हज़ार गुना	लाख गुना	
a thousand times	a million times	
and so on.		

■ **number + हरा**

Sometimes adjectives are formed by adding the suffix हरा to some basic numbers as shown below. However their use is very limited.

इकहरा single-fold	दोहरा two-fold	तेहरा three-fold
चौहरा four-fold	पचहरा five-fold	दशहरा ten-fold etc.

■ **Fractions (अपूर्णबोधक विशेषण)**

पाव, चौथाई	$\frac{1}{4}$	one fourth
पौन, तीन चौथाई	$\frac{3}{4}$	three fourth
सवा	$1\frac{1}{4}$	one-one fourth

सवा दो –	$2\frac{1}{4}$	two and a quarter) and so on.
डेढ़	$1\frac{1}{2}$	one and a half
ढाई	$2\frac{1}{2}$	two and a half
पौने दो	$1\frac{3}{4}$	one and three quarters
साढ़े तीन (3 and ½)	$3\frac{1}{2}$	three and a half.
साढ़े चार	$4\frac{1}{2}$	four and a half and so on.

सवा सौ;	सवा हज़ार;	सवा लाख	ढाई सौ;	ढाई हज़ार;	ढाई लाख
125	1250	1,25,000	250	2500	2,50,000

Odd fractions

3 and 5/8	तीन सही पाँच बटे आठ
4 and 7/9	चार सही सात बटे नौ
5 and 2/11	पाँच सही दो बटे ग्यारह

■ **Use of whole number + ओं**

☞ It is used as (1) definite aggregative meaning all of that number (2) indefinite aggregative

Examples (definite aggregative) :

दोनों;	तीनों;	चारों;	पाँचों,	छहों,	सातों
both;	all three;	all four;	all five	all six	all seven

Examples (indefinite aggregative) :

बीसों;	सैकड़ों;	हज़ारों
scores of;	hundreds of;	thousands of.

☞ For emphasis sometimes reduplicative use of aggregatives is done.

Examples:

1. चारों के चारों चोर थे ।   All four were thieves.
2. दसों के दसों हमारे यहाँ आ पहुँचे ।   All ten came to our house !

224

Distributive adjective (प्रत्येक बोधक विशेषण)

1. मैं एक एक लड़के को सबक सिखाऊँगा। I will teach a lesson to each one of the boys.
2. हरएक लड़के को पाँच पाँच रुपये दे दो। Give five rupees to each of the boys.
3. वह हर चौथे दिन हमारे यहाँ आता है। He comes to our house every fourth day.

■ Whole number + एक = (indefinite) almost

Examples:

दस एक आम	about ten mangoes
बीस एक आदमी	about ten men
आप मुझे सौ एक रुपये उधार दे सकेंगे?	Will you be able to lend me about a hundred rupees?

■ whole number + ठो = almost

☞ It is not a very respectful expression.

दो ठो आदमी	about two men.
दस ठो केले	about ten bananas

☞ combining any two whole numbers is a common practice in Hindi to denote some infinite quantity.

दस पाँच रुपये	a few rupees.
दो चार रोटियाँ	a couple of 'roties'
हज़ार दो हज़ार लोग	quite a few people.
उन्नीस बीस का फ़र्क	a negligible difference.

Indefinite quantity adjectives

■
अधिक; ज़्यादा	more.	थोड़ा/ कम	less
कुछ	some	थोड़ा	a little.

■ आदि, इत्यादि, वगैरा – etc.

1. मैने रंग, केनवस, पेन्सिल आदि सामान ख़रीदा। I bought things such as colour, canvas, pencil etc.
2. हमने साड़ी, शाल इत्यादि ख़रीदे। We bought a saree, shawl etc.

225

■ अमुक / कोई एक **such and such**

अमुक आदमी अमुक समय पर मुझे
अमुक स्थान पर मिलेगा।

Such and such man will meet me at such
and such place at such and such time.

■ कै / कितने **(syn.) how many**

1. दावत में कै (कितने) लोग आए ?   How many people came to the party ?
2. यह वस्त्र कै (कितने) रुपयों का है ?   How much is this material for ?

■ **Measure or weight nouns +** ओं **= indefinite adjectives**

ढेरों   piles of ;   मनों   maunds of

measure\weight nouns + भर **= definite**

किलो भर चाँदी   a kilo silver ;   मन भर गेहूँ   a maund of wheat

Participle constructions used as adjectives

■ **Imperfective participle used as adjective**

Examples:

चलती हुई गाड़ी   the moving train   रोता हुआ बच्चा   the crying child
see page 91

■ **Past participle used as adjective**

Examples:

सोया हुआ बालक – the child who is asleep   टूटी हुई झोपड़ी – the broken hut
see page 91

☞ **Use of agentive participle as adjective**

noun + वाला/वाले/वाली

मकान वाला   house owner   दुकान वाला   shopkeeper

(v.r. + ने**) +** वाला/वाले/वाली

गाने वाला – singer   बेचने वाला – seller
see page 97

★ ★ ★

See R 21, 22, 23.

38 Adverbs (क्रियाविशेषण)

☞ **Adverbs qualify verbs, adjectives, adverbs, clauses or sentences.**
A bird's eye view of commonly used adverbial expressions is given below.

1 **Adverb of manner (रीतिवाचक क्रियाविशेषण)**

जल्दी (quickly); धीरे (slowly); सावधानी से (carefully); आसानी से (easily); बेचैनी से (anxiously); अनजाने में (inadvertantly); जानबूझकर (deliberately); ध्यानपूर्वक (attentively); दुःखपूर्वक (sadly); अनायास (suddenly); मानो (as if); यथासंभव (as far as possible); अक्षरशः literally

2 **Adverb of Place (स्थानवाचक क्रियाविशेषण)**

यहाँ (here); वहाँ (there); इधर (this side); ऊपर (above) नीचे (below); आगे (ahead); पीछे (behind); सामने (in front); पास (near); दूर (far); घर पर (at home); बग़ीचे में (in the park)

3 **Adverb of time (समयवाचक क्रियाविशेषण)**

अब (now); तब (then); आज (today); कल (tomorrow / yesterday) परसों (the day before yesterday; the day after tomorrow); दो बजे (at 2 o'clock); सुबह को (in the morning); शाम को (in the evening); सोमवार को (on Monday); तीन जनवरी को (on 3rd Jan.); सन् १९९६ में (in 1996); अभी अभी (just now); जल्दी ही (soon); अभी (yet); अभी भी (still); बहुत देर से (since long) पिछले हफ़्ते/महीने/साल (last week / month / year); अगले हफ़्ते/महीने/साल (next week/month/year); पहले से ही (already)

4 **Adverb of frequency (आवृत्तिवाचक क्रियाविशेषण)**

प्रायः (usually); अकसर (often); हमेशा/सदैव (always); कभी नहीं (never); कभी कभी (sometimes); कभी भी (any time); सामान्यतः (generally); कभी कभार/यदा कदा/विरले ही (hardly ever); पुनः पुनः/बारम्बार (frequently) सप्ताह में एक बार (once a week); दिन में तीन बार (thrice a day);

कई बार (several times) ;   प्रतिदिन/हर रोज़ (daily) ;   आये दिन (every other day) ;
एक दिन छोड़कर (every alternate day) ;   समय समय पर (occasionally)

5 Adverb of degree (श्रेणीवाचक क्रियाविशेषण)

बहुत (very) ;   कम (less) ;   अधिक (most) ;   लगभग (about) ;   पूर्णतया (completely) ;
बिल्कुल (absolutely) ;   कुछ कुछ (rather/some) ;   वास्तव में (really) ;
दुगुना/तिगुना +adv. (twice/thrice + adv.) ;   इतना, इतने, इतनी + adv. (so + adv.) ;
पर्याप्त (enough) ;   अत्यधिक (too) ;   थोड़ा (a little) ;   विरले ही (hardly)

6 Interrogative Adverbs (प्रश्नवाचक क्रियाविशेषण)

कैसे (how) ;   कब (when) ;   क्यों/क्यों कर/किसलिए (why) ;   कहाँ; किधर (where)

7 Adverb of reason (कारण वाचक क्रियाविशेषण)

के कारण; के मारे, की वजह से (because of) ;   अत:, अतएव, इसलिए (for the reason)

8 Conjunctive adverbs (संयोजक क्रियाविशेषण)

तदनुसार (accordingly) ;   भी (also) ;   तत्पश्चात (there after) ;   इसलिए (therefore) ;
तथापि/फिर भी (however, none the less) ;   अन्यथा; नहीं तो (otherwise) ;
अभी तक (still) ;   इस तरह/ऐसे (thus)

9 Adverb of sentence

भाग्य से (fortunately) ;   निश्चित ही (definitely) ;   प्रत्यक्षत: (apparently) ;
संभाव्यत: (presumably) ;   निसन्देह (undoubtedly) ;   संभवत: (possibly) ;
वास्तव में (actually) ;   स्पष्टत: (obviously) ;   अंतत: (finally)

Examples :

Adverb of manner

1. वह बहुत **जल्दी** खाती है ।   She eats very quickly.
2. राम अंग्रेजी **सप्रवाह** बोलता है ।   Ram speaks English fluently.

228

3. सड़क **सावधानी से** पार करना।	Cross the road carefully.
4. मैंने यह **अनजाने में** कहा।	I said it inadvertantly.
5. पुलिस वाले ने अत्यन्त **अनौपचारिक ढंग से** मुझे पूछना शुरू किया।	The policeman started interrogating me officiously
6. उसने कमरे में चारों ओर **बेचैनी से** देखा।	She looked anxiously around the room.
7. बूढ़ा आदमी **शान्ति से** समुद्रतट पर लेटा था।	The old man lay peacefully on the beach.
8. वे **चुपके से** कमरे में घुसे।	They entered the room silently.
9. इतना **ज़ोर से** मत पढ़ो।	Don't read so loudly.
10. वह **खुशी खुशी** स्कूल जाता है।	He goes to school happily.
11. रस्सी **कसके** पकड़ो।	Hold the rope tightly.
12. वह मुझसे **कठोरता** से बोला।	He spoke sharply to me.

■ **Adverb of place**

1. **यहाँ** बैठो।	Sit here.
2. **इधर उधर** मत घूमो।	Don't wander here and there.
3. पिता जी **ऊपर** हैं।	Father is upstairs.
4. मैं सोमवार को **घर पर** रहूँगा।	I shall stay at home on Monday.

■ **Adverb of time**

1. मैं तुम्हें **पाँच जनवरी** को **सबेरे दस बजे** कनाटप्लेस में मिलूँगा।	I shall meet you at Connaught Place on 5th January at 10 o'clock in the morning.
2. **पिछले हफ़्ते** मैं बनारस में था। **अगले हफ़्ते** मैं जयपुर जाऊँगा	Last week I was in Banaras. Next week I will go to Jaipur.
3. क्या वह **अभी भी** पढ़ रही है ?	Is she still studying ?
4. क्या आप **बहुत देर से** इंतजार कर रहें हैं?	Have you been waiting long ?

Adverb of frequency

1. चार चार घंटे पर दवाई पीना ।
Take the medicine every four hours.

2. रोज़ व्यायाम करना ।
Exercise everyday.

3. हम एक दिन छोड़कर अंग्रेज़ी सीखते हैं ।
We learn English every alternate day.

4. माता जी यदाकदा सिनेमा देखती हैं ।
Mother seldom sees a film.

5. मैंने मांस कभी नहीं खाया ।
I have never eaten meat.

Adverb of degree

1. किताब बहुत रोचक थी ।
The book was quite interesting.

2. मैं शाम तक थोड़ी थकी हुई महसूस करती हूँ ।
I feel a bit tired by the evening.

3. थोड़ा और काम करो; तुम सफल होओगी ।
Work a bit more; you will be successful.

4. संदूक बहुत भारी है ।
The box is very heavy.

5. चाय पर्याप्त ठंडी है ।
The tea is cold enough.

6. मुझे इतना बड़ा मकान नहीं चाहिये ।
I don't need such a big house.

7. यह वाली साड़ी उस वाली से तिगुनी महँगी है ।
This saree is three times more expensive than that one.

8. हमारा स्कूल बहुत दूर है ।
Our school is a long way.

Use of कहाँ 'X' .... कहाँ 'Y'

☞ **This expression is used when there is a big difference between two things or persons and no comparison is possible**

■ कहाँ राम कहाँ रावण

राम   one of the Indian gods

रावण   a notorious demon

This saying is used when one is extremely good, noble and the other very bad.

■ कहाँ राजा भोज कहाँ गंगू तेली

राजा भोज   a very wealthy king

गंगू तेली   a poor man

230

This saying is used when there is no comparison between the financial status of two persons.

☞ **Usually the superior one comes first, the inferior one later**

Use of कहीं – perhaps

कहीं वह बैंक गया हो।	Perhaps he went to the bank.
जाओं, देखो, कहीं वह पढ़ रही हो।	Go and see, perhaps she is studying.

Use of 'कहीं' at the beginning of two sentences denotes contradiction

कहीं सुख, कहीं दुख।	Somewhere joy somewhere pain.
कहीं बाढ़ है, कहीं सूखा।	Somewhere flood, somewhere drought.
कहीं बारिश है तो कहीं धूप है।	Somewhere rain somewhere sunshine.

Use of 'कहीं' – denoting surprise

1.	मरूभूमि में कहीं धान उगता है!	Does rice ever grow in the desert !
=	मरूभूमि में धान नहीं उगता।	Rice does not grow in the desert.
2.	काठ की हाँडी में कहीं खाना पकता है!	Does food ever get cooked in a wooden pot !
=	काठ की हाँडी में खाना नहीं पकता।	Food doesn't get cooked in a wooden pot.
3.	पत्थर से कहीं पानी निकलता है!	Does water ever come out of a stone !
=	पत्थर से पानी नहीं निकलता।	Water doesn't come out of a stone.

कभी कभी - once in a while

कभी कभी हमें भी याद किया करो।	Once in a while think of us too.
कभी कभी दर्शन दे दिया करो।	Do visit me once in a while.

कब कब – seldom

1.	माँ **कब कब** सिनेमा देखने जाती हैं।	Mother seldom goes to the movies.
2.	मुझे **कब कब** इतना स्वादिष्ट भोजन मिलता है ?	I seldom get such delicious food.

Use of क्यों नहीं – of course / yes

1.	"आप मेरे साथ घूमने चलेंगे ?"	Will you come with me for a walk ?
	"क्यों नहीं"।	Yes, certainly.

2. "आगामी इतवार को सारनाथ चलें ?" — Shall we go to Sarnath next Sunday ?
"क्यों नहीं।" — Of course.

Use of क्यों कर – How

1. मैं क्यों कर (कैसे) इतना भारी संदूक उठाऊँगा ? — How will I carry such a heavy box ?
2. वह क्यों कर (कैसे) इतनी दूर पैदल जाएगा ? — How will he walk so far ?

Participial constructions used as adverbs

■ **Use of (v.r. + ते) + ही as adv.**

बच्चा **उठते ही** गिरा। — The child fell as soon as he got up.

see page 69.

■ **Use of (v.r. + ते) + हुए as adv.**

1. बालक **दौड़ते** हुए आया। — The child came running.
2. रानी **कूदते** हुए आयी। — Rani came jumping.

see page 91.

■ **Use of (v.r. + ए) + हुए as adv.**

1. रानी **सोयी हुयी** बड़बड़ा रही थी। — Rani was talking while in sleep.
2. राम **लेटा हुआ** गुनगुना रहा था। — Ram was humming while he lay down.

see page 91.

■ **Reduplicative use of (v.r. + ते) + (v.r. + ते) used as adv.**

1. मैं काम **करते करते** थक गयी हूँ। — I am tired working continuously.
2. पिता जी कुर्सी पर **बैठे बैठे** सो गये हैं। — Father fell asleep seated in a chair.

see page 92.

■ **Use of (v.r. + कर) as adv.**

1. मैं दिल्ली से **होकर** चंड़ीगढ़ जाऊँगा। — I will go to Chandigarh via Delhi.
2. मैं भाई को **लेकर** बाज़ार गयी। — I went to the market with my brother.
3. रस्सी **कस के** पकड़ो। — Hold the rope tightly.
4. मुझे **विशेषकर** प्याज़ के पकौड़े पसन्द हैं। — I particularly like onion pakoras.

see page 104.

★ ★ ★

39

Postpositions (कारक चिन्ह)
'ने', 'को', 'से', 'का', 'के', 'की', 'में', 'पर'

Use of 'ने'

In Hindi language, the postposition 'ने' follows the subject in the past simple, the present perfect and the past perfect tenses with transitive verbs.

☞ **The verb agrees with the N and G of the object them.**

Examples :

1. राम ने पुस्तक पढ़ी।   Ram read the book.
2. मैंने खाना खा लिया है।   I have already eaten food.
3. उन्होंने हमें दावत में बुलाया था।   They had called us to the party.

☞ **Use of 'ने' is mostly found in western Hindi.**

☞ **When 'ने' follows a noun, it is written separately. Example : राम ने; व्यक्ति ने**

☞ **When 'ने' follows a pronoun, it is written as one word.**

Example : उसने, उन्होंने, किसने etc.

Use of 'को'

The postposition 'को' is used when referring definitely to some direct object, living or non-living

Examples :

1. पिछले हफ़्ते मैंने एक पुस्तक पढ़ी।
   I read a book last week.

2. हमने पेड़ पर बैठे हुए बन्दर देखे।
   We saw the monkeys sitting on the tree.

3. मैं हिन्दी सीखने के लिए कोई अध्यापिका खोज रही हूँ।
   I am looking for a teacher to learn Hindi.

1. तुम भी इस पुस्तक को पढ़ो।
   You also read this book.

2. आपने भी उन बन्दरों को देखा ?
   Did you also see those monkeys ?

3. मैं अपनी अध्यापिका को खोज रही हूँ।
   I am looking for my teacher.

4. उसने कुत्ते कभी नहीं पाले। है।

He has never kept dogs.

4. हमने इस कुत्ते को बहुत प्यार से पाला।

We have raised this dog with much love.

☞ **In the active as well as the passive voice, when the verb does not agree with the gender and number of the subject or the object; the object, living or non-living, is followed by को।**

Examples : Active voice

1. पिताजी ने मुझको बुलाया। — Father called me.
2. रावण ने इन्द्र को बन्दी बनाया। — Ravan made Indra captive.
3. अध्यापिका ने विद्यार्थियों को पढ़ाया। — The teacher taught the students.
4. गाँव वालों ने चोरों को मार भगाया। — The villagers hit and chased the thieves away.

Examples : Passive

1. मुझको बुलाया गया। — I was called.
2. चोरों को भगाया गया। — The thieves were chased away.
3. विद्यार्थियों को पढ़ाया गया। — The students were taught.
4. पेड़ों को काटा गया। — The trees were cut.

■ **Personal pronouns as object are followed by 'को'**

1. माँ ने मुझको कहा। — Mother said to me.
2. मैंने उसको बुलाया। — I called him/her.
3. अध्यापक ने हमको डाँटा... — The teacher scolded us.
4. तुम किसको ढूढ़ रहे हो ? — Who are you looking for ?
5. वह किसी को पुकार रहा था। — He was calling somebody.

■ **When adjective is used as noun-object, it is followed by 'को'**

1. ग़रीबों को परेशान न करो। — Don't trouble the poor.
2. अनाथों को आश्रय दो। — Support the orphans.
3. मरों को मत मारो। — Don't kill the already dead.
4. धनियों को सब पसन्द करते हैं। — Everybody likes the rich.

■ **'को'** is used with definite time nouns such as :

दिन को   during the day;   सुबह को   in the morning

रात को   at right;   शाम को   in the evening

■ **को** follows names of the days.

सोमवार को on Monday, मंगलवार को   on Tuesday etc.

■ **को** follows definite dates

तीन तारीख को on the 3rd, पाँच तारीख को on the 5th etc.

■ **को** follows the place nouns with some verbs of movement such as चलना, जाना, etc.

Examples :

1. मैं दिल्ली (को) जा रहा हूँ।   I am going to Delhi.
2. घर (को) चलो।   Go home.
3. मैं वहीं (को) आ रहा हूँ।   I am coming there.

☞ In spoken language, **'को'** is dropped most of the time.

■ When the (v.r. + **ने**) is used as object, it is followed by **'को'**

Examples :

1. हम ताजमहल **देखने को** जाएँगे।   We will go to see the Tajmahal.
2. मैं आप के साथ **चलने को** तैयार हूँ।   I am ready to go with you.
3. वह विदेश में **पढ़ने को** राज़ी है।   She has agreed to study abroad.
4. कर्मचारी हड़ताल **करने को** तत्पर थे।   The workers were ready to go on strike.

■ **को** is used in the language structures asking someone to do something.

Examples :

X ने Y को **खाने को** कहा।   X asked Y to eat.

X ने Y को **पढ़ने को** कहा।   X asked Y to study.

X ने Y को **खेलने को** कहा।   X asked Y to play.

235

■ **'object + को ' is used in case of verbs given below :**

बुलाना (to call); सुलाना (put to sleep)

जगाना (to wake up); कोसना (to curse)

मारना (to beat); डाँटना (to scold)

Examples :

1. **बच्चे को** सुलाओ। — Put the child to sleep.
2. **रानी को** जगाओ। — Wake Rani up.
3. वह अपने **भाग्य को** कोसता है। — He curses his destiny.
4. धोबी ने **गधे को** मारा। — The washerman beat the donkey.
5. यात्री ने **भिखारी को** डाँटा। — The traveller scolded the beggar.

■ **When a verb has both the direct as well as indirect object, 'को' follows the indirect object.**

Examples :

1. माँ **बच्चे को** खाना खिलाती है। — Mother feeds the baby.
2. अध्यापक **विद्यार्थियों को** अंग्रेज़ी पढ़ा रहा है। — The teacher is teaching English to the students.
3. तुम **रानी को** यह घड़ी दो। — You give this watch to Rani.
4. मैंने **पिताजी को** पत्र लिखा। — I wrote a letter to father.

■ **'को' follows purpose clauses**

☞ **Alternatively 'के लिए' can be used here.**

Examples :

1. प्रभु ने मुझको **काम करने को** दो हाथ और स्वस्थ शरीर दिया है। — God has given me two hands and a healthy body to do work.
2. तुम **काहे को** इतना बोलते हो ? — Why do you talk so much ?
3. पिता जी **खाने को** बैठे हैं। — Father has sat down to eat.

■ **'को' follows the subject in the case of verbs given below.**

1. पसन्द होना, पसन्द आना, अच्छा लगना — to like.
2. आना — to know how to do something

3. दिखाई देना	to be visible.
4. सुनाई देना	to be audible.
5. होना, पड़ना, चाहिए	used in language structures implying compulsion.

Examples :

1. **मुझको** हिन्दी बोलना पसन्द है।	I like to speak Hindi.
2. **उनको** दूरदर्शन देखना अच्छा लगता है।	They like to watch television.
3. क्या **तुमको** फ़िल्म पसन्द आई ?	Did you like the film ?
4. **मुझको** तैरना आता है।	I know how to swim.
5. आज **मुझको** बैंक जाना है।	Today I have to go to the bank.
6. **उसको** रोज़ सुबह पाँच बजे उठना पड़ता है।	He/She has to get up every morning at 5 o'clock.
7. **आपको** बिजली के उपकरण सावधानी से प्रयोग करने चाहिए।	You ought to use electric gadgets carefully.
8. क्या **आपको** कोई आवाज़ सुनाई दे रही है?	Can you hear something ?

Use of 'से'

☞ In Hindi the postposition से is used both for the instrumental case as well as the ablative case.

> ### Use of 'से' in the instrumental case

■ **Instrument**

1. चाकू से सब्ज़ी काटो।	Cut the vegetable with knife.
2. काली स्याही से लिखो।	Write in black ink.
3. वह बायें हाथ से खाता है।	He eats with the left hand.
4. क्या तुमने यह सब अपनी आँखों से देखा है ?	Have you seen all this with your own eyes ?
5. हम ठण्डे पानी से नहाते हैं।	We have a bath with cold water.

■ **Reason**

1. माता की इच्छा से यह सब हुआ। — All this happened by mother's wish.
2. गीता के नित्य पाठ से उसे शान्ति मिली। — He got peace by reading the Gita daily.
3. मैं भूख से परेशान हूँ। — I am troubled by hunger.
4. बड़ों की सेवा से संतोष मिलता है। — One gets satisfaction by serving the elders.

■ **Adverb of manner**

1. ठीक से बैठो। — Sit properly.
2. ध्यान से पढ़ो। — Study with concentration.
3. आप सब क्रम से आएँ। — Come turn by turn.

■ **Change of state**

1. कुछ ही दिनों में वह क्या से क्या हो गया। — In a few days he made unbelievable progress.
2. थोड़े ही दिनों में उनका व्यापार कहाँ से कहाँ पहुँच गया। — In no time his business expanded like anything.

■ **Passive**

1. मुझसे यह काम न किया जायेगा। — This work will not be done by me.
2. छात्रों को अध्यापक से इनाम दिए गए। — The students were given prizes by the teacher.

☞ **से is used in the dative case when used with some verbs such as कहना, पूछना, बोलना, प्रार्थना करना।**

☞ **Alternatively use of 'को' is also possible.**

Examples :

मैंने उससे कहा, ... — I said to him / her ....

उसने मुझसे पूछा, ... — He asked me ......

हमने उनसे प्रार्थना की....... — We requested him .....

वह तुमसे क्या बोला ? — What did he say to you ?

Use of 'से' in the ablative case

■ **Separation :**

1. पेड़ से पत्ता गिरा।	The leaf fell from the tree.
2. गंगा हिमालय से निकलती है।	The Ganges originates in the Himalayas.

■ **Time :**

1. वह एक सप्ताह से बीमार है।	He has been ill for one week.
2. मैं दो बजे से आपका इन्तज़ार कर रहा हूँ।	I have been waiting for you since 2 o'clock.
3. वह सन् १९८४ से भारत में है।	He has been in India since 1984.
4. उसका बेटा जनवरी से लापता है।	His son has been missing since January.

■ **Place :**

वह नार्वे से आया है।	He has come from Norway.

■ **Comparison :**

यह पुस्तक उस वाली **से रोचक** है।	This book is more interesting than that one.
वह तुम **से ज़्यादा बुद्धिमान** है।	He is more intelligent than you.

■ **Superlative**

1. **सुन्दर से सुन्दर** लड़कियाँ दावत में आयी थीं।	The most beautiful girls had come to the party.
2. वह **मुश्किल से मुश्किल** काम भी सहज ही कर लेता है।	He does the most difficult work easily.

■ **Ablative use of 'से' with verbs such as**

(1) माँगना (to ask for), (2) डरना (to be afraid of), (3) निकालना (to take out)
(4) छिपना (to hide), (5) छूटना (to depart) (6) रोकना (to forbid)

Examples :

1. मैंने **राम से** उसकी साइकिल माँगी।	I asked Ram for his bicycle.
2. वह **कुत्तों से** डरता है।	He is afraid of dogs.

3. अलमारी **से** पुस्तक निकालो ।	Take the book out of the cupboard.
4. एक विद्यार्थी **समूह से** पीछे छूट गया ।	One student got left behind the group.
5. माँ ने बच्चों को बाहर **जाने से** रोका ।	Mother stopped the children from going out.

■ से........ तक From .... to

1. **बचपन से बुढ़ापे तक** उसका स्वभाव न बदला ।	Her nature did not change from childhood to old age.
2. **यहाँ से वहाँ तक** सब खेत हमारे हैं ।	All the fields from here to there are ours.
3. **सुबह से रात तक** वह घोर परिश्रम करता है ।	He works very hard from morning to evening.
4. **एक से बीस तक** गिनो ।	Count from one to twenty.
5. **पृष्ठ पाँच से पृष्ठ बीस तक** पढ़ो ।	Read from page 5 to page 20.

Use of 'का', 'के', 'की'

☞ का, के, की are the case-endings used in the possessive case.

☞ These endings precede the object possessed.

☞ They agree with the number and gender of the object possessed and not with the number and gender of the possessor.

☞ In the direct case :

का precedes m. sg.

के precedes m. pl.

की precedes both f. sg. and pl.

☞ In the oblique case (i.e. when any postposition follows the object), the preceding 'का' changes to 'के' in the case of m. sg. objects irrespective of whether the masculine noun has आ- ending or not.

Examples :

राम का बेटा	the son of Ram.	Direct case; m.sg.
राम के बेटे को	to the son of Ram.	Oblique case; m.pl.
रानी का घर	the house of Rani.	Direct case; m.sg.
रानी के घर में	in the house of Rani.	Oblique case; m.pl.

240

☞ **का, के, की is used to talk about :**

■ **Relationship**

1. यह कमला का बेटा है। This is Kamla's son.
2. मैं कमला के बेटे को जानता हूँ। I know Kamla's son.

■ **Ownership**

1. इस मकान का मालिक कौन है ? Who is the owner of this house ?
2. यह किसकी घड़ी है? Whose watch is this ?
3. मैं इस मकान के मालिक से मिलना चाहता हूँ। I want to meet the owner of this house.

■ **Ingredients :**

1. यह चाँदी की थाली है। This plate is made of silver.
2. ताजमहल संगमरमर का बना है। Tajmahal is made of marble stone.
3. मैं गेहूँ के आटे की रोटी पसन्द करता हूँ। I like roti made of whole wheat flour.

■ **Purpose**

1. यह दूध का बर्तन है। This is a milkpot.
2. यह सोने का कमरा है। This is a bedroom.
3. नयी घड़ी सोने के कमरे में रखो। Keep the new watch in the bedroom.

■ **Events following a regular pattern :**

1. हम **सोमवार के सोमवार** विश्वनाथ मंदिर जाते हैं। We go to the Vishwanath temple every Monday.
2. **साल के साल** वे लोग नैनीताल जाते थे। They used to go to Nainital every year.

■ **Since long**

1. वह **कब का** यहाँ बैठा है। He has been sitting here for a long time.
2. हम **कब के** खा चुके हैं। We ate long ago.

241

3. कमला **कब की** तुम्हें ढूँढ़ रही है। — Kamla has been looking for you for a long time.

- **The whole of something / totality**

1. कल की आग में **बस्ती की बस्ती** जलकर राख हो गयी। — The entire colony got burnt to ashes in yesterday's fire.
2. डाकू **गाँव का गाँव** लूट कर ले गये। — The robbers plundered the whole village.

- **Measure**

1. **छ: फुट का** आदमी — a six-foot (tall) man.
2. **दस हाथ का** बाँस — a ten-hand (long) bamboo stick.
3. **दो बीघे का** खेत — a two-bigha field.

- **Price**

दस रुपये के आम — mangoes for ten rupees.
सौ रुपये की किताब — a book for hundred rupees.

- **Writers of books**

1. 'निर्मला' **प्रेमचन्द का** उपन्यास है। — 'Nirmala' is a novel by Premchand.
2. 'कामायनी' **जयशंकर प्रसाद का** काव्य ग्रन्थ है। — 'Kamayani' is a work of poetry by Jaishankar Prasad.

- **Unchanged situation**

1. आप जब भी आएँगे, आपको आपका घर **ज़्यों का त्यों** मिलेगा। — Whenever you come, you will get your house as it is.
2. तुम इतने वर्षों बाद भी **वैसी की वैसी** ही दिखती हो। — Even after so many years you look just the same.

Use of 'में'

- **Natural quality**

1. **आम में** मिठास है। — There is sweetness in mangoes.
2. **सरसों में** तेल है। — There is oil in mustard seed.
3. **दूध में** प्रोटीन और केल्शियम हैं। — There are proteins and calcium in milk.

4. आत्मा में परमात्मा है।   God is in the soul.
5. फूलों में सुगन्ध है।   There is fragrance in the flowers.

■ Place

1. हम कमरे में सोते हैं।   We sleep in the room.
2. तीर्थयात्री नदी में नहाते हैं।   The pilgrims bathe in the river.
3. मछलियाँ पानी में रहती हैं।   The fish live in water
4. वह भारत में नई दिल्ली में   He lives in India in New Delhi at
   कनाटप्लेस में रहता है।   Connaught place
5. शेर जंगल में रहते हैं।   The lions live in the jungle.

■ Price

1. तुमने यह पुस्तक़ कितने में ख़रीदी ?   How much did you buy this book for ?
2. आपने अपना घर कितने में बेचा ?   How much did you sell your house for?
3. आजकल सौ रुपये में क्या मिलता है ?   What does one get for hundred rupees these days ?

■ Between / among

1. दोनों के विचारों में समानता है।   There is similarity between the ideas of both.
2. हममें कोई मतभेद नहीं।   There is no difference of opinion among us.
3. बहनों बहनों में इस समय कुछ   There is now some unpleasantness between
   अनबन चल रही है।   the sisters.

■ Miscellaneous

1. उसे व्यापार में घाटा हुआ।   He suffered loss in business.
2. गुस्से में वह कुरूप दिखती है।   She looks ugly when angry.
3. वह देखने में माँ जैसी परन्तु स्वभाव   She looks like her mother but her
   में अपने पिता जैसी है।   nature is like her fathers.
4. आज मैं जल्दी में हूँ।   I am in a hurry today.
5. हम मौज में हैं।   We are having fun.
6. माँ चिन्ता में है।   Mother is worried.
7. यह कहानी संक्षेप में लिखो।   Write this story in short.
8. प्राचीन काल में लोगों का जीवन सादा   In ancient times people lived a simple life.
   था।

9. पिछले **दो हफ़्तों में** आपने क्या क्या किया ? What did you do during the last two weeks?

10. **जनवरी में** मैं जर्मनी जाऊँगी। I will go to Germany in January.

11. **सन् 1994** में मैं जापान में थी। I was in Japan in 1994.

12. आज **कई दिनों में** मैं ठीक से सोई। Today, I slept well after several days.

13. इस **बैंक में** सब काम **हिन्दी में** होता है। In this bank, all the work is done in Hindi.

Use of 'पर'

■ **Location :**

1. बन्दर पेड़ों पर रहते हैं। Monkeys live in trees.
2. इस समय पिताजी दुकान पर हैं। Father is at the shop at this time.
3. पुस्तक मेज़ पर है। The book is on the table.
4. मेरे सिर पर अपना हाथ रखो। Put your hand on my head.
5. डाकिया द्वार पर है। The postman is at the door.
6. हमारा घर सड़क के कोने पर है। Our house is on the corner of the street.
7. गंगा के तट पर एक बहुत बड़ा होटल बन रहा है। A very big hotel is being built on the banks of the Ganges.
8. कार सड़क पर जा रही है। The car is moving on the road.

■ **Time :**

1. परीक्षा समय पर शुरू नहीं हुई। The exam did not begin on time.
2. इस वर्ष मानसून ठीक समय पर आने की संभावना है। The monsoon is likely to arrive at the proper time this year.
3. चार चार घण्टे पर दवाई खाइए। Take this medicine every four hours.
4. जहाज़ दो बजकर दस मिनट पर छूटता है। The ship departs at 2.10.
5. अपना काम समय पर करो। Do your work punctually.

■ **One thing follows the other :**

1. पिताजी के (घर) लौटने पर घर में प्रसन्नता छा गयी। Joy prevailed in the house on father's return.

244

2. राम के घर से जाने पर उसकी माँ बहुत व्यथित हुई।	Ram's mother became very unhappy on his leaving the house.
3. सबने कॉफ़ी पीने पर पान खाए।	Everybody ate 'pan' (betel leaf) after drinking coffee.
4. बात पर बात निकलती गयी।	One thing followed the other (and the conversation continued).

■ **With place adverbs :**

यहाँ पर here; वहाँ पर there; कहाँ पर where (interrog.) जहाँ पर where (rel.)

■ **Talking about distance :**

1. डाकखाना हमारे घर से एक किलोमीटर की **दूरी पर** है।	The post office is one kilometer from our house.
2. मेरा घर यहाँ से मात्र **दस कदम पर** है।	My house is just about ten steps from here.
3. कुछ **आगे जाने पर** उसे एक भिखारी मिला।	As he went a bit farther, he met a beggar.

■ **Miscellaneous :**

1. दिन पर दिन आबादी बढ़ रही है।	Day-by-day the population is increasing.
2. अपने बड़ों के पद चिन्हों पर चलो।	Follow the foot-steps of your elders.
3. उसका स्वभाव अपने पिता पर है।	His character is like his fathers.
4. वह अपनी बात पर अटल रहता है।	He sticks to his words.
5. उसने किसके कहने पर यह धन्धा शुरू किया?	At whose suggestion did he start this job ?
6. इसी बात पर उनमें विवाद हुआ।	They had an argument on this very issue.
7. मेरे सत्य बोलने पर माँ बहुत प्रसन्न हुई।	At my speaking the truth, mother became very happy.
8. कड़े परिश्रम पर सदैव सफलता मिलती है।	Hard work leads to success.

■ **(v.r. + ने) + पर + भी = in spite of, despite**

1. भारतीय होने पर भी वह अपनी संस्कृति के बारे में कुछ न बता पाया।	Despite being an Indian, he could not tell anything about his culture.
2. मेरे बार बार समझाने पर भी वह न माना।	In spite of my explaining to him again and again, he did not listen to me.

3. दो दिन की लम्बी बहस होने पर भी बैठक बिना निर्णय लिए स्थगित कर दी गयी ।

Despite long discussions for two days, the meeting was postponed without reaching any decision.

■ **Idioms**

1. **जले पर** नमक छिड़कना –
   to sprinkle salt on the burnt

2. **कटे पर** मिर्च लगाना –
   to put chillies on the cut skin.

☞ Both these actually imply adding misery to the already agonised by touching some sensitive matter.

3. **किसी पर** मरना ।
   to be ready to die for someone (out of love).

4. आज का काम **कल पर** मत छोड़ो ।
   Don't postpone today's work until tomorrow.

5. यह सब तुम **मुझ पर** छोड़ दो ।
   Leave all this to me.

6. मुझे **तुम पर** भरोसा नहीं ।
   I don't trust you.

7. बेटे ने बाप की **आशाओं पर** पानी फेर दिया ।
   The son totally disappointed the father.

☞ Sometimes '**में**', '**पर**' are used interchangeably.

पिता जी घर **पर (में)** हैं ।
Father is at home.

मैं आप को दफ़्तर **पर (में)** मिलूँगा ।
I will meet you in the office.

☞ '**में**', '**पर**' are sometimes used with the ablative case or the genitive case **से, का, के, की**

Examples :

1. पुस्तक **मेज़ पर से** नीचे गिर गयी ।
   The book fell down from the table.

2. उसकी **घर पर की** नौकरानी बीमार है ।
   Her maid servant that helps her in the house is sick.

3. इस शहर **में के** अधिकांश लोग मुझे जानते हैं ।
   Most people in this city know me.

4. तुममें से कौन मेरे साथ चलेगा ?
   Who will come along with me ?

246

40

Time Expression

कितने बजे हैं ? What time is it ?

1. कितने बजे हैं?	What time is it ?
2. एक बजा है।	It is one o'clock.
3. एक बज कर पन्द्रह मिनट हुए हैं।	It is one fifteen.
= सवा बजा है।	It is a quarter past one.
4. सवा दो बजे हैं।	It is a quarter past two.
5. सवा सात बजे हैं।	It is a quarter past seven.
6. ढाई बजे हैं।	It is half past two.
7. साढ़े तीन बजे हैं।	It is three-thirty.
8. साढ़े चार बजे हैं।	It is four-thirty.
9. पौने दो बजे हैं।	It is a quarter to two.
10. पौन बजा है।	It is a quarter to one.
11. एक बजकर दस मिनट हुए हैं।	It is ten past one o'clock.
12. दो बजकर बीस मिनट हुए हैं।	It is twenty past two.
13. एक बजने में दस मिनट हैं।	It is ten to one.
14. दस बजने में पाँच मिनट हैं।	It is five to ten.

247

कितना समय लगता है ....
How long does it take (x) to do y

Language structure 1 Questions

subj. + { (v.r. +ने) + में } + कितना + लगना + होना
with   समय   in the appropriate tense;
को   always m.sg. form

Language structure 2 Answers

subj. + {(v.r. + ने) + में} + time + लगना + होना
with   expression   in the appropriate tense;
को   agrees with the time expression

Examples:

1. आप को तैयार होने में कितना समय लगता है ?

   How long does it take you to get ready ?

   मुझको तैयार होने में दस मिनट लगते हैं?

   It takes me ten minutes to get ready.

2. बच्चों को पैदल स्कूल पहुँचने में कितना समय लगता था ?

   How long did the children use to take to reach school on foot ?

   उनको पैदल स्कूल पहुँचने में दस मिनट लगते थे ।

   They used to take ten minutes to reach school on foot ?

3. रॉबर्ट को हिन्दी सीखने में कितना समय लगा ?

   How long did Robert take to learn Hindi ?

   रॉबर्ट को हिन्दी सीखने में एक साल लगा ।

   Robert took one year to learn Hindi.

4. तुमको यह स्वैटर बिनने में कितना समय लगा है ?

   How long have you taken to knit this sweater ?

   मुझे यह स्वैटर बिनने में दो हफ़्ते लगे हैं ।

   I have taken two weeks to knit this sweater.

248

5. तुम्हें घर रंगने में कितना समय लगा था ?

How long had you taken to paint the house ?

हमें घर रंगने में पन्द्रह दिन लगे थे ।

It had taken us fifteen days to paint the house.

6. आप की माता जी को भोजन तैयार करने में कितना समय लगेगा ?

How long will your mother take to prepare food ?

मेरी माता जी को भोजन बनाने में कम से कम दो घण्टे लगेंगे ।

My mother will take at least two hours to prepare food.

7. मरीज़ को ठीक होने में कितना समय लग सकता है ?

How long could it take for the patient to get cured ?

मरीज़ को ठीक होने में एक दो महीने लग सकते हैं ।

It could take a couple of months for the patients to get cured.

More About Time Expressions

1. मेरा दोस्त कल शाम को पाँच बजे आएगा ।

My friend will come tomorrow at five o'clock in the evening.

2. मेरा मित्र सोमवार को आएगा ।

My friend will come on Monday.

3. मेरी माता जी परसों एक बजे जाएँगी ।

My mother will go the day after tomorrow at one o'clock.

4. उनका भाई बुद्धवार को आएगा ।

Their brother will come on Wednesday.

5. उसका भाई यहाँ आज दोपहर को पहुँचेगा ।

Her brother will arrive here today at noon.

6. हम कल सुबह चल पड़ेंगे ।

We will set off tomorrow morning.

7. मैं आप को कल दस बजे टेलीफोन करूँगा / करूँगी ।

I will telephone you tomorrow at 10 'o clock.

8. क्या आप कल रात तक लौटेंगे/ लौटेंगी?

Will you return by tomorrow night?

9. मैं अगले हफ़्ते लौटूँगा/लौटूँगी। — I shall come back next week.

10. आप अगले महीने कहाँ होंगे/होंगी ? — Where will you be next month ?

11. मैं अगले साल भारत में हूँगा/ हूँगी। — I shall be in India next year.

12. हम अगले इतवार को दावत देंगे। — We shall give a party next Sunday.

13. उसका जन्मदिन सात मई को है। — Her birthday falls on the seventh of May.

14. पाँच बजे तक मेरे घर आ जाना। — Come to my house by five o'clock.

15. आप दिल्ली कितने बजे जाएँगे/ जाएँगी। — At what time will you go to Delhi ?

16. पिछले हफ़्ते मैंने एक अच्छी 'फ़िल्म' देखी। — Last week I saw a good film.

17. हम तुम्हें दोपहर ढाई बजे मिलेंगे। — We will meet you at 2.30 in the afternoon.

18. वह प्रतिदिन सुबह आठ बजकर बीस मिनट पर दफ़्तर जाती है। — She goes to the office every day at 8.20 in the morning.

19. वह अगले शुक्रवार को आएगा। — He will come next Friday.

20. आप को यहाँ पहुँचने में कितना समय लगता है? — How much time does it take you to reach here ?

21. मैं कल सवा एक बजे आऊँगा। — I will come tomorrow at 1.15.

22. मेरे पिताजी पाँच मार्च को आएँगे। — My father will come on the fifth of March.

Some Hindi expressions corresponding to 'by', 'until', 'by the time', 'for', 'since', while, etc.

■ **by - तक**

1. मुझे पाँच बजे तक स्टेशन पहुँचना है। — I have to reach the station by 5 o'clock.

2. अगर आप विश्वविद्यालय में प्रवेश चाहते हैं, तो आप 10 तारीख़ तक भारत पहुँच जाइएगा। — If you wish to get admission at the University, please reach India by the 10th.

3. यदि आप इसी समय चल पड़ें तो दस
   बजे तक फ़रीदाबाद पहुँच जाएँगे ।

   If you start just now, you will reach
   Faridabad by 10 o'clock.

■ Until – तक

1. आप मंगलवार तक इंतज़ार कीजिए ।

   Please wait until Tuesday.

2. रानी रोज़ रात को दो बजे तक पढ़ती
   है ।

   Rani studies every day until 2 o'clock
   at night.

3. बारिश रुकने तक यहीं रहिए ।

   Stay here until the rain stops.

■ By the time – जब तक

1. जब तक पुलिस पहुँची, चोर भाग चुके
   थे ।

   By the time the police arrived, the thieves
   had run away.

2. जब तक कमला स्टेशन पर पहुँची गाड़ी
   छूट चुकी थी ।

   By the time Kamla reached the station, the
   train had left.

3. जब तक हम बाज़ार पहुँचेंगे, दुकानें
   बन्द हो चुकी होंगी ।

   By the time we get to the bazaar, the shops
   would have closed.

4. जब तक हम सभा में पहुँचे, प्रमुख
   अतिथि का भाषण समाप्त हो चुका था ।

   By the time we arrived at the meeting, the
   speech of the chief guest was already over.

5. जब तक जेल के अधिकारी को पता लगा,
   कैदी बहुत दूर निकल चुके थे ।

   By the time the jailor came to know, the
   prisoners had already gone very far.

■ For, Since - से

1. राम दिसम्बर से दिल्ली में है ।

   Ram has been in Delhi since December.

2. कमला दो महीने से यहाँ है ।

   Kamla has been here for two months.

3. मैं पिछले तीन महीने से हिन्दी सीख
   रहा हूँ ।

   I have been learning Hindi for the last
   three months.

4. शर्मा जी पिछले सोमवार से अस्पताल
   में हैं ।

   Mr. Sharma has been in hospital since
   last Monday.

5. बच्चे कब से खेल रहे हैं ? — Since when have the children been playing?

■ **While – जब**

1. जब मैं ख़बरे देख रही थी, मैं कुर्सी से गिर गई। — I fell off the chair while I was watching the news.
2. जब मैं अगले महीने इंग्लैंड में हूँगी, मैं आपको मिलूँगी। — While I am in England next month, I shall visit you.
3. जब मैं सफ़र करती हूँ, मैं बहुत पढ़ती हूँ। — I read a lot while I am travelling.
4. जब रानी खाना पका रही थी, वह बेहोश हो गई। — Rani fainted while she was cooking.
5. जब हम छुट्टी पर थे, हम श्री गुप्ता से मिले। — We met Mr. Gupta while we were on vacation.

■ **From – से ..... To तक**

1. सोमवार से शनिवार तक मैं प्रतिदिन आठ घण्टे काम करती हूँ। — I work eight hours a day from Monday to Saturday.
2. हम तीन मई से सात जुलाई तक मसूरी में रहेंगे। — We will stay in Mussoorie from 3rd May to 7th July.
3. सन् 1981 से 1984 तक हम विदेश में रहे। — We were abroad (in a foreign country) from 1981 to 1984.
4. तुम दोपहर एक बजे से तीन बजे तक क्या करती हो ? — What do you do from 1 p.m. to 3.p.m.?

■ **during : में, के दौरान**

1. इन छुट्टियों के दौरान हम पुष्कर जाएँगे। — We will go to Pushkar during this vacation.
2. मैं रात के दौरान कई बार उठी। — I got up several times during the night.

3. मेरे पिताजी प्राय: फ़िल्म के दौरान सो जाते हैं ।

My father usually falls asleep while watching a film.

4. आप आज दोपहर में ख़ाली हैं ?

Are you free this afternoon ?

5. मई-जून में भारत में दूध से बनी मिठाइयाँ नहीं मिलतीं ।

Sweets made from milk are not available in India in May-June.

6. अनिल बचपन में बहुत शैतान था ।

Anil was very naughty during childhood.

7. हम दिसम्बर के महीने में वाराणसी में नहीं रहेंगे ।

We will not live in Varanasi in the month of December.

See R-8

41 Some Usages

और कब ?	और क्या ?	और कैसे ?	और कौन?	और कहाँ ?
when else?	**what else?**	**how else?**	**who else?**	**where else?**

1. मैं **और कब** आऊँ ? — When else shall I come ?
2. **और कौन** आ रहा है ? — Who else is coming?
3. मैं **और कैसे** यह करूँ ? — How else shall I do it ?
4. मैं **और क्यों** (क्योंकर) ऐसे कहूँगा? — Why else would I say so ?
5. मैं **और क्या** तुम्हें दूँ ? — What else shall I give you ?
6. मैं **और किसके** पास मदद के लिए जाऊँ? — Who else should I go for help to ?
7. मेरे बजाय **और किसी का (किसी और का)** समय बर्बाद करो। — Waste someone else's time instead of mine.
8. मेरे सिवाय **और कौन** तुम्हारी मदद करेगा? — Who else will help you except me?
9. मेरे बिना तुम **कुछ और** हासिल नहीं कर सकते। — You cannot achieve anything else without me.
10. मैं **और किस तरह** यह समस्या सुलझाऊँ? — How else shall I solve this problem ?
11. वे **और क्या** कर सकते थे ? — What else could they do ?

न जाने	**Who knows**
भगवान जाने, खुदा जाने, ईश्वर जाने,	**God knows**
कौन जाने	**No one knows etc.**

1. **न जाने** कमला को क्या हो गया है। कई दिन से दिखी नहीं। — No one knows what has happened to Kamla. She has not been seen for several days.

2. अनिल कई दिनों से हमारे यहाँ नहीं
   आया। **भगवान जाने** उसको क्या
   हुआ है।

   Anil has not come to our house for several
   days. God knows what has happened
   to him.

3. मेरी घड़ी नहीं चल रही। **कौन जाने**
   क्या ख़राबी आ गई है?

   My watch is not working. Who knows
   what is wrong with it?

4. **न जाने** उसे क्या हुआ। अचानक
   पक्की नौकरी छोड़कर घर में बैठ गया
   है।

   God knows what happened to him.
   Suddenly he gave up the permanent
   job and is sitting at home.

Echo Words

The use of echo words is very frequent in Hindi. Usually, but not always, the
first or the second component of these compound words is meaningless.
Mostly they rhyme well with each other. However, there is no hard and fast rule.
There are endless number of non-rhyming compounds. These are used in
casual informal talk conveying the sense of English 'etc., so on-'

☞ The meaningless component usually begins with वा, शा, or आ

Examples:

1. रोटी-वोटी खा लेना ।
   Eat bread, etc.

   रोटी
   Indian flat bread.

   वोटी
   rhyming, meaningless component.

2. चलिए, कॉफी हाउस चलें। कुछ
   कॉफ़ी-वॉफ़ी पी जाए।

   Let's go to coffee house and drink
   some coffee.

3. मुझे बहुत तड़क-भड़क, भीड़-भाड़, हल्ला-
   गुल्ला अच्छा नहीं लगता ।

   I don't like much ostentation, crowd
   and noise.

   तड़क-भड़क
   ostentation

   तड़क
   meaningless component

   भड़क
   ostentation

   भीड़-भाड़
   crowd

भीड़	crowd
भाड़	meaningless component
हल्ला-गुल्ला	noise
हल्ला	noise
गुल्ला	meaningless component

4. हमारे कमरे आमने-सामने हैं ।   Our rooms are facing each other.

आमने	meaningless component
सामने	in front of; facing

Some uses of 'न'

☞ **न is used**

1 **To make a negative command.**

1. यहाँ न बैठिये ।   Don't sit here.

2. यह पुस्तक न पढ़ो ।   Don't read this book.

2 **'न' at the end of the sentence is used as a question tag usually expecting an affirmative answer- e.g.**

1. आप का नाम अनिल है, न ?   Your name is Anil, isn't it ?

2. तुम बी.एच.यू. में पढ़ते हो न ?   You study at B.H.U., don't you ?

3. कमला हमारे साथ बाज़ार जाएगी न ?   Kamla will come with us to the market, won't she ?

3 **'न' is also put at the end of a sentence to plead to someone to agree to your request, e.g.**

1. आज हमारे साथ बाज़ार चलिए न ?   Please do come with us to the market today.

2. मुझे एक दिन के लिए अपना कैमरा दे न !   Please do give me you camera for a day!

4 क्यों न is used at the beginning of a sentence (1) to make a mild request or command, (2) to make a polite alternative suggestion, e.g.

1. क्यों न आज होटल में खाना खाएँ ?   Why not eat in a restaurant today ?

2. क्यों न इस बार गर्मी की छुट्टियों में काश्मीर चलें ?   Why not go to Kashmir during the summer vacation this year ?

3. क्यों न आज शाम को अंग्रेज़ी 'फ़िल्म' देखी जाए ?   Let's see some English movie this evening?

4. घर बैठे-बैठे क्या करेंगे ! क्यों न कहीं टहल आया जाए ?   What will we do sitting at home ! Why not go somewhere for a walk ?

The use of adjectival suffix सा, से, सी

☞ 'सा', 'से', 'सी' are suffixed to various parts of speech, such as nouns, pronouns, verbs, adjectives etc.

1 With nouns and pronouns it expresses likeness/similarity.

Example

1. वह गधा-सा लगता है।   He looks like a donkey.

2. यह फूल कमल-सा दीखता है।   This flower looks like lotus.

3. आप मेरी बहन-सी हैं।   You are like my sister.

4. छोटे लड़के बन्दर-से होते हैं।   Little boys are like monkeys.

5. उसकी सूरत अपनी माता की-सी है।   His face is like his mother's. (He resembles his mother.)

6. मुझे वे दोनों बहनें एक-सी लगती हैं।   To me both the sisters look alike.

7. मेरी चाँद-सी बेटी।   My daughter (who is good-looking) like the moon.

8. मेरी फूल-सी बच्ची।   My daughter is (who is delicate) like a flower.

9. उनका घर महल-सा है।   His house is like a palace.

257

2 With adjectives of quality, it sometimes reduces the degree of the quality.

3 With adjectives of quantity e.g. बहुत, थोड़ा etc. it enhances and emphasizes them; at the same time there is an element of vagueness about the size or quantity.

☞ when used with adjectives सा, से, सी agrees with the N and G of the object compared.

Examples

1. इस नदी का जल हरा-सा है।	The water of this river is greenish.
2. मुझे वह पीली-सी साड़ी दिखाइए।	Please show me that yellowish saree.
3. वह गोरी-सी लड़की मेरी सहेली है।	That fair-looking girl is my friend.
4. बहुत से मनुष्य जानवरों-सा जीवन जीते हैं।	Many people live like animals.

Compare and comprehend :

1. उसने मुझे **बहुत** चीजें दीं।	He gave me many things.
2. उसने मुझे **बहुत-सी** चीजें दीं।	He gave me very many things.
3. मेरी चाय में **थोड़ी** चीनी डालिए।	Put a little sugar in my tea.
4. मेरी चाय में **थोड़ी-सी** चीनी डालिए।	Put very little sugar in my tea.
5. वह **छोटे** कमरे में रहता है।	He lives in a small room.
6. वह **छोटे-से** कमरे में रहता है।	He lives in a rather small room.
7. कल हमारे यहाँ **बहुत-से** मेहमान आए थे।	Yesterday many guests came to our house.
8. मेरे बगीचे में **बहुत-से** पेड़ हैं।	There are many trees in my garden.

■ **कोई-सा–– Any out of a number of possibilities**

इनमें से कोई-सा कुरता लीजिए।	Take any one out of these 'kurtas'.

■ **कौन-सा–– Which out of a number of possibilities**

इनमें से **कौन-सा** कुरता लूँ ?	Which 'kurta' shall I take out of these ?
अ: मुझे श्री नाथ से मिलना है।	A: I would like to meet Mr. Nath.
ब: **कौन-से** श्री नाथ से ?	B: Which Mr. Nath?

Use of नहीं तो, वरना corresponds to 'or else' in English

Examples:

1. स्वेटर पहन लो, **नहीं तो** तुम्हें ठंड लग जाएगी ।

   Put on a pullover, or else you will get cold.

2. जल्दी कीजिए, **वरना** गाड़ी छूट जाएगी ।

   Hurry up, or else the train will leave.

3. रुपये–पैसे संभाल कर रखिये, **वरना** कोई चुरा लेगा ।

   Keep the money safely otherwise someone will steal it.

4. पौधों को पानी दीजिए **नहीं तो** वे मुरझा जाएँगे ।

   Water the plants or else they will wither.

6. मेरी निगाह से दूर हो जाओ, **नहीं तो** मैं तुम्हारे सिर के टुकड़े-टुकड़े कर दूँगा ।

   Get out of my sight or else I will break your skull into pieces.

7. जल्दी से दरवाज़ा बन्द करो **वरना** मच्छर आ जाएँगे ।

   Shut the door quickly or else mosquitos will will come in.

Use of भी नहीं/तक भी नहीं, भी 'not even', 'even'

1. अनु तो चाय **तक भी नहीं** बना सकती ।

   Anu can't even make tea.

2. वे लोग कुछ नाराज़ लगे । उन्होंने **तो** हमें देखकर नमस्ते **तक भी नहीं** की ।

   Those people seemed somewhat annoyed. They didn't even greet us with 'namaste'*.

3. मुझे **तो** उसकी शक्ल **भी** ठीक से याद **नहीं** ।

   I don't even remember his / her face well.

4. आज दो दिन से हमने चाय **भी नहीं** पी ।

   We haven't even had tea for two days.

5. बड़े शहरों में लोग अपने पड़ोसियों का नाम **भी नहीं** जानते ।

   In big cities people don't know even the names of their neighbours.

6. दिन भर काम करने के बाद **भी** वह ताज़ी लगती है ।

   Even after working the whole day she looks fresh.

* An all time Indian greeting.

259

Use of भर – only / whole / full

1. मुझे बहुत प्यास लगी है। मैं तो बाल्टीभर पानी पिऊँगा।	I am very thirsty. I shall drink a bucketful of water.
2. इस समय तो मुझे रत्तीभर भी भूख नहीं; बाद में खा लूँगा।	Just now I have absolutely no appetite. I shall eat later.
3. बस ? यह गिलासभर दूध तुम्हारी दिनभर की खुराक है ?	Is that all ? Only a glass of milk is your whole day's diet ?
4. आधे से ज़्यादा लोगों को इस देश में पेटभर खाना भी नहीं मिलता।	More than half the people in this country don't get enough food to fill their stomachs.
5. यदि आप इस समय मुझे कुछ रुपये उधार दें, तो मैं जीवनभर आपका आभारी रहूँगा।	If you lend me some money at this time, I would be ever grateful to you for the whole of my life.
6. दमभर साँस लेने दो।	Let me rest for a moment.
7. पलभर भी चैन नहीं है मुझे ।	I don't have a moment's peace.
8. इतने सालों बाद आए हो। आते ही जाने की रट लगा दी। आँखभर देख तो लेने दो; फिर चले जाना।	You have come after so many years. You started talking about leaving the moment you arrived. Let me look at you to my heart's content; after that you may go.

(subj. + के) + (v.r. + ने) + भर की देर होना
one just has to do 'X' where 'X' stands for 'v.r. + 'ने'

Examples :

1. तुम्हारे कहने भर की देर है, मैं सब कर दूँगा।	You just have to say it; I shall do everything.
2. उसके माँगने भर की देर थी; उसके भाई ने तुरन्त अपनी कार उसे दे दी।	He just had to ask for it; his brother immediately gave him his car.

Use of भी – Also

1 When the subject of the two sentences is different, but activity is same, 'भी' follows immediately after the subject of the second sentence.

Examples :

1. रानी स्कूल जाती है।
   रानी स्कूल जाती है।

   सीता स्कूल जाती है।
   सीता भी स्कूल जाती है।

2. वह बैंक में नौकरी करता है।
   वह बैंक में नौकरी करता है।

   मैं बैंक में नौकरी करता हूँ।
   मैं भी बैंक में नौकरी करता हूँ।

3. राम कॉलेज जाता है।
   राम कॉलेज जाता है।

   कमला कॉलेज जाती है।
   कमला भी कॉलेज जाती है।

4. मैं नृत्य सीखती हूँ।
   मैं नृत्य सीखती हूँ।

   मेरी सखी नृत्य सीखती है।
   मेरी सखी भी नृत्य सीखती है।

5. दिल्ली बड़ा शहर है।
   दिल्ली बड़ा शहर है।

   कलकत्ता बड़ा शहर है।
   कलकत्ता भी बड़ा शहर है।

2 When the subject of the sentences is same, but activity is different, then 'भी' follows the part of speech which is emphasized in the sentence.

Examples :

1. मैं घर में खेलती हूँ।
   मैं घर में खेलती हूँ।

   मैं बग़ीचे में खेलती हूँ।
   मैं **बग़ीचे में भी** खेलती हूँ।

2. रानी खाना पकाना जानती है।
   रानी खाना पकाना जानती है।

   रानी सिलाई करना जानती है।
   रानी **सिलाई करना भी** जानती है।

3. वे अंग्रेज़ी सिखाते हैं।
   वे अंग्रेज़ी सिखाते हैं।

   वे जर्मन सिखाते हैं।
   वे **जर्मन भी** सिखाते हैं।

4. मैं चाय पीता हूँ।
   मैं चाय पीता हूँ।

   मैं कॉफ़ी पीता हूँ।
   मैं **कॉफ़ी भी** पीता हूँ।

261

Use of ताकि – To express purpose

1. मैं संस्कृत भाषा सीख रही हूँ **ताकि** अपने धार्मिक ग्रन्थ पढ़ सकूँ ।

   I am learning Sanskrit so as to be able to read our scriptures.

2. जब व्यक्ति जवान हो, उसे बचत करनी चाहिये **ताकि** बुढ़ापे में आनन्द ले सके ।

   One ought to save while one is young so as to enjoy one's old age.

3. हम घर के चारोंओर ऊँची दीवार बना रहे हैं **ताकि** चोरों को अन्दर आने से रोक पाएँ ।

   We are building a high wall round the house so as to stop the burglars from breaking in.

4. वह आज दफ़्तर से जल्दी गयी **ताकि** रास्त में ख़रीदारी करे ।

   She left the office early today so as to shop on the way.

Use of इसलिए / क्योंकि – Reason

1. मेरे पास पर्याप्त पैसा नहीं था इसलिए मैंने वह कैमरा नहीं ख़रीदा ।

   I didn't have enough money, so I didn't buy that camera.

2. मैं विदेश कभी नहीं गयी, इसलिए मैं विदेशी रिवाज़ और सभ्यता नहीं जानती ।

   I have never been abroad, so I don't know foreign customs and cultures.

3. क्योंकि भारत एक बड़ा देश है, उसकी बहुत समस्याएँ हैं ।

   Since India is a large country, it has many problems.

4. क्योंकि वह स्कूल कभी नहीं गयी, वह पढ़ना लिखना नहीं जानती ।

   Since she never went to school, she does not know how to read and write.

Use of न .... न Neither ......nor

1. न वह बहुत होशियार है न मेहनती ।

   He is neither very intelligent nor hard working.

2. न पैसा उधार लो, न उधार दो ।

   Neither borrow nor lend money.

3. न वह दफ़्तर में काम करता है, न घर देखता है।

Neither he works in the office nor he looks after the household.

4. न उन्होंने हमें पैसा दिया, न किसी और प्रकार की मदद दी।

Neither they gave us money, nor any other help.

Use of या ..... या – Either ..... or

1. या तुम दोषी हो या मैं। इसका निर्णय कौन करेगा ?

Either you or I am to blame ! Who shall decide ?

2. या तो वह सचमुच मूर्ख है या बहुत चतुर।

Either he is truly foolish or very clever.

3. या बैठो, या जाओ। यूँ खड़े खड़े मेरा और अपना समय बर्बाद न करो।

Either sit down or go away. Don't stand like this and waste yours as well as my time.

4. या तो मैं बहुत बढ़िया साड़ी ख़रीदती हूँ या बिल्कुल नहीं ख़रीदती।

Either I buy a very good saree or I don't buy any at all.

5. या तो मुझे करने दो या स्वयं ध्यान लगाकर करो।

Either let me do it or do it yourself with concentration.

6. या तुम बोलो या मुझे बोलने दो।

Either you speak or you let me speak.

7. या मैं गर्मी की छुट्टी में काश्मीर जाऊँगी या फिर कहीं नहीं जाऊँगी।

Either I will go to Kashmir during the summer vacation or else I shall not go anywhere.

8. या करो या मरो।

Either do or die.

Use of यद्यपि, हालाँकि – Although

1. **यद्यपि** वह बहुत धनी है, उसे ज़रा भी घमण्ड नहीं।

Although he is very rich, he is not at all proud.

2. **यद्यपि** राम ग़रीब है, वह चोर नहीं है।

Although Ram is poor, he is not a thief.

3. **हालाँकि** रानी ने सबके सामने मेरा अपमान किया, मैं जानती हूँ वह अच्छी लड़की है और मैं उसे अब भी प्यार करती हूँ।

Although Rani insulted me in the presence of everybody, I know she is a good girl and even now I love her.

4. **यद्यपि** इस वर्ष भारत में वर्षा अच्छी नहीं हुई, देश में पर्याप्त अनाज है।

Although India did not have good rains this year, there is enough grain in the country.

5. **यद्यपि** वह प्राय: बीमार रहता है; **फिर भी** रोज समय से दफ़्तर आता है।

Although he is usually sick, even then he comes to the office on time everyday.

6. **हालाँकि** विपक्ष ने बहुत शोर मचाया, सरकार टस से मस नहीं हुई और अपने फ़ैसले पर अटल रही।

Although the opposition made much noise, the government did not budge and stayed firm on its decision.

7. **यद्यपि** उसने बहुत परिश्रम किया, वह प्रवेश परीक्षा में उत्तीर्ण नहीं हुआ।

Although he worked very hard, he did not pass the entrance examination.

ठहरा, ठहरे, ठहरी – After all it is so ......

जाने दीजिए – बच्चा जो ठहरा।

Let it be; after all he is a child.

गर्मी जो ठहरी।

After all it is heat !

महँगाई जो ठहरी।

After all things are very expensive.

हो-न-हो – Certainly; undoubtedly

हो-न-हो, उसने कुछ ग़लत काम किया है।

Certainly he has done something wrong.

हो-न-हो वह श्री सिंह का बेटा है।

Undoubtedly he is Mr. Singh's son.

उसकी शक्ल हू-ब-हू उनसे मिलती है।

He resembles him absolutely.

ब्राह्मणी ने सोचा **हो-न-हो** इस नेवले ने मेरे बच्चे को मार दिया।

The Brahman-woman thought, undoubtedly this mongoose has killed my child.

थोड़े ही – Not at all; of course not .... so

☞ न may or may not be used.

☞ This expression is used to negate a proposition. In English most of the time inflection of voice does this job. e.g.

1. मैं पागल **थोड़े ही** न हूँ। सब समझती हूँ।
I am not at all crazy. I understand everything.

2. मैं शादी के बाद घर पर **थोड़े ही** बैठी रहूँगी। मैं तो कहीं न कहीं अवश्य कुछ न कुछ काम करूंगी।
I won't keep sitting at home after marriage. I will certainly do something or the other somewhere.

3. मैं दिनभर खाती **थोड़े ही** (न) रहूँगी; आज मेरा व्रत है।
Of course I won't keep eating all day; I am observing a fast today.

4. माता जी मुझे **थोड़े ही** बुला रही हैं। वे तो तुम्हें बुला रही हैं।
Mother is not calling me; she is calling you.

5. मैंने **थोड़े ही** बात छेड़ी थी।
I did not start the topic.

6. मैं थोड़े ही उसके घर गई थी, वही मेरे घर आया था।
I did not go to his house; he came to my house.

7. मैं **थोड़े ही** जानता हूँ यह सब क्यों, कब, और कैसे हुआ।
I don't know why, when or how all this happened.

8. मैंने **थोड़े ही** उनसे कुछ मांगा था। उन्होंने अपने आप मुझे यह सब दिया।
I did not ask him for all this. He himself gave me all this.

और नहीं तो क्या Of course, it is like this (if not, what else)

☞ This expression is used to support what the other person says.

"सच ! तुम मेरे साथ चलोगी !"
Really! You will come with me ?

"और नहीं तो क्या ! मैं ऐसे ही कह रही हूँ क्या ?"
Of course ! Am I saying just like that.

Use of 'v.r. + बिना'/ बिना + v.r. + ए

1. खाए **बिना** (बिना खाए) मैं एक दिन भी नहीं रह सकती।

   I cannot stay even one day without eating.

2. सुने **बिना** ही जवाब दे दिया तुमने ?

   You answered without hearing ?

3. मुझसे मिले **बिना** मत जाना।

   Don't go without meeting me.

4. सोचे-समझे **बिना** किसी फ़ैसले पर न पहुँचना।

   Don't take any decision without considering (the matter).

5. पढ़े **बिना** जीवन बेकार है।

   Life is useless without studying.

भले ही – Even if; Even though

1. तुम **भले ही** अनिल के जन्मदिन पर न जाओ, मैं तो जाऊँगी।

   Even if you don't go to Anil's birthday, I will go.

2. अनिल **भले ही** हर साल विदेश जाता है, पर वह विदेशियों को बिल्कुल नहीं समझता।

   Even though Anil goes abroad every year, (but) he does not understand foreigners at all.

3. तुम सब **भले ही** 'फ़िल्म' देखने जाओ, मैं घर पर रह कर पढ़ूँगी।

   Even if all of you go to see a film (you may go to see a film if you like), I will stay at home and study.

4. आप **भले ही** मेरी गर्दन काट दें, मैं डॉक्टरी नहीं पढ़ूँगा।

   Even if you cut my throat (kill me), I will not study medicine.

5. वह **भले ही** किसी से कितनी नाराज़ हो, चेहरे से पता नहीं लगने देती।

   Even if she is very angry with somebody, she does not let her face show it.

6. मैं **भले ही** कल आप के घर न आऊँ, परन्तु जाने से पहले आपको अवश्य मिलूँगा।

   Even if I don't come to your house tomorrow, (but) I shall certainly meet you before leaving.

7. मैं **भले ही** कितनी थकी होऊँ रात बारह बजे से पहले नहीं सो सकती ।

Even if I am extremely tired, (However tired I may be) I cannot go to bed before 12 o'clock at night.

Use of 'X के मारे' – Because of

'X के मारे' is synonym of ' X के कारण', 'X की वजह से'

All of them give reason for an activity.

☞ However **'के मारे'** is used when the reason is too strong to be ignored or neglected.

1. डर **के मारे** वह तीन दिन तक घर से बाहर नहीं निकला ।

Because of fear, he did not come out of the house for three days.

2. व्यक्ति बच्चों **के मारे** इतने पापड़ बेलता है । यही बच्चे बड़े होकर जवाब–सवाल करने लगते हैं ।

A man does so much for his children, but when they grow up they call him to account for what he does.

3. दर्द **के मारे** वह कराह रहा था ।

He was moaning because of pain.

4. उसका तो बिल्कुल मन न था, पर बच्चों और पत्नी **के मारे** गाँव छोड़कर शहर में जाकर बसा ।

He did not want it at all but because of his wife and children he left the village and settled down in the city.

'मारे X के' – Because of

5. **मारे** गर्मी **के** सब का बुरा हाल था ।

Everybody was in a bad state due to heat.

6. **मारे** शर्म **के** वह सो न पाया ।

He could not sleep because of embarrassment.

7. **मारे** नींद **के** मेरी आँखे बन्द हो रही थीं ।

My eyes were closing because of sleep.

Use of 'के बजाय' की जगह, 'न + v.r. + कर' – Instead of

1. आज मैं बाज़ार जाने **के बजाय** (न जाकर) अपनी सहेली के घर जाऊँगी।
I shall go the to my friends house instead of going to the bazaar today.

2. आज घर पर खाना खाने **की जगह** (न खाकर) होटल में खाया जाए।
Let us eat in a restaurant today, instead of eating at home.

3. बहुत देर हो गई है। आज मेरे पति सीधे घर आने **के बजाय** (न आकर) किसी से मिलने चले गए है।
It is very late. My husband went to meet somebody instead of coming straight home.

4. आज स्कूल जाने **के बजाय** (न जाकर) सिनेमा देखने चला जाए।
Let us go to the cinema instead of going to school.

5. आज बूँदा-बाँदी हो रही है। बाहर बगीचे में **न जाकर**, अन्दर ही कुछ खेला जाए।
It is drizzling today. Let us play indoors, instead of going out in the park.

Use of भला

1. ऐसी तेज़ बारिश में **भला** कौन बाहर निकलता है ?
Who goes out in such heavy rain (certainly one does not go out in such heavy rain.)

2. "**भला** मैं क्यों बेटी के घर रहने लगी," बुढ़िया ने कहा ?
"Why would I stay at my daughter's house" said the old woman. (Certainly I won't stay at my daughter's house".)

3. **भला** मैं क्यों यह सब कहने लगी ?
Why would I say all this ?

Use of कहीं + adj. – much (more) than

1. कमला रानी से **कहीं** ज़्यादा कंजूस है।
Kamla is much more miserly than Rani.

2. मेरा मकान उनके मकान से **कहीं** अच्छा है।
My house is much better than theirs.

268

3. अनिल मुझसे **कहीं** तेज दौड़ता है ।　　　Anil runs much faster than I.

4. मेरी पतंग तुम्हारी पतंग से **कहीं** ऊँची　My kite flew much higher than yours.
   उड़ी ।

Use of तो in the main clause of conditional sentences

1. अगर तुम मेहनत करोगे, **तो** तुम्हें　　You will succeed if you work hard.
   सफलता मिलेगी ।

2. अगर मैं कभी धनी हुआ **तो** (मैं) दानी　If I ever became rich, I would also be
   भी हूँगा ।　　　　　　　　　　　　　generous.

3. अगर मैं भारत आया **तो** ताजमहल　　If came to India I would certainly see
   अवश्य देखूँगा ।　　　　　　　　　　the Taj Mahal.

4. अगर आप मेरा साथ देंगे, **तो** मैं व्यापार　If you join me, I shall do business.
   करूँगा ।

5. अगर बारिश अच्छी हुई, **तो** फ़सल　　If the rains are plentiful, there will be a good
   पर्याप्त होगी ।　　　　　　　　　　　harvest.

Use of बल्कि – on the contrary/but rather

1. उन्होंने मुझे गाली नहीं दी, **बल्कि** मुझे　He did not abuse me; on the contrary
   बड़े प्यार से समझाया ।　　　　　　　he explained everything affectionately.

2. राम ने हमारा अपमान नहीं किया,　　Ram did not insult us but rather
   बल्कि सबके सामने हमारी प्रशंसा की ।　praised us in front of everybody.

3. वह कामचोर नहीं **बल्कि** अत्यधिक　　He is not a malingerer; on the contrary,
   परिश्रमी है ।　　　　　　　　　　　he is extremely hardworking.

4. वह क्रूर नहीं **बल्कि** बहुत दयालु हैं ।　He is not cruel; on the contrary he is very
   　　　　　　　　　　　　　　　　kind.

5. वह नास्तिक नहीं, **बल्कि** आस्तिक है ।　He is not an atheist; on the contrary he is
   　　　　　　　　　　　　　　　　a believer.

Use of 'तो' to begin speech like well, So, etc. in English.

1. **तो,** मैं आप को बता रहा था — Well, as I was telling you......

2. **तो,** आप क्या कह रहे थे ? — Well, what were you saying ?

3. **तो,** आप कल दिल्ली जा रहे हैं ? — So, you are going to Delhi tomorrow ?

4. **तो,** अब हमें क्या करना चाहिए ? — Well, what should we do now ?

5. हाँ, **तो** बताइये, आप का व्यापार कैसा चल रहा है ? — So, tell me, how is your business running these days ?

ज्यों त्यों करके / जैसे तैसे ...... somehow

☞ **Managed to do it; it implies that the execution of the action caused inconvenience; it was not easy to do.**

1a. **ज्यों त्यों करके** मैंने परीक्षा पास की। — Somehow I managed to pass the examination.

1b. **जैसे तैसे करके** मैंने परीक्षा पास की।

2a. **ज्यों त्यों करके** हम उसके घर पहुँचे। — Somehow we managed to reach his house.

2b. **जैसे तैसे करके** हम उसके घर पहुँचे।

3a. **ज्यों त्यों करके** रानी ने अपना मकान बनवाया। — Somehow Rani managed to have her house built.

3b. **जैसे तैसे करके** रानी ने अपना मकान बनवाया।

4a. **ज्यों त्यों करके** मैंने उससे अपना पीछा छुड़ाया। — Somehow I managed to get rid of him/her.

4b. **जैसे तैसे करके** मैंने उससे अपना पीछा छुड़ाया।

270

ज्यों ही .... त्यों ही (as soon as)

1. **ज्यों ही** मैं सोकर उठा त्यों ही पानी चला गया।

   The water supply stopped as soon as I got up.

2. **ज्यों ही** वह घर से निकला त्यों ही बारिश होने लगी।

   It began to rain as soon as he got out of the house.

3. **ज्यों ही** दरवाज़ा खोला, त्यों ही चोर घर में घुस गए।

   The thieves entered the house as soon as I opened the door.

4. **ज्यों ही** मेरी आँख लगी, त्यों ही कुत्ते भौंकने लगे।

   The dogs began to bark as soon as I slept.

5. **ज्यों ही** मेरी पढ़ाई ख़त्म हुई, त्यों ही मुझे नौकरी मिल गई।

   I got a job as soon as my studies were finished.

Use of ज्यों ज्यों – त्यों त्यों

1. **ज्यों ज्यों** हम ऊपर चढ़ते गए, **त्यों त्यों** ठंड बढ़ती गई।

   The cold increased as we went on climbing.

2. **ज्यों-ज्यों** विचार करोगे, **त्यों त्यों** तुम मेरी बातों का मूल्य समझोगे।

   As you ponder over what I said, you will understand its value.

3. **ज्यों ज्यों** देश में आबादी बढ़ती जा रही है, **त्यों त्यों** बेरोज़गारी बढ़ती जा रही है।

   Unemployment is increasing as population is increasing in the country.

4. **ज्यों ज्यों** उसके पास धन बढ़ता गया, **त्यों-त्यों** वह और अधिक निर्दयी होता गया।

   He kept on becoming more cruel as his his wealth grew.

5. **ज्यों ज्यों** उम्र बढ़ती जाती है **त्यों त्यों** बच्चे समझदार होते जाते हैं।

   Children become wiser as they grow.

271

Use of ज्यों का / के / की त्यों

☞ का, के, की will depend on the gender and number of the object that is the same as before.

1. हमारा गाँव आज भी **त्यों का त्यों** है।

   Even today our village is exactly the same as before.

2. मैं राम को बहुत समय बाद मिला वह आज भी **ज्यों का त्यों** है।

   I met Ram after a long time. Even today he is exactly the same.

3. हमारी संस्कृति हज़ारों वर्ष पुरानी है। आज भी हमारे मूल मूल्य **ज्यों के त्यों** हैं।

   Our culture is thousands of years old. Even today our basic values are the same as before.

4. मुझे अमरीका में रहते हुए दस साल हो गए हैं, परन्तु मेरी अंग्रेज़ी **ज्यों की त्यों** है।

   I have been living in America for ten years but my knowledge of English is just the same as before.

'X' तो 'X', 'X' का क्या कहना, 'X' तो दूर रहा – 'not to speak of X'

1. **बच्चे तो बच्चे,** रसगुल्ले देख कर तो बूढ़ों के मुँह में भी पानी भर आता है।

   Not to speak of children, even the grown ups' mouths start watering at the sight of rasagullas.

2. दूध पनीर का **क्या कहना**/दूध पनीर तो **दूर रहा,** उन्हें तो दाल रोटी भी नसीब नहीं होती।

   Not to speak of milk and cheese, they don't even get lentils and bread.

3. कर्मचारी तो कर्मचारी (कर्मचारी **तो दूर रहे**/ कर्मचारियों का **क्या कहना**), इस दफ़्तर में तो उच्च अधिकारी भी भ्रष्ट हैं।

   Not to speak of employees, even the officers in this office are corrupt.

4. मैं तो मैं **(मैं तो दूर रहा**/मेरा **क्या कहना)** मेरे बच्चे भी नहीं मानेंगें।

   Not to speak of me, even my children will not agree to it.

272

Use of कब का / के / की 'for a long time' / 'a long time ago'

☞ **In the sentences where the subject is in the nominative case, कब का, कब के, कब की agree with the subject. See 1, 2a, 3a given below. In the sentences where subject is in the oblique case, this expression agrees with the object. See the sentences 2 (b), 3 (b), given below.**

1.	मैं **कब का** यहाँ बैठा हूँ। (कब का agrees with मैं (m. sg.))	I have been sitting here for a long time.
2.a.	हम **कब के** नाश्ता कर चुके हैं। (कब के agrees with हम (m.pl.))	We had our breakfast a long time ago.
b.	हमने **कब का** नाश्ता कर लिया है। (कब का agrees with नाश्ता (m. sg))	
3.a.	राम कब का पढ़ाई समाप्त कर चुका है। (कब का agrees with राम (m. sg.))	Ram finished his studies a long time ago.
b.	राम ने **कब की** पढ़ाई समाप्त कर ली है। (कब की agrees with पढ़ाई (f. sg.))	
4.	वह **कब का** इसी दफ़्तर में काम कर रहा है।	He has been working in this office for a long time.
5.	रानी **कब की** यहाँ बैठी है।	Rani has been sitting here for a long time.

Use of यों ही 'For no reason or purpose'

1.	राम ने अपने पुराने नौकर को **यों ही** निकाल दिया।	Ram dismissed his old servant.
2.	हम **यों ही** घूमने चले गए।	We went for a stroll just like that (without purpose).
3.	वह **यों ही** बोलता रहता है।	He keeps on talking for no reason.

Use of 'X' ही 'X' - nothing but 'X'

1. गाँव भर में **गन्दगी ही गन्दगी** थी।
There was nothing but filth in the whole village.

2. चारों ओर **अंधेरा ही अंधेरा** था।
There was nothing but darkness all around.

3. सर्वत्र **पानी ही पानी** था।
There was nothing but water everywhere.

4. जहाँ तक दृष्टि जाती थी, **खेत ही खेत** थे।
There was nothing but fields as far as one could see.

5. उनके बग़ीचे में **गुलाब ही गुलाब** हैं।
There is nothing but roses in his (Hon.) garden.

Use of क्या 'X' – क्या 'Y' whether 'X' or 'Y'

1. **क्या** ग़रीब **क्या** अमीर, एक दिन सबको जाना है।
Whether rich or poor, all have to go one day.

2. **क्या** बच्चे **क्या** बूढ़े, सभी शादी में नाचे।
Young or old, all danced at the wedding.

3. **क्या** सड़कों पर, **क्या** गलियों में, सर्वत्र भीड़ थी।
Whether roads or lanes, there was crowd everywhere.

5. **क्या** जनता **क्या** नेता, आजकल सब भ्रष्ट है।
Whether leaders or the led, all are corrupt these days.

शायद ही – Hardly

☞ Used when chances of an event happening or having happened are very remote, almost nil.

1. उसने **शायद ही** कभी कोई 'फ़िल्म' देखी हो।
He has hardly ever seen a film.

2. वे **शायद** ही दिल्ली आएँ।
It is highly improbable that they would come to Delhi.

3. रानी बिल्कुल नहीं पढ़ती। वह **शायद ही** परीक्षा में उत्तीर्ण हो।
Rani does not study at all. It is very unlikely that she would pass the examination.

274

4. वह बहुत धूर्त है। उसने **शायद ही** किसी का भला किया हो।	He is very crafty. He has hardly ever done any good to anybody.
5. राबर्ट को भारत में बहुत परेशानी हुई। वह **शायद ही** दोबारा भारत आए।	Robert had to face a lot of trouble in India. It is hardly likely that he would come to India again.

चाहे कुछ भी हो – Come what may

2. **चाहे कुछ भी हो**, मैं अपने सिद्धान्त नहीं छोड़ सकता।	Come what may, I cannot abandon my principles.
3. **चाहे कुछ भी हो**, तुम कभी नहीं बदलोगे।	Come what may, you will never change.
4. **चाहे कुछ भी हो**, हमें अपने देश की सीमाओं की रक्षा करनी है।	Come what may, we have to defend the borders of our country.
5. **चाहे कुछ भी हो**, आपको अपनी आर्थिक नीतियाँ बदलनी होंगी।	Come what may, you will have to change your economic policies.

जो चाहो (Do what you like)

English equivalent is 'one may do what one likes or desires.'

subj. + जो चाहो + v.r. + सकना + होना
nom. case + जो चाहें   to agree with the subject
       to agree with the subject

Examples :

1. तुम **जो चाहो** पहन सकते हो।	You (m.) may wear whatever you like.
2. तुम **जहाँ चाहो** जा सकती हो।	You (f.) may go wherever you like.
3. तुम लोग **जो चाहो** खा सकते हो।	You people may eat whatever you like.
4. तुम **जिससे चाहो** शादी कर सकते हो।	You (m.) may marry whomsoever you like.
5. तुम **जो चाहो** पढ़ सकती हो।	You (f.) may read whatever you like.

275

Use of 'के बावजूद'....... 'in spite of' / despite

1. प्रधानाचार्य की चेतावनी **के बावजूद** विद्यार्थियों ने भाषण नहीं सुना। — In spite of the Principal's warning the students did not attend the lecture.
2. उसके उदण्ड व्यवहार **के बावजूद** सब उसके प्रति कृपालु थे। — In spite of (despite) her impudent behaviour, everybody was kind to her.
3. अपनी ख़राब सेहत **के बावजूद** उसने बहुत परिश्रम किया और वह अपनी कक्षा में प्रथम आई। — In spite of her ill health, she worked very hard and stood first in her class.
4. मेरे सर्वश्रेष्ठ प्रयासों **के बावजूद** मैं उसे धूम्रपान छोड़ने पर राज़ी न कर सकी। — In spite of my best efforts, I could not persuade him to stop smoking.
5. गाँधी जी की सादगी **के बावजूद** सब उनका बहुत आदर करते थे। — In spite of Gandhi's simplicity everybody respected him.

Use of (v.r.+ते) + (v.r.+ते) + बचा/बचे/बची– 'Something' almost happened

1. माताजी मरते मरते **बचीं**। — Mother almost died.
2. राम 'फ़ेल' होते होते **बचा**। — Ram almost failed.
3. हम फिसलते फिसलते **बचे**। — We almost slipped.
4. फूलदान नीचे गिरते गिरते **बचा**। — The flower vase almost fell down.

Use of देखते ही देखते – In no time

1. **देखते ही देखते** गणपति सारा भोजन चट कर गये। — In no time, Ganpati ate up all the food.
2. **देखते ही देखते** वह बहुत बड़ा व्यापारी बन गया। — In no time he became a very big businessman.

Use of Some Reduplicative Expressions

1. चार चार घन्टे पर¹ यह दवाई लीजिए ।

    Take this medicine every four hours.

2. मैं कल सुबह होते ही, एक एक से² निबट लूँगा ।

    As soon as it is morning tomorrow, I shall deal with each one.

3. लड़कों को दस–दस रुपये³ और लड़कियों को पाँच–पाँच रुपये⁴ दे देना ।

    Give Rs. 10/ each to the boys and Rs. 5/ each to the girls.

4. नये–नये⁵ आविष्कारों ने गृहिणियों का नीरस काम काफ़ी सरल कर दिया है ।

    The latest inventions have taken away the drudgery of the house work for house-wifes.

5. राधा बहुत ज़्यादा चतुर है । चिकनी–चुपड़ी, मीठी–मीठी⁶ बाते करके हर किसी से अपना काम निकालना उसे खूब आता है ।

    Radha is very clever. She knows very well to get her work done by talking sweet with everyone.

6. आप कहाँ–कहाँ जाने की सोच रहे हैं ?

    To what different places are you planning to go ?

7. तुम मेरे लिए अमरीका से क्या–क्या⁸ लाओगे ?

    What all will you bring for me from America?

8. सब काम हो गया ?

    Is all the work done ?

    "क़रीब–क़रीब⁹ हो गया; कुछ–कुछ¹⁰ बाक़ी है ।"

    It is almost done; very little remains.

9. अपना–अपना¹¹ नाम बताइये ।

    Please tell me your (respective) names.

10. आज दावत में कौन–कौन¹² आ रहा है?

    Who are coming to the party today ?

11. "क्या सब लोग चले गए ?"

    "Have all gone away ?"

    "नहीं कोई–कोई¹³ अभी रुके हुए हैं । सब काम ख़त्म करके ही जाएँगे ।"

    "No, some are still there. They will go only after finishing all the work."

12. धीरे–धीरे¹⁴ सब ठीक हो जाएगा ।

    Gradually everything will be all right.

---

1. every four hours; 2. with each one; 3. Rs. 10/- each ; 4. Rs. 5 each; 5. new, the latest; 6. very sweet; 7. to what different places; 8. what all; 9. almost; 10. a little; 11. (your) respective; 12. who; 13. some; a few; 14. gradually.

Use of Indefinite adjective कई – (several)

☞ It is used only for countables.

☞ It has no oblique form.

☞ It is always plural.

☞ When used independently, it functions as pronoun.

कई लोग	several people	कई पुस्तकें	several books
कई स्थान	several places;	कई बातें	several things.

1. कई यात्री हर साल यहाँ मेले में आते हैं ।
Several travelers come here for the fair every year.

2. मैंने दिल्ली में कई रोचक 'फ़िल्में' देखीं ।
I saw several interesting films in Delhi.

3. राम ने हिन्दी की कई पुस्तकें पढ़ी हैं ।
Ram has read several Hindi books.

4. दादी जी ने बच्चों को कई कहानियाँ सुनाईं ।
Grandmother narrated several stories to the children.

5. मैं फ़्रांस में कई लोगों से मिली ।
I met several people in France.

6. जब मैं कनाडा में थी, मैंने वहाँ कई रोचक स्थान देखे ।
When I was in Canada, I saw several interesting places.

Use of relative adverbs जब, जबतक, जहाँ

1. **जब** तुम भारत आओ, मुझे ज़रूर मिलना ।
Do meet me when you come to India.

2. **जब** दाम कम हो जाएँगे, मैं ख़रीदारी करूँगी ।
When the prices fall, I will do the shopping.

3. यही वह होटल है **जहाँ** हम पिछले वर्ष ठहरे थे ।
This is the hotel where we stayed last year.

4. यही वह बग़ीचा है **जहाँ** हम बचपन में खेलते थे ।
This is the garden where we used to play in our childhood.

5. **जब तक** तुम पौधों को ठीक से खाद पानी दोगे, फूल सब्ज़ियाँ आदि अच्छे से फलेंगे ।
So long as you water the plants and use the fertilizers properly, flowers and vegetables will grow well.

278

Use of relative pronoun जो, जिस, जिन

1. मैं उस लड़के को जानती हूँ **जो** वहाँ खड़ा है ।

   I know the boy who is standing there.

2. **जो** छात्र जाना चाहते हैं वे जा सकते हैं ।

   The students who want to go may go.

3. **जो** आदमी मेरे कपड़े सीता है तीन महीने के लिए विदेश गया है ।

   The man who sews my clothes has gone abroad for three months.

4. यही साड़ी है **जिसे** मैंने कल ख़रीदा ।

   This is the saree that I bought yesterday.

5. यही वह सुन्दर औरत है **जिससे** हमारे मुहल्ले का प्रत्येक युवक दोस्ती करना चाहता है ।

   This is the beautiful woman whom every young man in our colony wants to befriend.

6. यही वह अभिनेत्री है **जिसके बारे में** मैंने सुबह तुमसे बात भी की थी ।

   This is the actress about whom I talked to you in the morning.

7. यही वह घर है **जिसमें** हम पहले रहते थे ।

   This is the house in which we lived previously.

8. आप पहले व्यक्ति हैं **जिन्होंने** एक उपयोगी सुझाव दिया है ।

   You are the first person who has come up with a practical proposal.

9. क्या यही वह बिजली मिस्त्री है **जिसने** आप का काम किया था ?

   Is this the electrician who did your work ?

10. मैं उस औरत को जानती हूँ **जिसका** पति शिक्षा मंत्री है ।

    I know that woman whose husband is education minister.

11. उस युवक का क्या नाम है जिसके पिता की मृत्यु विमान दुर्घटना में हुई ।

    What is the name of the young man whose father died in the accident.

12. गाड़ी में मैं एक औरत से मिली जिसकी माता मेरी माताजी की सहपाठिन थी ।

    I met a woman on the train whose mother was my mother's classmate.

279

Use of some pairs of abstract nouns and their adjectival forms

Language structure 1 Use of adj.

subj. + adj. + होना
nom. case

in the required tense
to agree with the subj.

Language structure 2 Use of noun.

subj. + को + abstract noun + होना

in the required tense
to agree with the subj.

Examples :

1. मैं परेशान हूँ।　　मुझको परेशानी है।
2. वह दुखी है।　　उसको दुख है।
3. रानी प्रसन्न है।　　रानी को प्रसन्नता है।
4. पिताजी खुश हैं।　　पिताजी को खुशी है।

adj.	n.	adj.	n.
हैरान	हैरानी	सुखी	सुख
निराश	निराशा	विस्मित	विस्मय
चिन्तित	चिन्ता	भयभीत	भय
बीमार	बीमारी	पीड़ित	पीड़ा
भयभीत	भय	विस्मित	विस्मय

Use of the compound verbs

1.	दिखाई देना	दिखाई पड़ना	to be visible
2.	सुनाई देना	सुनाई पड़ना	to be audible

Language structure

subj. with को + obj. + दिखाई देना / पड़ना + होना
सुनाई देना / पड़ना

in the required tense to agree with the subj.

Examples :

1. आप को क्या दिखाई दे रहा है ? — What is visible to you ?
2. मुझे यह चिड़िया दिखाई दे / पड़ रही है। — A bird is visible to me.
3. उसे कुछ सुनाई नहीं पड़ रहा था। — He / She could not hear anything.
4. यदि आप गंगा के किनारे रहेंगे, तो आप को सुबह भजन कीर्तन सुनाई देगा। — If you live on the banks of the Ganges, you will be able to hear "Kirtan".

★ ★ ★

42

Compare and Comprehend

In this section some language structures have been grouped together and their similarities as well as differences have been highlighted with a view to enabling the students to use the language accurately.

Use of 'stative verbs', 'change of state verbs' :
होना, जाना, बनना, रहना (to be, to become)

1. कमला बीमार थी।
   Kamla was sick.

   कमला बीमार हो गयी।
   Kamala became sick.

2. अनिल नेता है।
   Anil is a leader.

   अनिल नेता बन गया है।
   Anil has become a leader.

3. उन में मैत्री है।
   They are friends.

   उनमें मैत्री हो रही है।
   They are becoming friends.

Use of है, होता है, रहता है – 'to be', 'to become', 'to remain'

वह उदास है। He is sad.	घर से पत्र पाकर वह उदास होता है। When he gets a letter from home he becomes sad.	आजकल वह कुछ उदास रहता है। These days he is somewhat sad.
तुम दुःखी हो। You are unhappy.	तुम दुःखी क्यों होती हो ? Why do you become unhappy ?	तुम हमेशा दुःखी क्यों रहती हो ? Why are you always unhappy ?
आज गर्मी है। It is hot today.	यहाँ जून में गर्मी होती है। It is hot here in June.	यहाँ प्रायः गर्मी रहती है। It is usually hot here.
माता जी व्यस्त हैं। Mother is busy.	सुबह के समय माता जी व्यस्त होती हैं। In the morning mother is busy.	माता जी हर वक्त व्यस्त रहती हैं। Mother is always busy.

Use of the verbs आना, जानना
to denote X knows (how to do) Y

Language structure 1 Verb 'आना'

subj.	+	obj.	+	आना	+	होना
with को		n. or inf.		in required tense		

agree with the object

Language model 2 Verb 'जानना'

subj.	+	obj.	+	जानना	+	होना
nom. case		n. or inf.				in the required tense

agree with the subject

Compare and comprehend :

1a. मुझे हिन्दुस्तानी खाना बनाना आता है।
1b. मैं हिन्दुस्तानी खाना बनाना जानता हूँ।

I know how to cook Indian food.

2a. राबर्ट को हिन्दी अच्छी तरह आती है।
2b. राबर्ट हिन्दी अच्छी तरह जानता है।

Robert knows Hindi very well.

3a. मुझे तैरना बिल्कुल नहीं आता।
3b. मैं तैरना बिल्कुल नहीं जानता।

I don't know swimming at all.

4a. मेरी बहन को शास्त्रीय संगीत आता है।
4b. मेरी बहन शास्त्रीय संगीत जानती है।

My sister knows classical music.

5a. क्या आप को कढ़ाई-बुनाई आती है ?
5b. क्या आप कढ़ाई-बुनाई जानती हैं ?

Do you know knitting and embroidery ?

6a. जब मैं दस वर्ष की थी, मुझे वायलिन बजाना आता था।
6b. जब मैं दस वर्ष की थी, मैं वायलिन बजाना जानती थी।

When I was ten years old, I knew how to play the violin.

283

यद्यपि .... तथापि / तो भी / फिर भी / के बावजूद / होते हुए भी
Although.... even then / 'in spite of X'

1. **यद्यपि** वह निर्धन है, **तो भी** वह उदार है।

    Although he is poor (even then) he is generous.

1a. निर्धन **होने के बावजूद** वह उदार है।

    In spite of being poor he is generous.

b. निर्धन **होते हुए भी** वह उदार है।

2. **यद्यपि** यह कपड़ा सस्ता है, **तो भी** टिकाऊ है।

    Although this cloth is cheap, (even then) it is of very good quality.

2a. सस्ता **होने के बावजूद** यह कपड़ा टिकाऊ है।

    In spite of being cheap this cloth is of very good quality.

b. सस्ता **होते हुए भी** यह कपड़ा टिकाऊ है।

3. **यद्यपि** वे संस्था के प्रधान हैं, **तो भी** उन्हें रत्ती भर धमण्ड नहीं।

    Although he is the chief of the institute, he is not at all arrogant.

3a. संस्था के प्रधान **होने के बावजूद** उन्हें रत्ती भर भी धमण्ड नहीं।

    In spite of being the chief of the institute he is not at all arrogant.

b. संस्था के प्रधान **होते हुए भी** उन्हें रत्ती भर धमण्ड नहीं।

4. **यद्यपि** वह हमेशा बीमार रहता है, **फिर भी** किसी काम में लापरवाही नहीं करता।

    Although he is ill all the time (even then) he is not careless with any work.

4a. हमेशा बीमार **रहने के बावजूद** वह किसी काम में लापरवाही नहीं करता।

    In spite of being ill all the time he does not show negligence in any work.

b. हमेशा बीमार **रहते हुए भी** वह किसी काम में लापरवाही नहीं करता।

5. **यद्यपि** यह भोजन बहुत स्वादिष्ट नहीं, **फिर भी** बहुत पौष्टिक है।

    Although this food is not very tasty (even then) it is very nutritious.

5a. बहुत स्वादिष्ट **न होने के बावजूद** यह भोजन बहुत पौष्टिक है।

    In spite of not being very tasty this food is very nutritious.

b. बहुत स्वादिष्ट **न होते हुए भी** यह भोजन बहुत पौष्टिक है।

More on Present Continuous Perfect Tense

☞ **The three language models given below can be used interchangeably; Model 1 and 2 are maturer speech styles used in situations where there has been a long time lapse since the activity has continuously and habitually been undertaken.**

Model 1

subj.	+ time	+ obj.	+ v.r.	+	ता + आया	+	हूँ, हो
nom. case	clause				ते + आये		है, हैं
	followed				ती + आई		
	by से						

to agree with the subject

Model 2

subj.	+ time	+obj.	+ v.r.	+	ता	+	आ रहा	+	हूँ, हो
nom. case	clause				ते	+	आ रहे		है, हैं
	followed				ती	+	आ रही		
	by से								

to agree with the subject

Model 3

subj.	+ time	+ obj.	+ v.r.	+	रहा	+	हूँ, हो
nom. case	clause				रहे		है, हैं
	followed				रही		
	by से						

to agree with the subject

Examples :

1a. हम अंग्रेज़ों के ज़माने से अंग्रेज़ी बोलते आए हैं ।

b. हम अंग्रेज़ों के ज़माने से अंग्रेज़ी बोलते आ रहे हैं । We have been speaking English since the British period.

c. हम अंग्रेज़ो के ज़माने से अंग्रेज़ी बोल रहे हैं ।

285

2a. वे वैदिक काल से सब धर्मों का सम्मान
    करते आए हैं।

b. वे वैदिक काल से सब धर्मों का सम्मान
   करते आ रहे हैं।

They have been respecting all
religions since the Vedic period.

c. वे वैदिक काल से सब धर्मों का सम्मान
   कर रहे हैं।

3a. मैं बचपन से तला हुआ खाना खाती
    आई हूँ।

b. मैं बचपन से तला हुआ खाना खाती
   आ रही हूँ।

I have been eating fried food since childhood.

c. मैं बचपन से तला हुआ खाना खा रही हूँ।

4a. हम सन् 1947 से पड़ोसी देशों से मैत्री
    की कोशिश करते आए हैं।

b. हम सन् 1947 से पड़ोसी देशों से मैत्री
   की कोशिश करते आ रहे हैं।

Ever since 1947 we have been trying to be
friends with the neighbouring countries.

c. हम सन् 1947 से पड़ोसी देशों से मैत्री
   की कोशिश कर रहे हैं।

5a. माता जी सालों से सुबह-सुबह गंगा में
    नहाती आई हैं।

b. माता जी सालों से सुबह-सुबह गंगा में
   नहाती आ रहीं हैं।

For years mother has been bathing in
the Ganges in the early morning.

c. माता जी सालों से सुबह-सुबह गंगा में
   नहा रही हैं।

6a. आप का परिवार कब से खेती करता
    आया है?

b. आप का परिवार कब से खेती करता आ
   रहा है ?

Since when has your family been farming ?

c. आप का परिवार कब से खेती कर रहा
   है ?

Use of न केवल....बल्कि / .... भी ..... भी
not only .... but / .... as well as

1a.	वह **न केवल** बुद्धिमान है **बल्कि** मेहनती भी है।	He is not only intelligent but also hardworking.
b.	वह बुद्धिमान **भी** है और मेहनती **भी**।	He is intelligent as well as hardworking.
c.	वह बुद्धिमान तो है ही, साथ-साथ मेहनती **भी** है।	He is intelligent indeed; at the same time he is hardworking too.
2a.	उन्होंने **न केवल** मुझे अपने पास रखा **बल्कि** मुझे पढ़ाया लिखाया **भी**।	He not only let me stay with him but also educated me.
b.	उन्होंने मुझे अपने पास रखा **भी** और पढ़ाया लिखाया **भी**।	He let me stay with him and also educated me.
c.	उन्होंने मुझे अपने पास तो रखा ही, साथ-साथ पढ़ाया-लिखाया **भी**।	He let me stay with him (indeed); at the the same time he educated me too.
3a.	वे **न केवल** अमीर हैं बल्कि उदार हृदय वाले भी।	He (Hon.) is not only rich but also one with a generous heart.
b.	वे अमीर **भी** हैं और उदार हृदय वाले **भी**।	He (Hon.) is both rich and has a generous heart.
c.	वे अमीर तो हैं ही, साथ-साथ उदार हृदय वाले **भी**।	He (Hon.) is rich indeed; at the same time he is one with a generous heart.
4a.	मैं **न केवल** तुम्हारा पिता हूँ बल्कि तुम्हारा दोस्त **भी** हूँ।	I am not only your father, but also your friend..
b.	मैं तुम्हारा पिता **भी** हूँ और दोस्त **भी**।	I am both your father and your friend.
c.	मैं तुम्हारा पिता तो हूँ ही, साथ-साथ तुम्हारा दोस्त **भी** हूँ।	I am your father (indeed); at the same time I am your friend too.
5a.	उन्होंने **न केवल** पैसे से मेरी सहायता की बल्कि मेरा मनोबल **भी** बढ़ाया।	He not only helped me with money but also encouraged me.
b.	उन्होंने पैसे से **भी** मेरी मदद की और मेरा मनोबल **भी** बढ़ाया।	He helped me with money and also encouraged me.
c.	उन्होंने पैसे से तो मेरी मदद की ही, साथ-साथ मेरा मनोबल **भी** बढ़ाया।	He helped me with money; at the same time he encouraged me.

अगरचे / अगर / यदि .... तो 'if... (then)....'

The following table is a broad presentation of conditional sentences. As you see, there is much ambiguity as well as overlapping in their use : e.g. both (2) and (3) can be used to express the improbable, unrealistic conditions in the future; both (4) and (5) can be used to express the impossible condition in the past.

1. अगर मैं दिल्ली आऊँगा, तो आप से मिलूँगा ।
   If come to Delhi I shall meet you.

   Highly probable

   Both the subsidiary as well as the main clause have future tense.

2. अगर मैं दिल्ली आया, तो आप से मिलूँगा ।
   If I came to Delhi I would meet you.

   A little less probable

   The subsidiary clause has past tense, main clause has future tense.

3. अगर मैं दिल्ली आऊँ, तो आप से मिलूँ ।
   If I came to Delhi I would meet you.

   Improbable, unrealistic, imaginary conditions

   Use of future without गा, गे, गी in both the clauses.

4. अगर मैं दिल्ली आता तो आप से मिलता ।
   If I came to Delhi I would meet you.

   Improbable, unrealistic conditions, Wishful thinking, impossible condition

   This structure can be used in all the three tenses.

   Both the clauses have verb-root + ता, ते, ती

5. अगर मैं दिल्ली आया होता तो आप से मिला होता ।
   If I had come to Delhi I would have met you.

   Impossible condition

   Both the clauses have past form of the main verb + होता, होते, होती

288

1. अगर तुम भारत के प्रधानमंत्री **होगे** तो क्या **करोगे** ?
What will you do if you are the Prime Minister of India ?

2. अगर तुम भारत के प्रधानमंत्री **हुए** तो क्या **करोगे** ?

3. अगर तुम भारत के प्रधानमंत्री **होओ** तो क्या **करो** ?
What would you do if you were the Prime Minister of India ?

4. अगर तुम भारत के प्रधानमंत्री **होते** तो क्या **करते** ?

5. अगर तुम भारत के प्रधानमंत्री **हुए होते** तो तुमने क्या **किया होता** ?
What would you have done if you had been the Prime Minster of India.

6. अगर मैं प्रधानमंत्री **होऊँगा तो** सरकारी छुट्टियाँ कम **करूँगा** ।
If I am the Prime Minister of India I will cut down the public holidays.

7. अगर मैं प्रधानमंत्री **हुआ तो** सरकारी छुट्टियाँ कम **करूँगा** ।

8. अगर मैं प्रधानमंत्री **होऊँ तो** सरकारी छुट्टियाँ कम **करूँ** ।
If I were the Prime Minister of India I would cut down the public holidays.

9. अगर मैं प्रधानमंत्री **होता तो** सरकारी छुट्टियाँ कम **करता** ।

10. अगर मैं प्रधानमंत्री **हुआ होता तो** मैंने सरकारी छुट्टियाँ कम की **होतीं** ।
If I had been the Prime Minister of India I would have cut down the public holidays.

Making Wishes !
अगर ... तो ; काश   if ... then ; I wish

1. अगर तुम आते तो कितना अच्छा होता।
   अगर तुम आओ तो कितना अच्छा हो।

   How nice it would be if you came.

   काश ! तुम आते !

   I wish you came !

2. अगर मैं मछली होती तो पानी में तैरती।
   अगर मैं मछली होऊँ तो पानी में तैरूँ।

   If I were a fish, I would swim in the water.

   काश मैं मछली होती !

   I wish I were a fish !

3. अगर इच्छाएँ घोड़े होतीं तो सब सवारी करते।
   अगर इच्छाएँ घोड़े हों तो सब सवारी करें।

   If wishes were horses everyone would ride.

   काश इच्छाएँ घोड़े होतीं।

   I wish wishes were horses !

4. अगर मैं धनवान होता तो विश्व भ्रमण करता।
   अगर मैं धनवान होऊँ तो विश्वभ्रमण करूँ।

   If I were rich, I would travel around the world.

   काश मैं धनवान होता !

   I wish I were rich !

5. अगर मैं देश का राष्ट्रपति होता तो सर्वप्रथम जनसंख्या कम करता।
   अगर मैं देश का राष्ट्रपति होऊँ तो सर्वप्रथम जनसंख्या कम करूँ।

   If I were the president of the country, first of all I would reduce population.

   काश मैं देश का राष्ट्रपति होता !

   I wish I were the president of the country !

Use of emphatics भी, तो, ही, with reference to things that did not happen in the past and also are not going to happen in future.

☞ **Just as the two-speech patterns in English language given below mean the same thing and can be used interchangeably, so also their corresponding Hindi speech patterns mean the same and can be used interchangeably.**

☞ **The sentences using 'either' at the end to rule out a possibility uses भी, while the 'neither .... not' sentences require the use of 'तो', 'ही'**

1a.	वह आया भी नहीं और आएगा भी नहीं।	He didn't come and he won't come either.
1b.	न तो वह आया और न वह आएगा ही।	Neither did he come nor is he coming.
2a.	मैंने खाना कभी पकाया भी नहीं है और पकाऊँगी भी नहीं।	I have never cooked food and won't cook either.
2b.	न तो मैंने कभी खाना पकाया है और न कभी मैं पकाऊँगी ही।	Neither have I ever cooked food nor will I ever do so.
3a.	उसने चोरी की भी नहीं और वह चोरी कर भी नहीं सकती।	She has not stolen and she cannot steal either.
3b.	न तो उसने चोरी की ही है और न वह कभी कर ही सकती है।	Neither has she stolen nor could she ever steal.
4a.	वह इस बार परीक्षा में पास नहीं हुई और कभी होगी भी नहीं।	She did not pass the examination this time and will never pass it either.
4b.	न तो वह इस बार परीक्षा में पास हुई और न ही कभी होगी।	Neither did she pass the examination this time nor will she ever pass.
5a.	मैंने कभी विदेशी पोशाक नहीं पहनी और पहनूँगी भी नहीं।	I have never worn a foreign dress and I will never wear it either.
5b.	न तो मैंने कभी विदेशी पोशाक पहनी है और न कभी पहनूँगी ही।	I have neither worn a foreign dress nor will I ever wear it.
6a.	मैंने कभी झूठ नहीं बोला और कभी बोलूँगा भी नहीं।	I have never told a lie and will never tell one either.
6b.	न तो मैंने कभी झूठ बोला है और न कभी बोलूँगा ही।	I have neither told a lie nor will I ever do so.

Use of PPC and IPC with reference to activities involving lapse of time

Perfective Participial Construction (PPC) (a, b)

Imperfective Participial Construction (IPC) (c, d)

Note : In the sentences given below, a and b, though of a grammatically different construction, have the same meaning and can be used interchangeably. Similarly, c and d, though grammatically different, can be used interchangeably.

1a.	उन्हें दिल्ली छोड़े दो साल हो गए हैं।	It has been two years since they left Delhi.
b.	उन्होंने दिल्ली दो साल पहले छोड़ी।	They left Delhi two years ago.
c.	उन्हें दिल्ली में रहते हुए दो साल हो गए हैं।	They have been living in Delhi for two years.
d.	वे दो साल से दिल्ली में रह रहे हैं।	
2a.	कमला को हिन्दी सीखे हुए कई वर्ष हो गए हैं।	It has been several years since Kamla learnt Hindi.
b.	कमला ने कई वर्ष पहले हिन्दी सीखी।	Kamla learnt Hindi several years ago.
c.	कमला को हिन्दी सीखते हुए कई साल हो गए हैं।	Kamla has been learning Hindi for several years.
d.	कमला कई सालों से हिन्दी सीख रही है।	
3a.	बच्चे को दवाई खाए हुए तीन महीने हो गए हैं।	It has been three months since the child took the medicine.
b.	बच्चे ने तीन महीने पहले दवाई खायी।	The child took the medicine three months ago.
c.	बच्चे को दवाई खाते हुए तीन महीने हो गए हैं।	The child has been taking medicine for three months.
d.	बच्चा तीन महीने से दवाई खा रहा है।	
4a.	अनिल को फ्रांस में पढ़े हुए बहुत समय हो गया है।	It has been a long time since Anil studied in France.
b.	अनिल ने बहुत समय पहले फ्रांस में पढ़ाई की।	Anil studied in France a long time ago.
c.	अनिल को फ्रांस में पढ़ते हुए बहुत समय हो गया है।	Anil has been studying in France for a long time.
d.	अनिल बहुत समय से फ्रांस में पढ़ रहा है।	

Use of emphatic 'तो'

तो follows the verb	तो follows the subj. or object
1. मैं पढ़ता तो हूँ और क्या करूँ ? I do study. What else shall I do ?	मैं तो पढ़ता हूँ। I (indeed) study (meaning - I don't know about others).
2. उसने मुझे बुलाया तो था। He did invite me.	उसने मुझे तो बुलाया था। He had certainly invited me (meaning - I don't know if he invited others or not).
3. वे (Hon.) आप को पसन्द तो करते हैं। He does like you.	वे तो आप को पसन्द करते हैं। He (indeed) likes you (meaning - I don't know If anybody else does so or not)
4. उसने मुझे गाली तो दी थी, परन्तु मारा नहीं था। He did abuse me, but did not hit me.	उसने मुझे तो गाली दी थी। He (certainly) abused me. (meaning - I don't know whether he abused any body else or not)
5. मैं झूठ बोलता तो हूँ, परन्तु सिर्फ़ कभी-कभी। I do tell a lie, but only sometimes.	मैं तो कभी-कभी झूठ बोलता हूँ। I do sometimes tell a lie (I have no idea whether anybody else does so or not).

☞ English language speakers will not actually use these bracketed words. The emphasis would be conveyed by mere inflexion of the voice, where as Hindi speakers must use 'तो' for the required emphasis.

293

43 Imperative and Exclamations

Imperatives

हे लड़के, यहाँ आ।	Boy, come here !
हे रिक्शेवाले, लंका चलोगे।	Rickshaman, will you go to Lanka.
ए सब्ज़ीवाली, क्या बेच रही हो ?	Vegetable woman, what do you sell ?
हे लड़कियो, कक्षा में शोर न मचाओ।	Girls, don't make noise in the class.

Exclamations

वाह ! आनन्द आ गया।	Excellent ! O truly enjoyed it.
वाह-वाह ! क्या गाना गाया है।	Bravo ! It was really sung very well.
शाबाश बेटी ऐसे ही मेहनत करती रहना !	Well done, daughter ! Keep on working hard like this.
छि: छि: ! यह क्या कह रहे हैं आप !	Pooh ! What is this that you are saying !
हाय ! अब मैं क्या करूँ।	Alas ! What shall I do now !
बाप रे बाप ! इतना बड़ा साँप !	Oh, gosh ! Such a big snake !
हा	expression denoting sorrow.
हे	a form of address, very informal, rather rude
ए	Similar in meaning as above
भाइयो व बहनो	Brothers and sisters (address commonly used at meetings)
वाह	Well done
शाबाश	Well done ! Bravo !
छि:	Pooh ! Tut !

★ ★ ★

44 Punctuation (विराम चिन्ह)

Given below are the punctuation marks used in Hindi. The underlying principles regarding their use are the same as in English.

☞ **Unlike English where a dot ' . ' is used as full stop mark, Hindi uses a vertical stroke ' I '.**

☞ **In Hindi more than one exclamation marks are sometimes used to indicate the degree of surprise or intensity of emotion.**

अल्प विराम	,
अर्ध विराम	;
पूर्ण विराम	।
प्रश्न चिन्ह	?
योजक चिन्ह	–
संक्षेप चिन्ह	0
विस्मय बोधक चिन्ह	!
अवतरण चिन्ह	' '
कोष्ठक	( )

45

विलोम शब्द (Antonyms)

आवश्यक	necessary	अनावश्यक	unnecessary
काला	dark (complexion)	गोरा	fair (complexion)
शान्त	tranquil, peaceful	अशान्त	agitated, disturbed
आय	income	व्यय	expenditure
उपयुक्त	useful	अनुपयुक्त	unbecoming, improper
आकाश	sky	पाताल	the nether world
कोमल	soft	कठोर	hard
मुख्य	chief	गौण	subsidiary; secondary
धर्म	religion	अधर्म	irreligion
दुर्लभ	rare; unavailable	सुलभ	easily available
सामान्य	ordinary; common	विशेष	special
आयात	import	निर्यात	export
सद्व्यवहार	good behaviour	दुर्व्यवहार	bad behaviour
हल्का	light	भारी	heavy
सदय	kind	निर्दय	cruel
लम्बा	tall	नाटा	short (height)
पूरा	complete	अधूरा	incomplete
निकट	near	सुदूर	far off
स्वर्ग	heaven	नरक	hell
शोक	grief	हर्ष	joy
प्राचीन	ancient	अर्वाचीन	modern
निन्दा	slander; backbiting	बड़ाई, स्तुति	praise
अज्ञ	ignorant	विज्ञ	one who knows; wise
दाहिना	right	बाँया	left
स्थिर	stable	अस्थिर	unstable
गन्दा	dirty	साफ़	clean

296

संक्षेप	abridged (form)	विस्तार	extension, detail
जन्म	birth	मृत्यु	death
स्पष्ट	clear	अस्पष्ट	unclear
उदार	generous	अनुदार	not generous
लघु	short	दीर्घ	long
बुद्धिमान	intelligent	मूर्ख	foolish
गुण	merit	अवगुण	demerit
आदर	respect	अनादर	disrespect
हित	benefit / interest	अहित	harm / damage
असुरी	devilish	दैवी	godly
नश्वर	mortal / perishable	अनश्वर	immortal / imperishable
उचित	proper	अनुचित	improper
उपकार	service	अपकार	disservice
आस्तिक	theist	नास्तिक	atheist
इच्छा	desire	अनिच्छा	disinclination
लौकिक	worldly	अलौकिक	other woridly/super natural
सौभाग्य	good luck	दुर्भाग्य	bad luck
श्रद्धा	reverence	अश्रद्धा	lack of reverence
परिमित	limited/finite	अपरिमित	limitless/infinite
अमीर	rich	ग़रीब	poor
असत्	false	सत	true, good
सत्पथ	right path	कुपथ	wrong path
वरदान	boon	अभिशाप	curse
साकार	having a form	निराकार	formless
वर्तमान	present	अतीत	past
सजल	watery	निर्जल	waterless
अनभिज्ञ	ignorant	भिज्ञ	knowledgeable
ज्ञात	known	अज्ञात	unknown
क्षय	decay	अक्षय	imperishable
निष्क्रिय	inactive	सक्रिय	active
सुगन्ध	good smell	दुर्गन्ध	bad smell

46 पर्यायवाची (Synonyms)

अग्नि	:	आग, अनल, पावक	fire
अज्ञ	:	नासमझ, मूर्ख, अज्ञानी	ignorant
अनुपम	:	अद्वितीय, अतुल्य	matchless; incomparable
अन्धकार	:	तिमिर, अंधेरा	darkness
अधम	:	नीच, निकृष्ट	mean, low
अमृत	:	सुधा, पीयूष, सोम	nectar
अरण्य	:	वन, जंगल, विपिन	forest
अश्व	:	घोटक, हय, तुरंग, घोड़ा	horse
असुर	:	दानव, राक्षस, दैत्य	demon
अहंकार	:	गर्व, अभिमान, घमण्ड	pride/arrogance/vanity
आँख	:	नयन, लोचन, चक्षु, नेत्र	eye
आकाश	:	गगन, नभ, आसमान, अम्बर	sky
आख्यान	:	वर्णन, वृतान्त, कथा, कहानी	myth, legend, fable
आनन्द	:	हर्ष, आह्लाद, प्रसन्नता	happiness
आम	:	रसाल, आम्र, पिक	mango
इच्छा	:	आकांक्षा, कामना, अभिलाषा	desire
इन्द्र	:	माधव, देवराज, सुरपति	Lord Indra/god of rains
ईश्वर	:	भगवान, परमात्मा, जगदीश	God
उजाला	:	प्रकाश, आलोक, रोशनी	light
उपवन	:	उद्यान, वाटिका, बग़ीचा	small wood/grove
ऐश्वर्य	:	धन, वैभव, सम्पत्ति	glory/affluence
कमल	:	पद्म, राजीव, पंकज, नीरज	lotus
कपड़ा	:	वस्त्र, अम्बर, चीर, वसन	cloth/a piece of clothing
कल्पवृक्ष	:	देवतरू, कल्पविटप, देववृक्ष	a tree in heaven that grants all desires of one who sits beneath it.
कान	:	श्रुति, कर्ण, श्रवण	ear

कामदेव	:	रतिपति, मनोज, रतिनाथ	god of love / Cupid of Hindu mythology
किरण	:	ज्योति, अंशु, प्रभा, रश्मि, दीप्ति	ray of light
किनारा	:	तट, तीर, कूल, कगार	coast, bank of river etc.
कृपा	:	दया, अनुकम्पा, अनुग्रह	kindness
कृष्णा	:	केशव, श्याम, गोपाल, गिरिधर	Lord Krishna
खग	:	पक्षी, विहग, नभचर	bird
गंगा	:	मंदाकिनी, जान्हवी, भागीरथी, देवनदी	the river Ganges
गज	:	हाथी, कुंजर, नग	elephant
गणेश	:	गणपति, विनायक, गजानन	Lord Ganesh, Hindu god of learning
गृह	:	घर, आवास निकेतन	house / dwelling
चतुर	:	कुशल, निपुण, प्रवीण, पटु	clever
चन्द्र	:	चांद, शशि, इन्दु, राकेश	moon
चन्द्रिका	:	ज्योत्सना, कौमुदी	moonlight
जल	:	वारि, नीर, तोय, पानी, पय	water
जंगल	:	विपिन, कानन, अरण्य, वन	forest / jungle
झरना	:	जलप्रताप, वारिप्रपात	waterfall
झूठ	:	मिथ्या, असत्य, अनृत	a lie, untrue
तलवार	:	कृपाण, खड्ग, करवाल, चंद्रहास	sword
तारा	:	नक्षत्र, सितारा	star
तालाब	:	सरोवर, जलाशय, तडाग	pond
तीर	:	बाण, शर, सर	arrow
दास	:	नौकर, सेवक, अनुचर, परिचारक	servant
दिन	:	दिवस, अहर, दिवा	day
दुःख	:	पीड़ा, व्यथा, कष्ट, वेदना	pain / unhappiness
दूध	:	दुग्ध, क्षीर, पय, स्तन्य	milk
दुष्ट	:	दुर्जन, खल	wicked person
देव	:	देवता, अमर, सुर	god
देह	:	काया, शरीर, तन, गात्र	body

धरती	:	पृथ्वी, भूमि, वसुन्धरा, क्षिति	earth
धुनष	:	चाप, शरासन,	bow
नदी	:	सरिता, तरंगिणी, तटिनी	river
नमस्कार	:	प्रणाम, अभिवादन, नमस्ते	greetings
नया	:	नूतन, अर्वाचीन, नव	new
नाव	:	नौका, डोंगी, तरणी	boat
नारी	:	स्त्री, महिला, वनिता	woman
नरेश	:	नृप, भूपति, राजा	king
नित्य	:	सदा, शाश्वत, निरन्तर	always / eternally
पति	:	स्वामी, प्राणाधार, प्राणेश	husband
पत्नी	:	अर्धांगिनी, भार्या, दारा	wife
पान	:	पत्ता, ताम्बूल, पत्र	leaf
पिता	:	बाप, तात, जनक	father
पुत्र	:	बेटा, आत्मज, वत्स, सुत	son
पुत्री	:	बेटी, आत्मजा, तनुजा, सुता	daughter
पुष्प	:	फूल, सुमन, कुसुम	flower
प्रभा	:	प्रकाश, विभा, ज्योति, द्युति	light
प्रेम	:	प्यार, प्रीति, स्नेह, प्रणय	love / affection
बन्दर	:	वानर, कपि, शाखामृग	monkey
बादल	:	मेघ, जलद, पयोधर	cloud
बाल	:	केश, कुन्तल	hair

300

47 Some Sound Words in Everyday Usage

कुऊँ कुऊँ करना	sound produced by	cuckoo	कोयल
बिलबिलाना	,,	camel	ऊंट
हुआँ हुआँ करना	,,	jackal	गीदड़
झीं झीं करना	,,	cricket (insect)	झींगर
काँव काँव करना	,,	crow	कौआ
दहाड़ना, गरजना	,,	lion	शेर
रेंगना	,,	donkey	गधा
टर्र टर्र करना	,,	frog	मेंढक
फुंकारना	,,	snake	साँप
मिमियाना	,,	goat	बकरी
चहचहाना, चहकना	,,	bird	चिड़िया
रम्भाना	,,	cow	गाय
गुंजारना	,,	blackbee	भौंरा
भिनभिनाना	,,	housefly	मक्खी
भौं भौं करना	,,	dog	कुत्ता
हिनहिनाना	,,	horse	घोड़ा
म्याऊँ म्याऊँ करना	,,	cat	बिल्ली
घुरघुराना	,,	pig	सुअर
चिगघाड़ना	,,	elephant	हाथी
कुहकना	,,	peacock	मोर
बाँग देना / कुकड़ कूँ करना	,,	cock	मुर्गा
कां कां करना, टर्राना	,,	duck	बत्तख
लपलपाना	sound produced by bringing out tongue again and again		जीभ
गुनगुनाना	sound of the humming of music		गाना
टन टन करना	sound produced by tinkling of bell		घण्टी

टप टप करना	sound of dripping water	पानी
धू धू जलना	burning like wild fire	आग
टंकार	sound produced by a bow	धनुष
कटकटाना	sound produced by grinding of teeth	दांत
धड़धडाना/ छुक छुक करना	sound of train	रेलगाड़ी
कड़कना	sound produced by lightning	बिजली
फहराना	hoisting of flag	झण्डा
टिक टिक करना	sound produced by a clock	घड़ी
मर्मर करना	sound produced by dry leaves	पत्ता
सायँ सायँ करना	lonely forest	जंगल
फक फक करना	sound produced by rail engine	इंजन
धम धम, ढम ढम	sound produced by drum-beating	ढोल
लपलपाना	sound produced by sword	तलवार
सनसनाना	sound produced by bullets / arrows	गोली
पीं पीं पों पों	sound produced by motor-horn	मोटर
हरहराना	sound produced of turbulent water flow	पानी

48

मुहावरे (Idioms)

1. अक्ल पर पत्थर पड़ना — to loss one's sense of discretion and judgement.

सुधीर की अक्ल पर पत्थर पड़ गये हैं, अपना सब धन सट्टे में लगा रहा है।

2. अपना उल्लू सीधा करना — to grind one's own axe, to make a wrongful gain by duping someone

अपना उल्लू सीधा करना आप को खूब आता है।

3. अपने मुँह मियाँ मिटठू बनना — to beat one's own drum, to praise oneself

अपने मुँह मियाँ मिटठू बनने से क्या लाभ, बात तो तब है जब दूसरे लोग आप की प्रशंसा करें।

4. अपने पाँव पर स्वयं कुल्हाड़ी मारना — to act in a manner detrimental to one's own interest

अपने प्रधानाचार्या से झगड़ा करना, समझो अपने पाँव में आप कुल्हाड़ी मारना है।

5. अंगूठा दिखाना — thumb one's nose at; to turn down a request

हमारे पड़ोसी अक्सर हमसे मदद मांगते हैं। पिछले सप्ताह हमने 200 रुपये एकदिन के लिए उधार मांगे-पर उन्होंने हमें अंगूठा दिखा दिया।

6. आपे से बाहर होना — to be very very angry

मेरे पिता जी छोटी-छोटी बात पर आपे से बाहर हो जाते हैं।

7. आँखों में धूल झोंकना — to deceive / to throw dust in one's eyes

चोर जेल के चौकीदार की आँखों में धूल झोंक कर रात में भाग गये।

8. आँखों का तारा होना — to be the apple of one's eyes

अनु स्कूल और घर में सबकी आँखों का तारा है।

9. आस्तीन का साँप — enemy in the garb of a friend

मैंने उसे अपने दफ्तर में नौकरी दिलाई। मेरी ही निन्दा अधिकारी से करके उसने मेरी तरक्की रुकाई। वह तो सचमुच में आस्तीन का साँप निकला।

10. ईंट का जवाब पत्थर से देना — tit for tat; nose for a nose, eye for an eye

यदि कोई पड़ौसी देश भारत सीमा पर आक्रमण करेगा तो भारत के जवान ईंट का जवाब पत्थर से देंगे।

11. ईद का चाँद होना   to be rarely seen
   तुम तो ईद का चाँद हो गए हो; कहीं दिखाई ही नहीं देते।

12. ईंट से ईंट बजाना   to destroy completely
   अमरीका ने इराक की ईंट से ईंट बजा दी।

13. इधर कुआँ, उधर खाई   to be between the devil & the deep sea; a difficult situation under any conditions.
   कुछ समझ में नहीं आता क्या करूँ, इधर कुँआ है ऊधर खाई।

14. उन्नीस/बीस का अन्तर होना   a negligible difference
   मुझे तो यह दोनों भाई एक ही समान लगते हैं। शायद उन्नीस-बीस का अन्तर हो।

15. उँगली उठाना   to point the finger at
   दूसरों पर उँगली उठाना सभ्य लोगों को शोभा नहीं देता।

16. उँगली पर नचाना   to make someone dance to one's tune
   कमला अपने पति को हर समय उँगली पर नचाती है।

17. उड़ती चिड़िया पहचानना   to be quick on the uptake
   हमसे क्या छुपा रहे हैं, हम तो उड़ती चिड़िया पहचानते हैं।

18. एक ही लकड़ी से हाँकना   to treat all alike
   तुम सबको एक ही लकड़ी से हाँकते हो। छोटे-बड़े का ध्यान रखना चाहिए और विवेक से काम लेना चाहिए।

19. एड़ी चोटी का पसीना एक करना   to work very hard
   रानी ने इस छोटी सी नौकरी को पाने के लिए एड़ी चोटी का पसीना एक कर दिया।

20. कमर टूटना   of back to be broken; to be very disappointed
   व्यापार में घाटे से मेरी तो कमर टूट गई है।

21. कठपुतली बनना   to be a puppet

22. उल्टी गंगा बहाना   for things to go against the accepted norms
   हमारे प्रधानमंत्री अपने सचिव के हाथों की कठपुतली बने हैं। यह तो उल्टी गंगा बह रही है।

23. कलेजा मुँह को आना   to be excessively unhappy and pained
   उग्रवादी घटनाओं को पढ़ कर मेरा तो कलेजा मुँह को आता है।

24. कान पर जूँ न रेंगना   to turn a deaf ear; to absolutely not to pay any attention

मैंने उसे धूम्रपान और शराब छोड़ने को बहुत समझाया है, परंतु उसके कान पर जूँ नहीं रेंगती।

25. सिर पर कफ़न बाँध कर चलना — to risk one's life; to have no fear for death

हमारे जवान सीमाओं की रक्षा के लिए सिर पर कफ़न बांध कर चलते हैं।

26. कोल्हू का बैल बनना — to work day and night

भारत में मज़दूरों को कोल्हू के बैल की तरह काम करने पर भी दो वक्त खाना नहीं मिल पाता।

27. खटाई में पड़ना — to be kept in abeyance

सभा में पर्याप्त संख्या में लोगों के न आने से मामला कुछ खटाई में पड़ गया है।

28. खरी-खरी सुनाना — to call a spade a spade; to be outspoken without caring to be pleasant

वह बहुत समय से हमें उल्लू बना रहा था। आखिर पिछले सप्ताह मैंने उसे आड़े हाथों लिया और खरी-खरी सुनाई।

29. खरी-खोटी सुनाना — to speak out bitter truths

राम ने कल दावत में किसी ग़लतफ़हमी के कारण मुझे बहुत खरी-खोटी सुनाईं, परन्तु मुझसे वास्तविकता जान कर वह बहुत पछताया।

30. खून का प्यासा होना — to thirst for blood; to be bent upon killing someone

आजकल तुच्छ वस्तुओं के लिए लोग एक-दूसरे के खून के प्यासे हो गए हैं।

31. गागर में सागर भरना — to put things in a nutshell

यह डेढ़ पृष्ठ का लेख तो गागर में सागर है।

32. गड़े मुर्दे उखाड़ना — to rake up the dead past; to flog a dead horse

जो हुआ सो हुआ, अब गड़े मुर्दे उखाड़ने से कोई लाभ नहीं। आगे की सोचिए।

33. गाँठ में बाँधना — to make a note of

जब मैं पहली बार घर से चलने लगा, तो पिता जी बोले, बेटा, मेरी एक बात गाँठ में बाँध ले। जितनी लम्बी चादर हो, उतने ही पैर पसारना। कभी उधार न लेना।

34. गिरगिट की तरह रंग बदलना — to change like a chameleon

अनिल पर विश्वास नहीं किया जा सकता। वह तो गिरगिट की तरह रंग बदलता है।

35. गुदड़ी की लाल — a jewel in rags

लालबहादुर शास्त्री गुदड़ी के लाल थे।

36. घर की मुर्गी दाल बराबर होना — an easily accessible thing, howsoever good, is not appreciated

अपने घर में तो मैं घर की मुर्गी दाल बराबर हूँ। चाहे मैं जितना बढ़िया पकवान बनाऊँ कोई प्रशंसा नहीं करता।

37. घर फूँक तमाशा देखना — to ruin oneself for cheap pleasure

तुम तो उन लोगों में से हो जो घर फूँक कर तमाशा देखते हैं।

38. घाव पर नमक छिड़कना — to add insult to injury

नौकरी न मिलने के कारण वह स्वयं ही बहुत दुखी है। उसकी हँसी उड़ाकर उसके घाव पर नमक छिड़कना है।

39. घाट-घाट का पानी पीना — to be widely travelled and experienced

मुझे उल्लू न बनाओ, मैंने घाट-घाट का पानी पिया है और उड़ती चिड़िया पहचानता हूँ।

40. घोड़े बेच कर सोना — to sleep like a log

हमने काफ़ी देर घण्टी बजाई। किसी ने दरवाज़ा न खोला। पूरा परिवार घोड़े बेच कर सो रहा था।

41. चिराग तले अंधेरा — nearer the church, farther from God

पिछले हफ़्ते थाने में बम्ब विस्फोट हुआ। यह तो चिराग तले अंधेरा हो गया।

42. चुल्लूभर पानी में डूब मरना — to die of shame

ऐसा ग़लत काम करते तुम्हें शर्म न आई; चुल्लू भर पानी में डूब मरो।

43. चेहरे पर हवाइयाँ उड़ना — to be terror struck

तुम्हारे चेहरे पर हवाइयाँ क्यों उड़ रही हैं ?

44. चैन की बंसी बजाना — to live comfortably

जब से शर्माजी की लॉटरी निकली है, वे चैन की बंसी बजाते हैं।

45. छप्पर फाड़ कर देना — to bestow plentifully as a godsend/windfall gain

जब भगवान देता है तो छप्पर फाड़ कर देता है।

46. छाती पर मूंग दलना — to be a source of constant vexation

जिसकी अपनी सन्तान उसकी छाती पर मूंग दले, उससे बढ़कर कौन दुर्भाग्यशाली होगा?

47. छाती पर साँप लोटना — to turn green with envy; to be very jealous

मेरी तरक्की से मेरे दफ़्तर में काम करने वालों की छाती पर साँप लोट रहा है।

48. छाती फूलना — to swell with pride

पुत्र के परीक्षा में प्रथम स्थान प्राप्त करने पर पिता की छाती फूल गई।

49. जले पर नमक छिड़कना — to add insult to injury
वह तो पहले ही परेशान है, उन्हें और दुखी करके जले पर नमक न छिड़किए।

50. जान के लाले पड़ना — to be in the jaws of death
गाड़ी के दुर्घटनाग्रस्त होने पर बहुत से यात्रियों ने वहीं दम तोड़ दिया और बहुतों की जान के लाले पड़ गए।

51. ज़िन्दगी के दिन पूरे करना — to count one's days / to live a difficult and hard life
बेचारा रामसिंह किसी तरह ज़िंदगी के दिन पूरे कर रहा है।

52. टका सा जवाब देना — to refuse point-blank
मैंने सीता को जरा सा काम करने को कहा, उसने मुझे टका-सा जवाब दे दिया।

53. डींग मारना — to brag / to boast
वह जानता कम है, डींग ज़्यादा मारता है।

54. तलुए चाटना — to lick (someone's) boots/ to indulge in abject flattery
मुझे किसी के तलुए चाटना पसन्द नहीं।

55. तिल का ताड़ बनाना — to make a mountain of a mole hill
छोटी-छोटी बात में तिल का ताड़ बनाने की तुम्हारी आदत बहुत ख़राब है।

56. तूती बोलना — to hold unquestioned sway
आजकल हमारे दफ़्तर में भल्ला साहब की तूती बोलती है।

57. तू डाल–डाल मैं पात-पात — for one to go deeper in the matter than the other
आप डाल–डाल हैं तो मैं पात-पात हूँ। बात की तह तक पहुँचना मेरे लिए बाएँ हाथ का खेल है।

58. थूक कर चाटना — to eat one's own words; go back in a promise
रामसिंह अपनी बात का धनी है, जो कहता है वह करता है, थूक कर चाटना उसका स्वभाव नहीं।

59. थाली का बैंगन — one whose opinions follow self-interest
नेता लेता तो थाली का बैंगन होते हैं।

60. दम में दम आना — to feel relieved (of some tension, agony, etc.)
आपरेशन के बाद जब बच्चे को होश आया, तो माता-पिता के दम में दम आया।

61. दम घुटना — for one to find it difficult to breathe

भीड़ में मेरा दम घुटता है।

62. दाँतो तले उँगली दबाना — to be wonderstruck/aghast

कल एक दस वर्ष के बालक ने गंगा में कूद कर दो डूबते हुए बालकों को बचाया, दर्शकों ने दाँतो तले उँगली दबा ली।

63. दाल में काला होना — (for there to be) something fishy

आप सब साफ़-साफ़ कहिए, मुझे तो कुछ दाल में काला लग रहा है।

64. दाग़ लगाना — to sully one's reputation

अच्छे बच्चे कुसंगत में रह कर अपने कुल को दाग़ नहीं लगाते।

65. दूध का दूध पानी का पानी — just decision

गांधी जी प्राय: कचहरी के बाहर ही लोगों के झगड़े निपटाते थे। फ़ैसला करते समय वे दूध का दूध और पानी का पानी कर देते थे।

66. दीवार के भी कान होना — even walls have ears

धीरे बोलिए। दीवारों के भी कान होते हैं

67. धूप में बाल सफ़ेद न करना — to be old and truly experienced

किस समय मुझे क्या करना चाहिए, यह सब मैं अच्छी तरह जानता हूँ। मैंने धूप में बाल सफ़ेद नहीं किए हैं।

68. नमक-मिर्च लगाना — to exaggerate

समाचार-पत्रों में प्राय: खबरें नमक-मिर्च लगाकर लिखी जाती है।

69. न तीन में न तेरह में — of no consequence

उनकी राय लेना न लेना एक समान है; वे तो न किसी की तीन में हैं न तेरह में।

70. नाक कटना — to lose face

पिता जी ने मेरे मित्रों के सामने मुझे 1. रुपये देने से इन्कार क़र दिया। मेरी तो नाक कट गई और मैं पानी पानी हो गया।

71. नाकों चने चबवाना — to harrass someone too much

अंग्रेज़ों ने अपने राज्य में भारतीयों क़ो नाकों चने चबवाये।

72. नानी याद आ जाना — to be in a sad plight

बच्चो ! यदि तुम लोग शरारत करना नहीं छोड़ोगे, तो ऐसी सज़ा दूँगा कि तुम्हारी नानी याद आ जाएगी।

73. नाक में नकेल डालना — to bring someone under control

रमा अपने पति को हमेशा नाक में नकेल डालकर रखती है।

74. नाम कमाना — to earn name and fame

चिकित्सा विज्ञान में उसने अच्छा नाम कमाया है।

75. नौ दो ग्यारह होना — to make good one's escape; to turn tails

पुलिस के घटना-स्थल पर पहुँचने से पहले ही चोर नौ दो ग्यारह हो गया।

76. पहाड़ टूट जाना — to be hit by calamity

पति की मृत्यु के बाद उनके परिवार पर मुसीबतों का पहाड़ ही टूट पड़ा।

77. पत्थर की लकीर होना — gospel truth

मेरी बात को आप पत्थर की लकीर मानिए।

78. पत्थर का कलेजा होना — a heart of stone

पुत्र के मरने पर भी उनके आँसू नहीं निकले; माता होकर भी उनका पत्थर का कलेजा है।

79. पाँचों अंगुलियाँ घी में होना — to have one's bread buttered on both sides

आजकल उनका व्यापार अच्छा चल रहा है। उनकी पाँचों उंगलियाँ घी में हैं।

80. पेट में दाड़ी होना — to be precocious

कुछ बच्चों के पेट में दाड़ी होती है।

81. पेट में चूहे दौड़ना — to suffer the pangs of hunger

माँ ! जल्दी से कुछ खाने को दीजिए। पेट में चूहे दौड़ रहे हैं।

82. पौ बारह होना — to have things one's own way

आजकल हमारे नाना-नानी हमारे घर आए हैं, हम बच्चों की तो पौ बारह हैं हम जो चाहते हैं वही घर में होता है।

83. फूला न समाना — to be in the seventh heaven

जब राम डाक्टरी पास करके लंदन से लौटा, उसके माता-पिता फूले न समा रहे थे।

84. फूँक-फूँक कर कदम रखना — to tread on eggs

फूँक-फूँक कर कदम रखना उसका स्वभाव है।

85. बाएँ हाथ का खेल — too easy a job; child's play

यह काम तो मेरे बाएँ हाथ का खेल है।

86. बाल भी बाँका न होना — to escape unscathed

कल सड़क पर हमारा रिक्शा उलट गया, परन्तु हमारा बाल भी बाँका न हुआ।

87. भीगी बिल्ली बनना — to be meek and quiet

बच्चे बहुत शरारतें कर रहे थे। पिता जी को देखते ही भीगी बिल्ली बन गए और अपनी-अपनी पुस्तक पढ़ने लगे।

88. मक्खियाँ मारना   to idle time away

गर्मी की छुट्टियों में मक्खियाँ मारने से अच्छा है कोई हाबी सीख लो।

89. मुँह ताकना   to look to someone for support

जो माता-पिता अपना सब धन बच्चों पर खर्च कर देते हैं; वह बुढ़ापे में उनका मुँह ताकते हैं।

90. मुँह पर हवाइयाँ उड़ना   to be terror-struck

उग्रवादियों को देखकर सब यात्रियों के मुँह पर हवाइयाँ उड़ने लगी।

91. मुँह तोड़ जबाव देना   to give a shattering reply

कमला हर बात का ऐसा मुँह तोड़ जवाब देती है कि आगे कुछ कहते नहीं बनता।

92. मुट्ठी गर्म करना   to grease somebody's palm

भारत में आजकल अधिकारियों की मुट्ठी गर्म किए बिना कोई काम नहीं बनता।

93. रंग में भंग पड़ना   for a happy occasion to be marred

रानी की शादी से दो दिन पहले उसके पिता जी चल बसे। सब रंग में भंग पड़ गया।

94. रोंगटे खड़े होना   to give one the creeps

अपने कमरे में बड़े-से साँप को देखकर मेरे रोंगटे खड़े हो गए।

95. लकीर का फ़कीर होना   to be a traditionalist

हर बात में लकीर का फ़कीर होने की आवश्यकता नहीं, कुछ बुद्धि से काम लीजिए।

96. लहू का घूँट पीकर रह जाना   to swallow an insult

आज कक्षा में अध्यापक ने बिना कारण मेरा अपमान किया। मैं लहू का घूँट पीकर रह गया।

97. लोहे के चने चबाना   to face a tough, nerve-recking task

जर्मन भाषा सीखना वास्तव में लोहे के चने चबाना है। हर किसी के बस की नहीं।

98. सब्ज़बाग दिखाना   to raise false hopes

प्राय: सब्ज़बाग दिखाकर कुछ विदेशी हमारे बच्चों को अपने देश ले जाते हैं।

99. सफ़ेद झूठ   a barefaced lie

अनिल ने खून किया है यह बात सफ़ेद झूठ है। मैं उसे जानता हूँ। वह ऐसा कर ही नहीं सकता।

100. सितारा चमकना   of stars to be in the ascendent

आजकल तुम्हारा सितारा चमका हुआ है। तुम्हारे छूने भर से मिट्ठी भी सोना हो जाती है।

101. सिर आँखों पर बैठाना   to welcome profusely

जब हम शर्मा जी के घर जाते हैं, वे हमें सिर आँखों पर बिठाते हैं।

102. सोने पर सुहागा   added excellence; fragrance added to beauty

राम को पिता से बहुत धन-सम्पत्ति मिली थी। अब उसके परिश्रम से उसका अपना व्यापार बहुत अच्छा हो गया है। यह सोने पर सुहागा समझिए।

103. हवा के घोड़े पर सवार होना   to be in a hurry

जरा ठहरिये। अभी आप का काम करता हूँ। आप तो शायद हवा के घोड़े पर सवार होकर आते हैं।

104. हाथ का मैल   something worthless

पैसा हाथ का मैल है। न जाने क्यों लोग इसके लिए एक-दूसरे के खून के प्यासे हो जाते हैं।

105. होश उड़ जाना   to lose one's wits; to be thoroughly
non-plussed

पागल कुत्ते को अपनी ओर दौड़ते देखकर मेरे होश उड़ गए।

★ ★ ★

311

49 कहावतें (Proverbs)

1. अक्ल बड़ी या भैंस	wisdom is more powerful than body
2. अपनी-अपनी डफली अपना-अपना राग	absolute lack of concord
3. अकेले चना भाड़ नहीं फोड़ सकता	one can't achieve much alone
4. अधजल गगरी छलकत जाए	half filled pot splashes and overflows
5. अब पछताए क्या होत, जब चिड़िया चुग गई खेत	It is no use crying over split milk
6. अन्धों में काना राजा	a slightly intelligent person among the fools
7. आ बैल मुझे मार	to invite troubles for oneself
8. आँखों के अंधे, नाम नयनसुख	a man with a name absolutely opposite to his character
9. आम के आम गुठलियों के दाम	to doubly benefit from something
10. उल्टा चोर कोतवाल को डाँटे	the one at fault blaming the innocent person
11. ऊँची दुकान फीका पकवान	more show, less work
12. एक ही थैली के चट्टे-बट्टे	absolutely alike
13. एक मियान में दो तलवारें नहीं रह सकतीं	you can't run with the hare and hunt with the hounds
14. एक पंथ दो काज	Kill two birds with one stone
15. एक एक दो ग्यारह	many hands make work light
16. एक हाथ से ताली नहीं बजती	it takes two to make a quarrel
17. काठ ही हाड़ी बार-बार नहीं चढ़ती	one cannot deceive again and again
18. कंगाली में आटा गीला	to face misery after misery
19. कमान से निकला तीर वापस नहीं आता	a word spoken is past recalling
20. खोदा पहाड़ निकली चुहिया	the gain is much less than effort and expectation
21. गंगा गए गंगाराम, जमना गए जमनादास	one without any firm mind of his own
22. घर का भेदी लंका ढावे	mutual discord and hostility brings disaster

312

23.	घर वाले घर नहीं, हमें किसी का डर नहीं	when the cat is away, the mice will play
25.	जब तक सांस तब तक आस	while there is life there is hope
26.	जाते चोर की लंगोटी ही सही	half a loaf is better than none
27.	जहाँ चाह वहाँ राह	where there is a will there is a way
28.	जिसकी लाठी उसकी भैंस	might is right
29.	जो गरजते हैं वे बरसते नहीं	barking dogs don't bite
30.	झूठ के पाँव कहाँ ?	lies have no feet
31.	डूबते को तिनके का सहारा	a frail support
32.	तेते पाँव पसारिये जेती लम्बी सौर	cut the coat according to cloth
33.	देखें ऊँट किस करवट बैठता है	let's see what the result is
34.	दूध का दूध पानी का पानी	to do justice
35.	दूर के ढोल सुहावने होते हैं	distant fields seem green
36.	देर आए दुरुस्त आए	better late than never
37.	नौ नकद न तेरह उधार	cash dealings are better than lending
38.	नाच न जाने आँगन टेढ़ा	a bad workman blames his tools
39.	नया नौ दिन पुराना सौ दिन	old is gold
40.	मुँह में राम बगल में छुरी	outwardly polite but actually a cheat
41.	बद से बदनाम बुरा	give a dog a bad name and hang him
42.	बोया पेड़ बबूल का तो आम कहाँ से होय	evil results in evil
43.	मान न मान मैं तेरा मेहमान	an uninvited guest
44.	माया को माया मिले कर कर लम्बे हाथ	rich people get richer
45.	समय किसी के लिए नहीं ठहरता	time doesn't wait for anybody
46.	सहज पके सो मीठा होय	he lays best who lays last
47.	सावन हरे न भादों सूखे	always the same; neither overjoyed nor sad
48.	साँप भी मर जाये लाठी भी न टूटे	do something in such a way that the subject benefits without harming anybody
49.	हर कुत्ते के दिन बदलते हैं	every dog has his day
50.	हाथ कंगन को आरसी क्या	no proof is required for the obvious
51.	हाथी के दांत खाने के और दिखाने और	fraud and deception

313

R-1

दूरदर्शन पर साक्षात्कार

Key structure

Pres. Ind.

राम कुमार : दूरदर्शन के संवाददाता अपने प्रोग्राम 'भारतीय महिला की दिनचर्या' के लिए पटियाला की रानी से साक्षात्कार कर रहे हैं।

राम कुमार : प्रणाम, रानी साहिबा, कृपया हमें अपनी सामान्य दिनचर्या के बारे में बताइए।

रानी साहिबा : मैं रोज़ सुबह चार बजे सोकर उठती हूँ।

राम कुमार : सच ! आप इतनी सुबह उठकर क्या करती हैं ?

रानी साहिबा : सबसे पहले मैं स्नान करती हूँ।

राम कुमार : क्या आप गंगा घाट पर स्नान करती हैं ?

रानी साहिबा : नहीं, मैं घाट पर स्नान नहीं करती। मैं अपने घर पर गुसलख़ाने में स्नान करती हूँ ; उसके बाद मैं पूजा करती हूँ।

राम कुमार : अच्छा, आप पूजा भी करती हैं। क्या आप रोज़ मंदिर में पूजा करती हैं ?

रानी साहिबा : नहीं, मैं मंदिर में पूजा नहीं करती। मैं घर पर ही पूजा करती हूँ।

राम कुमार : और फिर ?

रानी साहिबा : फिर मैं योगासन करती हूँ, उसके बाद मैं नाश्ता करती हूँ।
नाश्ता करते करते मैं अख़बार भी पढ़ती हूँ।

राम कुमार : आप नाश्ता रसोई-घर में करती हैं ?

रानी साहिबा : नहीं, मैं नाश्ता भोजन कक्ष में करती हूँ।

राम कुमार : आप दिन का खाना कितने बजे खाती हैं ?

रानी साहिबा : मैं दिन का खाना दोपहर एक बजे खाती हूँ।

राम कुमार : और खाने के बाद आप क्या करती हैं ?

रानी साहिबा : खाने के बाद अपराह्न चार बजे तक मैं आराम करती हूँ। चार बजे से पाँच बजे तक मैं चाय पीती हूँ और लोगों से भेंट करती हूँ। पाँच बजे से छ: बजे तक मैं पत्र पढ़ती हूँ, पत्रों के उत्तर देती हूँ और नौकरों को आवश्यक आदेश देती हूँ। शाम को छ: बजे मैं तैयार होती हूँ और अपने

पति व बच्चों के साथ बग़ीचे में टहलती हूँ।

राम कुमार : आप रात का भोजन कितने बजे करती हैं ?

रानी साहिबा : मैं रात को आठ बजे भोजन करती हूँ।

राम कुमार : आप शाकाहारी हैं या मांसाहारी ?

रानी साहिबा : मैं शाकाहारी हूँ। भोजन के साथ-साथ हम दूरदर्शन देखते हैं। ख़बरें सुनते हैं। रात को दस बजे हम सब सो जाते हैं।

राम कुमार : धन्यवाद रानी साहिबा। नि:संदेह आप की दिनचर्या बहुत व्यस्त और रोचक है।

Glossary

दूरदर्शन	(m.) television
साक्षात्कार	(m.) interview
रामकुमार	(PN) masculine name
संवाददाता	(m.) reporter
प्रोग्राम	(Eng.) programme
भारतीय	(adj.) Indian
महिला	(f.) woman
दिनचर्या	(f.) daily routine
पटियाला	(PN) a city in Punjab state, India
रानी	(f.) queen
प्रणाम	(m.) greetings
साहिबा	an expression of respect used for women
सामान्य	(adj.) ordinary
सच !	(adv.) really !
सबसे पहले	(adv./adj. superlative) first of all
स्नान	(m.) bath
स्नान करना	(v.t.) to take a bath
गुसलख़ाना	(m.) bathroom
पूजा	(f.) worship
मंदिर	(m.) temple
योगासन	(m.) yoga practice
रसोई-घर	(m.) kitchen
भोजन कक्ष	(m.) dining room

दिन का खाना	(m.) lunch
कितने बजे ?	(adv.) what time ?
अपराह्न	(m.) afternoon
आराम	(m.) rest
आराम करना	(v.t.) to take a rest
भेंट	(f.) meeting
'X' से भेंट करना	(v.t.) to meet X
नौकर	(m.) servant
आवश्यक	(adj.) necessary
आदेश	(m.) order; command
टहलना	(v.t.) to take a stroll
रात का भोजन	(m.) dinner
शाकाहारी	(adj.) vegetarian
मांसाहारी	(adj.) non-vegetarian
ख़बरें	(f. pl.) news
धन्यवाद	(m.) thanks
नि:संदेह	(adv.) no doubt
व्यस्त	(adj.) busy
रोचक	(adj.) interesting

R-2

दुकान पर

Key structure

Imperative

अ : एक 'फ़िल्म फेयर' और एक 'हिन्दुस्तान टाइम्ज़' दीजिए।

ब : यह लीजिए एक 'फ़िल्मफ़ेयर' और एक 'हिन्दुस्तान टाइम्ज़'।

अ : कितने पैसे हुए ?

ब : 'फ़िल्मफ़ेयर' के अट्ठारह रुपये, और एक हिन्दुस्तान टाइम्ज़' का डेढ़ रुपया। कुल मिलाकर साढ़े उन्नीस रुपये हुए।

अ : यह 'पोस्टकार्ड' कितने का है ?

ब : ५० पैसे का एक 'पोस्टकार्ड' ।

अ : ठीक है, मुझे ये छः 'पोस्टकार्ड' भी दीजिए। कृपया इन्हें गिन लीजिए। एक पैकेट सिगरेट भी दीजिए। अब फिर से बताइये, कितने पैसे हुए ?

ब : साढ़े उन्नीस रुपये 'फ़िल्मफ़ेयर' और 'हिन्दुस्तान टाइम्ज़' के, ३ रु. 'पोस्टकार्ड' के, दस रुपये सिगरेट के, कुल मिलाकर ३२ रुपये ५० पैसे हुए।

अ : यह लीजिए, बीस रुपये।

ब : धन्यवाद ! यह लीजिए ५० पैसे शेष, और यह रहा आपका सामान।

अ : धन्यवाद ! नमस्ते ।

Glossary :

फ़िल्मफ़ेयर	(PN) Filmfare, an Indian film magazine
हिन्दुस्तान टाइम्ज़	(PN) name of an Indian newspaper
यह लीजिए ।	Here you are.
कितने पैसे हुए ?	How much does it come to ?
डेढ़ रुपया	Rs. 1.50
साढ़े उन्नीस रुपये	Rs. 19.50
कुल मिलाकर	all together
फिर से	again

★★★

R-3

सिनेमा घर

Key structure

Pres. prog. tense

राम सिनेमा घर के बाहर सीढ़ियों पर खड़ा है।
वह लक्ष्मी का इन्तज़ार कर रहा है।
लक्ष्मी उसकी छोटी बहन है।
उसको आने में देर हो गई है।
एक लड़का सिनेमा घर के अन्दर जा रहा है।
दो-तीन आदमी सिनेमा घर से बाहर निकल रहे हैं।
एक औरत सिनेमा के टिकट ख़रीद रही है।
कुछ औरतें और आदमी उसके पीछे कतार में खड़े हैं।
बहुत से लोग फ़िल्म देखने आ रहे हैं।
लक्ष्मी भी दौड़ती हुई आ रही है।
अब राम और लक्ष्मी सिनेमा घर के अन्दर बैठे हुए हैं।
राम की दायीं ओर एक बूढ़ा आदमी बैठा है।
उसकी बायीं ओर लक्ष्मी बैठी है।
लक्ष्मी के सामने एक लम्बा-चौड़ा आदमी बैठा है।
उसके सिर पर बड़ी-सी पगड़ी है।
वह धूम्रपान कर रहा है।
लक्ष्मी फ़िल्म नहीं देख सकती ।
वह बहुत दुःखी है।

Glossary

सीढ़ी	(f.) stairs
'X' को आने में देर हो जाना	for 'X' to be late to arrive
बाहर निकलना	(v.i.) to go out
कतार	(f.) queue
दौड़ती हुई	(IPC; adv.) running
लम्बा-चौड़ा	(adj.) tall and broad; big-bodied
पगड़ी	(f.) a head-dress made from a long piece of cloth usually 5 meters; turban

★★★

सड़क पर मुलाकात

Key structure

Pres. prog. tense

(श्रीमती कमला घर से निकल रही हैं। सामने से श्रीमती अग्रवाल आ रही हैं)

श्रीमती अग्रवाल : नमस्ते, कमला जी ! कहीं जा रही हैं ?

श्रीमती कमला : जी हाँ, ज़रा बाज़ार जा रही हूँ।

श्रीमती अग्रवाल : इस समय ! बाहर बहुत गर्मी है। आप इस समय बाज़ार क्यों जा रही हैं?

श्रीमती कमला : मुझे सुबह-शाम बहुत काम होता है। मैं बच्चों के लिए किताबें, अपने लिए साड़ी, घर के लिए महीने का सामान और कुछ फल, सब्ज़ी, मिठाई आदि लेने जा रही हूँ।

श्रीमती अग्रवाल : यह सब काम आप ही करती हैं ? आप के पति बाज़ार के काम में आप की मदद नहीं करते ?

श्रीमती कमला : मेरे पति आजकल अत्यधिक व्यस्त हैं।

श्रीमती अग्रवाल : आप के पति आजकल क्या कर रहे हैं ?

श्रीमती कमला : आजकल वे एक बड़ी कम्पनी में प्रबन्धक हैं।

श्रीमती अग्रवाल : इस समय वे कहाँ हैं ?

श्रीमती कमला : इस समय वे अपने कमरे में हैं। वे दफ़्तर का काम कर रहे हैं। क्षमा कीजिए। मैं आज कुछ जल्दी में हूँ। आज हमारे यहाँ बहुत काम है। आज हमारे घर कुछ मेहमान आ रहे हैं।

श्रीमती अग्रवाल : आप के यहाँ आज कौन-कौन आ रहे हैं ?

श्रीमती कमला : आज हमारे यहाँ मेरे देवर-देवरानी आ रहे हैं।

श्रीमती अग्रवाल : क्या वे अकेले आ रहे हैं ?

श्रीमती कमला : जी नहीं । उनके साथ उनके बच्चे भी आ रहे हैं। वे सब एक शादी में आ रहे हैं।

श्रीमती अग्रवाल : अच्छा ! वे लोग किसकी शादी में आ रहे हैं ?

श्रीमती कमला : 10 तारीख़ को मेरी देवरानी के भाई की शादी है। उसी में आ रहें हैं।

श्रीमती अग्रवाल : वे कब आ रहे हैं ? वे आज दोपहर की गाड़ी से आ रहे हैं।
(सामने से श्री सुनील आते हैं)

श्रीमती अग्रवाल और श्रीमती कमला : नमस्ते सुनील जी ! आप कहाँ से आ रहे हैं ?

श्री सुनील : आ नहीं, जा रहा हूँ। दादाजी बीमार हैं। दादी जी बहुत परेशान हो रही हैं। डॉक्टर गुप्ता का इलाज चल रहा है। उन्हें बुलाने जा रहा हूँ। अच्छा बहनजी, अभी देर हो रही है। फिर मिलेंगे। नमस्ते।

Glossary

महीने का सामान	(m.) monthly provisions
अत्यधिक	(adv.) extremely
कम्पनी	(Eng.) company
प्रबन्धक	(m.) manager
'X' का कुछ जल्दी में होना	for 'X' to be in a hurry
'X' का इलाज चलना	to be under the treatment of 'X'

★ ★ ★

R-5

मेरा नाम रवि है

Key structure

Recapituation

■ मेरा नाम रवि है।
मैं 'इंडियन एयरलाइन्ज़ में पायलट' हूँ।
मैं सब तरह के हवाई जहाज चलाता हूँ।
इस समय मैं टेनिस खेल रहा हूँ।
यह मेरा सर्वप्रिय खेल है।

■ यह आदमी क्रिकेट का मशहूर खिलाड़ी है।
इसका नाम शास्त्री है।
यह भारत का सर्वश्रेष्ठ बल्लेबाज़ है।
इस समय वह खेल नहीं रहा।
वह दूसरे खिलाड़ियों से बात-चीत कर रहा है।

■ ये सुनीता और सुनील हैं।
ये बच्चों के स्कूल में रसायन और भौतिकी विज्ञान पढ़ाते हैं।
इस समय वे 'रेस्तराँ' में बैठे हैं, और अपने विद्यार्थियों के बारे में बात-चीत कर रहे हैं।
वे ज़ोर-ज़ोर से हँस रहे हैं।

Glossary

इंडियन एयरलाइन्ज़	(Eng.) Indian Airlines
पायलट	(m.;Eng.) Pilot
सब तरह के	of all kinds
सर्वप्रिय	(adj.) popular
मशहूर	(adj.) famous
सर्वश्रेष्ठ	(adj.) the best
बल्लेबाज़	(m.) batsman / batter
दूसरे	(adj.) others
खिलाड़ी	(m.) player
रसायन विज्ञान	(m.) chemistry
भौतिकी विज्ञान	(m.) physics

R-6

नदी किनारे शाम

Key structure

Past prog.

मैं कल शाम को घाट पर बैठी थी। कई औरतें और आदमी नदी में नहा रहे थे। कुछ भिखारी भीख माँग रहे थे। कुछ विदेशी पर्यटक नाव पर चढ़ रहे थे। कुछ हाथ में हाथ डाले हुए घाट पर चल रहे थे। सूर्यास्त हो रहा था और नदी का जल लाल हो रहा था। क्या मनोरञ्जक दृश्य था! अचानक वर्षा होने लगी। सब लोग पानी से बचने के लिए इधर उधर दौड़ने लगे। विदेशी पर्यटक अपने अपने छाते और बरसातियाँ निकाल रहे थे। मेरे पास न छाता था न बरसाती। मैं पेड़ के नीचे खड़ा हो गया।

Glossary

घाट	(f.) bathing place on the banks of a river
नदी	(f.) river
भिखारी	(m.) beggar
भीख	(f.) alms
पर्यटक	(m.) tourist
नाव	(f.) boat
हाथ में हाथ डाले हुए	(PPC; adv.) hand in hand
सूर्यास्त	(m.) sunset
मनोरञ्जक	(adj.) amusing
दृश्य	(m.) scene
छाता	(m.sg.) umbrella
बरसाती	(f.sg.) rain coat

★ ★ ★

R-7

मेरा परिवार

Key structure

Possessive case

मैं पुरुष हूँ। मेरा नाम अनिल है, मेरी उम्र पैंतीस वर्ष है। मैं कॉलेज में पढ़ाता हूँ। यह स्त्री मेरी पत्नी है। इसका नाम सुनन्दा है। मेरी पत्नी घर पर रहती है। वह गृहिणी है। वह बच्चों की देखभाल करती है, बच्चों को पढ़ाती है, घर का सब काम करती है। ये दोनों हमारे बच्चे हैं। यह हमारा बेटा है। इसका नाम शतम् है। यह हमारी बेटी है। इसका नाम ऋचा है। हमारे बेटे की उम्र दस वर्ष है और हमारी बेटी की उम्र सात वर्ष है। हमारा बेटा पाँचवीं कक्षा में पढ़ता है और हमारी बेटी तीसरी कक्षा में पढ़ती है।

ऋचा शतम् की बहन है। वह उसका भाई है। दोनों भाई-बहन सब काम साथ-साथ करते हैं। ये दोनों साथ-साथ स्कूल जाते हैं, साथ-साथ खाते, खेलते हैं और साथ-साथ पढ़ते हैं। हमारे बच्चे हमें बहुत प्यार करते हैं। हम भी उनको बहुत प्यार करते हैं। बाहर बग़ीचे में मेरे माता-पिता बैठे हैं। वे बच्चों के दादी-दादा हैं। हमारी बेटी और बेटा उनसे कहानी सुनते हैं।

Glossary

पुरुष	(m.) man
उम्र	(f.) age
पैंतीस	(adj.) thirty-five
वर्ष	(m.) year
स्त्री	(f.) woman
गृहिणी	(f.) housewife
सुनन्दा	(PN) a feminine name
पत्नी	(f.) wife
देखभाल	(f.) care
साथ-साथ	(adv.) together
'X' को प्यार करना	(v.t.) to love 'X'
कहानी सुनना	(v.t.) to listen to a story

Vocabulary - Indian names for blood-relations

दादा; दादी	father's father; father's mother
नाना, नानी	mother's father, mother's mother
चाचा	father's younger brother
चाची	father's younger brother's wife
ताऊ	father's older brother
ताई	father's older brother's wife
फूफा	husband of father's sister
फूफी/बूआ	father's sister
मौसा	husband of mother's sister
मौसी	mother's sister
मामा	mother's brother
मामी	mother's brother's wife
भाई; भाभी	brother; brother's wife
बहन; बहनोई / जीजा	sister; sister's husband
भतीजा; भतीजी	brother's son; brother's daughter
भान्जा; भान्जी	sister's son; sister's daughter
पोता; पोती	son's son, son's daughter
नवासा; नवासी	daughter's son; daughter's daughter
नन्द/ननद	husband's sister
नन्दोई/ननदोई	husband's sister's husband
ससुर; सास	father in law; mother-in-law
देवर	younger brother of husband
देवरानी	husband's younger brother's wife
जेठ	older brother of husband
जेठानी	husband's older brother's wife
साढ़ू	wife's sister's husband
साला	wife's brother

★★★

R-8

बस स्टाप पर

Key structure

Time

अ : क्षमा कीजिए, बस कितने बजे आती है ?
ब : कौन-सी वाली बस ? आपको कहाँ जाना है ?
अ : सात नम्बर बस। मुझे गांधीनगर जाना है।
ब : सात नम्बर बस सवा एक बजे आएगी।
अ : कितने बजे ? माफ़ कीजिए, मैं समझा नहीं।
ब : एक बजकर पन्द्रह मिनट पर।
अ : इस समय क्या बजा है ?
ब : इस समय साढ़े बारह बजे हैं।
अ : जी ?
ब : साढ़े बारह -- बारह बजकर तीस मिनट।
अ : तब तो अभी पौन घण्टा है।
मुझे कुछ जल्दी है। मैं टैक्सी से चला जाता हूँ।
धन्यवाद ! नमस्ते।
ब : नमस्ते।

Glossary

क्षमा कीजिए	(exp.) Please excuse me
बस	(m. Eng.) bus
सात नम्बर	number seven
गांधीनगर	(PN/m.) name of place
माफ़ कीजिए	(exp.) Excuse me !
मैं समझा नहीं हूँ	I haven't understood.
जी ?	Pardon me ! / I beg your pardon.
चला जाना	(v.i.) to go
नमस्ते	an all - time Indian greeting

★ ★ ★

R-9

तुम कहाँ थीं ?

Key structure

Past tense

रानी : निर्मल, कल सारा दिन तुम कहाँ थीं ?

निर्मल : क्यों ? कल तो मैं घर पर ही थी।

रानी : झूठ ! मैंने कई बार टेलीफ़ोन किया। घंटी बजती रही। किसी ने नहीं उठाया।

निर्मल : हाँ, याद आया। कल मैं घर पर नहीं थी।

रानी : कल सुबह आठ बजे तुम कहाँ थीं ?

निर्मल : स्कूल में।

रानी : और १२ बजे ?

निर्मल : १२ बजे मैं बस में थी। मैं घर आ रही थी।

रानी : और तुम ढाई बजे कहाँ थीं ?

निर्मल : सवा बजे से साढ़े तीन बजे तक मैं बाज़ार में थी। मेरी बड़ी बहन जी आई थीं। मैं उनके साथ ख़रीदारी करने गयी थी।

रानी : मैंने शाम को छः बजे फिर टेलीफ़ोन किया था। उस समय भी कोई घर पर नहीं था।

निर्मल : छः बजे से नौ बजे तक हम सिनेमा घर में बैठे थे। बहुत बढ़िया अंग्रेज़ी फ़िल्म लगी थी। वही देखने गए थे।

रानी : मैंने तुम्हें पिछले महीने भी टेलीफ़ोन किया था। तुम घर पर नहीं थीं।

निर्मल : क्षमा करो, रानी मैं पिछले कुछ दिनों से बहुत व्यस्त हूँ।

रानी : अच्छा ! नमस्ते ! फिर मिलेंगे।

Glossary

सारा दिन	(adj.+m.) all / whole day
झूठ	(m.) a lie
कई बार	(adj.+f.) several times
घंटी	(f.) the bell

बजती रही	(cont. comp.) kept on ringing
बस में	in / on the bus
ख़रीदारी	(f.) shopping
कोई	(ind. pron.) someone
बढ़िया	(adj.) good
देखने जाना	(comp. v.i.) to go to see
पिछले	(adj.) last
कुछ दिन	some days
व्यस्त	(adj.) busy
फिर मिलेंगे	(we) shall meet again

★ ★ ★

R-10

क्या आप अकेले रहते थे ?

अ : आप पिछले साल कहाँ थे / थीं ?

ब : मैं पिछले साल दिल्ली में था / थी।

अ : आप वहाँ कब से कब तक थे / थीं ?

ब : मैं वहाँ जनवरी से अक्तूबर तक था / थी।

अ : आप दिल्ली में कहाँ रहते थे / रहती थीं ?

ब : मैं दरियागंज में रहता था / रहती थी।

अ : क्या आप अकेले रहते थे / अकेली रहती थीं ?

ब : जी नहीं, मैं अकेले नहीं रहता था / अकेली नहीं रहती थी।

अ : आप के साथ कौन रहता था ?

ब : मेरे साथ मेरा मित्र और मेरी माता जी रहती थीं।

अ : क्या आप के बग़ल में कोई रहता था ?

ब : जी हाँ, मेरे बग़ल में दो परिवार रहते थे। मेरे घर की दायीं ओर एक बंगाली परिवार रहता था। मेरे घर की बायीं ओर एक मद्रासी परिवार रहता था।

अ : वे कौन सी भाषा बोलते थे ? क्या वे हिन्दी बोलते थे ?

ब : नहीं, बंगाल वाला परिवार बंगाली बोलता था। मद्रास वाला परिवार मद्रासी बोलता था।
वे टूटी-फूटी हिन्दी जानते थे।
वे नौकर के साथ हिन्दी बोलते थे।
वे एक दूसरे के साथ अंग्रेज़ी में बात करते थे।
मैं भी उनके साथ अंग्रेज़ी में बात करता था।
मद्रासी परिवार के दो बच्चे थे।
एक लड़का, एक लड़की।
लड़का आठ वर्ष का था।
लड़की छ: वर्ष की थी।
दोनों बच्चे बहुत प्यारे थे।
वे दोनों बहुत अच्छी हिन्दी बोलते थे।
मैं अक्सर उनके घर जाता था।
कभी-कभी मैं उनके साथ बाज़ार घूमने भी जाता था।

बंगाल वाले परिवार में केवल पति-पत्नी थे ।

वे जवान थे ।

वे दोनों नौकरी करते थे ।

पत्नी का नाम मीनाक्षी था ।

उसकी उम्र तेइस वर्ष थी ।

वह कॉलेज में पढ़ाती थी ।

पति का नाम ज्ञानेश्वर था ।

वह छब्बीस वर्ष का था ।

वह दफ़्तर में काम करता था ।

ये दोनों सुखी परिवार थे ।

Glossary

मित्र	(m.) friend
'X' के बग़ल में	next door to 'X'
परिवार	(m.) family
'X' की दायीं ओर	to the right of 'X'
बंगाली	(adj.) of Bengal
'X' की बायीं ओर	to the left of 'X'
मद्रासी	(adj.) of Madras
कौन-सी ?	which one ?
भाषा	(f.) language
टूटी-फूटी	(adj.) broken; not fluent
नौकर	(m.) servant
एक-दूसरे के साथ	with each other
प्यारे	(adj.) lovable / lovely
जवान	(adj.) young
मीनाक्षी	(PN) a feminine name
ज्ञानेश्वर	(PN) a masculine name
उम्र	(f.) age
तेईस	(N) twenty-three
छब्बीस	(N) twenty-six
सुखी	(adj) happy

R-11

मैं आप की क्या सेवा कर सकता हूँ

Key structure

Miscellaneous

अ : अन्दर आइए। आप श्री वेंकटेश हैं न ? कृपया स्थान ग्रहण कीजिए।

ब : धन्यवाद।

अ : कहिए, मैं आप की क्या सेवा कर सकता हूँ ?

ब : मैं कुछ धनराशि उधार लेना चाहता हूँ।

अ : किसलिए ?

ब : जी, मैं एक 'स्कूटर' ख़रीदना चाहता हूँ। मैं दो-तीन वर्ष से बचत कर रहा हूँ।

अ : आप ने कितनी धनराशि जोड़ी है ?

ब : जी, क़रीब छः हज़ार रुपये अब तक जमा हुए हैं।

अ : और आप को कितने पैसे उधार चाहिए ?

ब : जी, पाँच हज़ार रुपये।

Glossary

स्थान	(m.) seat, place
स्थान ग्रहण कीजिए	(imperative) please take a seat
सेवा	(f.) service
धनराशि	(f.) amount of money
उधार लेना	(v.t.) to borrow
किसलिए ?	what for ?
स्कूटर	(m.; Eng.) scooter
दो-तीन वर्ष से	for two-three years
बचत	(f.) saving
बचत करना	(v.t.) to save
'X' (समय) से बचत कर रहा हूँ	have been saving since 'X' (time)
जोड़ना	(v.t.) to save (money)
क़रीब	(adv.) about, approximately
जमा होना	(v.i.) here to be accumulated
उधार	(m.) loan

R-12

खेलने का समय हो गया है

Key structure

Pres. prefect
Pres. perfect cont.

राहुल : नमस्ते, रीना। क्या तुम अभी भी पढ़ रही हो ? अब खेलने का समय हो गया है।

रीना : मैं जानती हूँ, परन्तु मैंने अभी सब काम नहीं किया। कुछ सवाल करने बाकी हैं; पिता जी शाम को देखेंगे।

राहुल : तुम कब से पढ़ रही हो ?

रीना : मैं बारह बजे से पढ़ रही हूँ।

राहुल : तुमने कितने सवाल कर लिए हैं ?

रीना : क़रीब-क़रीब हो गए हैं। केवल दो बचे हैं।

राहुल : खेलने के बाद कर लेना।

रीना : नहीं, मैं सब काम करके ही खेलूँगी।

राहुल : ठीक है, बग़ीचे में ही मिलेंगे।

Glossary

अभी भी	(adj.) even now
खेलना	(v.i.) to play
खेलने का समय	time to play
जानना	(v.t.) to know
सवाल	(m.) sums / problems of maths, etc.
बाकी है	remain (to be done)
कब से ?	since when ?
बारह बजे से	since 12 o'clock
कितने	(adj.) how many
क़रीब-क़रीब	(adv.) almost
केवल	(adv.) only
बचे हैं	(here) remain (to be done)
काम करके	(कर – conj.) having done the work

★ ★ ★

R-13

अब मैं ऊब रही हूँ

Key structure

Miscellaneous

सुनीता : तुम क्या पढ़ रही हो ?

रानी : प्रेमचन्द का उपन्यास 'गोदान'। कृषि वर्ग और गाँव की समस्याओं का एकदम यथार्थ और सजग चित्रण किया है लेखक ने।

सुनीता : यह तो बहुत लम्बा उपन्यास है। किसने सलाह दी थी तुम्हें इसे पढ़ने की ?

रानी : हाँ, है तो लम्बा। मैं डेढ़ महीने से पढ़ रही हूँ। अभी आधा भी नहीं पढ़ा गया। जहाँ तक मुझे याद है, कमला ने कहा था इसे पढ़ने को।

सुनीता : तुमने अब तक कितने पृष्ठ पढ़े हैं ?

रानी : लगभग पौने दो सौ। सच पूछो तो अब मैं ऊब रही हूँ। मुझे लम्बी किताबें कुछ कम ही भाती हैं।

सुनीता : मुझे भी।

Glossary

प्रेमचन्द	(PN) Name of a renowned novelist in Hindi literature
गोदान	(PN) name of novel
कृषि वर्ग	(m.) agricultural class
समस्या	(f.) problem
एकदम	(adv.) absolutely
यथार्थ	(adj.) real
सजग	(adj.) wakeful / live
चित्रण	(m.) portrayal, graphic description
लम्बा	(adj.) long, lengthy
सलाह	(f.) advice
जहाँ तक	(adv.) as far as
सच पूछो तो	to tell you the truth
भाना	(v.i.) to appeal; to please
'X' मुझे कुछ कम भाता है	'X' doesn't appeal to me much
उपन्यास	(m.) novel

R-14

धीरे धीरे बोलिए

Key structure

Can

क : क्या आप अंग्रेज़ी समझ सकते हैं ?

ख : जी हाँ। मैं थोड़ी-थोड़ी अंग्रेज़ी समझ और बोल सकता हूँ। कहिए, मैं आप की क्या मदद कर सकता हूँ। कृपया धीरे-धीरे बोलिए।

क : धन्यवाद ! क्या आप बता सकते हैं विदेशी पंजीकरण दफ़्तर यहाँ से कितनी दूर है ?

ख : क्षमा कीजिए, कृपया एक बार फिर धीरे-धीरे दोहराइए। तभी मैं समझ सकूँगा, और आप की मदद कर सकूँगा।

क : (अपनी बात फिर दोहराते हैं।)

ख : यहाँ से सीधे जाइए। चौमुहानी (चौराहे) पर दायीं ओर मुड़िए। करीब ८-१० मीटर चलने पर आप एक पीला भवन देख सकेंगे। वहीं विदेशी-पंजीकरण विभाग है। आज गुरू पूर्णिमा की छुट्टी है। कल इतवार है। अब तो आप परसों ही यानी सोमवार को ही अधिकारी से मिल सकेंगे।

क : ओह, यह तो खेद की बात है। ख़ैर - धन्यवाद ! नमस्ते।

Glossary

थोड़ी थोड़ी	(adj.) very little
धीरे-धीरे	(adv.) slowly
पंजीकरण	(nm) registration (used here as adj.)
विदेशी पंजीकरण दफ़्तर	Foreigner's Registration office
यानी	(conj.) that is
दोहराना	(v.t.) to repeat
सीधे जाइए	(imper.) go straight ahead
मुड़ना	(v.i.) to turn
दायीं ओर मुड़िए	(imper.) turn (towards) right
भवन	(m.) building
विभाग	(m.) department, section
अधिकारी	(m.) officer; boss
यह तो खेद की बात है	(Exp.) It is regrettable or I am sorry to hear this
ख़ैर	(interj.) well then

R-15

मैं नहीं आ सकी

नीला	:	हैलो।
अनिल	:	नीला ? तुम बोल रही हो ?
नीला	:	हाँ, मैं नीला बोल रही हूँ। आप कौन बोल रहे हैं ?
अनिल	:	मैं ? मैं अनिल बोल रहा हूँ।
नीला	:	अनिल ? कौन अनिल ?
अनिल	:	कौन अनिल ! अनिल, अनिल शास्त्री।
नीला	:	ओह अनिल ! क्षमा करना।
अनिल	:	तुम तो कल मेरे यहाँ आने वाली थीं ?
नीला	:	हाँ, आने वाली थी, पर नहीं आ सकी।
अनिल	:	नहीं आ सकीं। क्यों नहीं आ सकीं ? क्या तुम मुझे फ़ोन भी नहीं कर सकती थीं ?
नीला	:	मैं तुम्हें फ़ोन करना चाहती थी, परन्तु मैं तुम्हारा नम्बर भूल गयी।
अनिल	:	बहाने न बनाओ। तुम चाहतीं तो मेरा नम्बर 'डायरेक्ट्री' में देख सकती थीं।
नीला	:	मुझे ग़लत न समझो अनिल। मैं सचमुच किसी ज़रूरी काम में फँस गई थी।
अनिल	:	क्या मैं पूछ सकता हूँ, ऐसा कौन सा काम आ पड़ा था ?
नीला	:	हाँ। .... कल मेरी सगाई थी।
अनिल	:	और क्या मैं पूछ सकता हूँ इन महाशय का नाम क्या है ?
नीला	:	सुभाष।
अनिल	:	कौन सुभाष। ओह ! सुभाष मल्होत्रा – वही तुम्हारे अधिकारी का लड़का ?
नीला	:	मुझे समझने की कोशिश करो। अनिल, मेरा भविष्य उनके हाथ में है। क्षमा करना अनिल अब मैं तुमसे कभी नहीं मिल सकूँगी।

Glossary

क्षमा		(f.) forgiveness
बहाना		(m.) excuse

334

ग़लत	(adj.) wrong
फँसना	(v.i.) to be stuck
सगाई	(f.) engagement
महाशय	(m.) gentleman
अधिकारी	(m.) officer
कोशिश	(f.) try, attempt
भविष्य	(m.) future

★ ★ ★

335

R-16

विवाह कब होगा ?

Key structure

Future tense

अ : कमला का विवाह कब होगा ?

ब : विवाह जनवरी की १० तारीख़ को होगा।

अ : विवाह में कौन-कौन आएगा।

ब : दिल्ली से दादाजी, दादी जी, बड़े चाचा जी, उनकी पत्नी और उनके दोनों बच्चे आएँगे। बम्बई से मौसी जी का सब परिवार आएगा।

अ : बूआ जी नहीं आएँगी ?

ब : वे भी आएँगी।

फूफा जी अमरीका से ८ तारीख को लौटेंगे। वे उनके साथ ९ तारीख को यहाँ पहुँचेंगी। वे लोग हवाई जहाज से आएँगे। हम उन्हें हवाई अड्डे पर लेने जाएँगे।

अ : विवाह परम्परागत विधि से होगा या आधुनिक विधि से होगा ?

ब : हमारे यहाँ विवाह कुछ आधुनिक ही होगा।

सुबह कचहरी में शादी होगी।

शाम को घर पर दावत होगी।

इस दावत में सब संबंधी और मित्र आमंत्रित होंगे।

खाना-पीना होगा। शहनाई बजेगी।

फिर मण्डप में हिंदू रीति से शादी होगी।

शादी के बाद मौसी जी का परिवार जगन्नाथ पुरी घूमने जाएगा।

बूआ जी और फूफा जी दूसरे दिन बनारसी साड़ियाँ ख़रीदेंगे।

बारह (१२) तारीख को सब लोग इकट्ठे 'काशी विश्वनाथ' गाड़ी से दिल्ली वापस जाएँगे। हम उन्हें स्टेशन तक छोड़ने जाएँगे।

Glossary

विवाह	(m.) marriage
बूआ	(f.) father's sister

फूफा	(m.) father's sister's husband
हवाई अड्डा	(m.) airport
परम्परागत	(adj.) traditional
आधुनिक	(adj.) modern
विधि	(f.) method; manner
कचहरी	(f.) court
संबंधी	(m.) relative
आमंत्रित होना	(v.i.) to be invited
शहनाई	(f.) musical instrument
मण्डप	(m.) pavilion
हिंदू–रीति	(f.) Hindu - custom
इकट्ठे	(adv.) all together
स्टेशन छोड़ने जाना	(vi.) to see somebody off at the station

★ ★ ★

Vocabulary : Planets, signs of the Zodiac

Planets (ग्रह)

सूर्य (Sun); चाँद (Moon);   मंगल (Mars);   बुध (Mercury);

बृहस्पति (Jupiter); शुक्र (Venus)   शनि (Saturn);

राहु (ascending node of moon)   केतु (descending node of moon)

Zodiac (राशी-चक्र)

Signs of the zodiac (राशियाँ)

1.	मेष	Aries	2.	वृषभ	Taurus	3.	मिथुन	Gemini
4.	कर्क	Cancer	5.	सिंह	Leo	6.	कन्या	Virgo
7.	तुला	Libra	8.	वृश्चिक	Scorpio	9.	धनु	Sagittarius
10.	मकर	Capricon	11.	कुंभ	Aquarius	12.	मीन	Pisces

R-17

मैं ज्योतिषी बनने की सोच रहा हूँ

Key structure

Planned future

अ : तुम बड़े होकर क्या करने की सोच रहे हो ?

ब : मैं तो ज्योतिषी बनने की सोच रहा हूँ।

अ : विचार बुरा नहीं। परन्तु विशेष रूप से ज्योतिषी ही क्यों ?

ब : क्योंकि जीवन की रोज़मर्रा की समस्याएँ बढ़ रही हैं। प्रत्येक व्यक्ति अपनी समस्याओं का समाधान चाहता है और अपना भविष्य जानना चाहता है। इस धन्धे में गाहकों की कमी नहीं। सदैव लोग मेरे पास आते रहेंगे और मेरे पास कभी धन की कमी न होगी।

अ : शायद तुम ठीक कह रहे हो। मैं इस सब में विश्वास नहीं करता, इसलिए मैं कभी तुम्हारा गाहक नहीं होऊँगा। परन्तु मेरी शुभ कामनाएँ तुम्हारे साथ है।

ब : धन्यवाद।

Glossary

ज्योतिषी	**(m.) astrologer**
विशेष रूप से	**(adv.) specially**
रोज़मर्रा	**(adj.) daily**
समस्या	**(f.g.) problem**
समस्याएँ	**(f.pl.) problems**
समाधान	**(m.) solution**
भविष्य	**(m.) future**
धन्धा	**(m.) profession**
गाहक	**(m.) customer**
सदैव	**(adv.) always**
धन	**(m.) wealth**
विश्वास	**(m.) belief**
कामना	**(f.) desire**
शुभ कामनाएँ	**(f.pl.) good wishes**

★★★

R-18

टोपी वाला और नकलची बन्दर

Key structure

PPC; IPC

एक गांव में एक टोपी बेचने वाला रहा करता था। वह अक्सर शहर से टोपियाँ लाकर अपने गाँव वालों को बेचा करता था। उसे जंगल से होकर जाना-आना पड़ता था।

एक बार गर्मी का मौसम था, दोपहर का समय था। धूप बहुत तेज़ थी। चलते-चलते उसे थकान लगने लगी। उसने टोपियों का गट्ठर एक पेड़ के पास रख दिया और स्वयं तनिक आराम करने के लिए पेड़ के नीचे पत्तियों की छाया में लेट गया। लेटते ही उसे नींद आ गई।

सोए हुए आदमी को देखते ही पेड़ पर बैठे हुए बन्दर नीचे उतर आए। चंचल बन्दरों ने इधर-उधर नज़र घुमाई। उन्हें पेड़ के पास पड़ी हुई गठरी दिखाई दी। उसमें ढेरों टोपियाँ थीं। उस मनुष्य को सिर पर टोपी पहने हुए देखकर हर बन्दर ने अपने-अपने सिर पर एक टोपी पहन ली। टोपियाँ पहनते ही वे एक दूसरे को देख कर हँसने लगे और नाचने-कूदने लगे। शोर सुनकर टोपी वाले की नींद खुल गई। बन्दरों को टोपी पहने हुए देख कर उसे बहुत ही क्रोध आया, वह अपनी टोपियाँ वापस लेने का उपाय सोचने लगा। उसने तुरन्त अपने सिर से टोपी उतार कर दूर फेंक दी।

उसको टोपी फेंकते हुए देखते ही नकलची बन्दरों ने भी अपनी-अपनी टोपियाँ अपने-अपने सिर से उतार कर ज़मीन पर फेंक दीं। सर्वप्रथम टोपी वाले ने बन्दरों को पत्थर मार कर दूर भगाया, तत्पश्चात् उसने अपनी टोपियाँ इकट्ठी कीं। फिर वह जल्दी से गठरी बाँध कर अपने सिर पर रखकर गाँव की ओर चल पड़ा।

Glossary

टोपी	(f.) cap
टोपी वाला; टोपी बेचने वाला	(m.) the one with the cap; the cap seller
अक्सर	(adv.) often
शहर	(m.) city
लाकर	(कर -conj.) having brought
बेचा करता था	(past hab.) used to sell
जंगल से होकर	(कर -conj.) through jungle
जाना-आना	(m.) commuting; (vi) to commute

पड़ता था	(compul. str. past tense) had to
एक बार	(adv.) once
गर्मी	(f.) summer
मौसम	(m.) season
दोपहर	(f.) noon
समय	(m.) time
धूप	(f.) sunshine
तेज़	(adj.) sharp/strong
चलते-चलते	(adv.) while walking
थकान	(f.) fatigue
थकान लगना	(verb; used with sub + को) to feel tired
थकान लगने लगी	(inc. comp.; past tense) began to feel tired
टोपियों का	(obl. pl. of f. टोपी) of caps
गट्ठर	(m.) bundle
रखना	(v.t.) to keep
रख दिया	(comp. v.t.; past tense) kept
स्वयं	(reflexive) himself
तनिक	(adj.) a little
आराम	(m.) rest
पत्तियों की	(obl. pl. of पत्ती f.) of leaves
छाया	(f.) shade
लेटना	(v.i.) to lie down
लेट गया	(comp. v.i. past tense) lay down
लेटते ही	(v. root + ते + ही) as soon as (he) lay down
'X' को नींद आ जाना	for 'X' to fall asleep
सोए हुए	(PPC. adj.) sleeping
देखते ही	{(verb root + ते) + ही} as soon as (he) saw
बैठे हुए	(PPC; adj.) seated; sitting
उतरना	(vi.) to climb down
उतर आए	(compound v.i. past tense) climed down

340

इधर–उधर	(adv.) hither and thither
नज़र	(f.) vision
घुमाना	(v.t.) here : to turn round
पड़ी हुई	(PPC; adj.) lying
गठरी	(f.) bundle
दिखाई देना	(used with subject with को) to be visible
ढेरों	(aggregative) a lot of; heaps of
मनुष्य	(m.) a human being
सिर	(m.) head
पहने हुए	(PPC; adv) wearing
देखकर	(देखना + कर conj.) having seen
हर एक	(adj) every one; each one
अपने अपने	(reflexive) their respective
पहन लेना	(comp. v.t.) to wear
पहन ली	(comp.v.t. past tense) wore
पहनते ही	{(v.r.+ते+ती) as soon as (they) wore
एक–दूसरे को	to each other
हँसने लगे	(inc. comp; past tense) began to laugh
नाचना	(v.i.) to dance
कूदना	(v.i.) to jump
नाचने–कूदने लगे	(inc. comp; past tense) began to dance and jump
शोर	(v.i.) noise
सुनकर	(conj.) having heard
'X' की नींद खुलना	for 'X' to wake up
'X' को क्रोध आना	for 'X' to get angry
वापस	(adj.) returned
वापस लेना	(comp.v.t.) to take back
उपाय	(m.) plan, scheme
तुरंत	(adv.) immediately
उतारना	(v.t.) to remove

341

उतार कर	(कर –conj.) having removed
फेंकते हुए	(IPC. adv) throwing
नकलची	(adj.) one who imitates
अपनी अपनी टोपियाँ	their respective caps
अपने अपने सिर से	from their respective heads
ज़मीन	(f.) ground
सर्वप्रथम	(adj.) first of all
पत्थर	(m.) stone
पत्थर मारना	(v.t.) to hit with stones/throw stones
दूर	(adv.) far
दूर भगाना	(v.t.) to cause to run away
तत्पश्चात्	(adj.) thereafter (then after)
इकट्ठा, इकट्ठे, इकट्ठी	(adj.) collected/together
इकट्ठा करना	(v.t.) to collect
बाँधना	(v.t.) to tie
बाँधकर	(बाँधना + कर conj) having tied
रखकर	(रखना + कर conj) having kept
चल पड़ा	(comp. v.i.) set out

342

R-19

चतुर कौआ

Key structure

Cont. comp.

एक बार देश में वर्षा न होने के कारण सूखा पड़ गया। तक़रीबन सभी कुएँ, तालाब, नदियाँ, नाले इत्यादि सूख गए। असंख्य जीव-जन्तु पानी की कमी की वजह से मरने लगे। एक कौवे को बहुत प्यास लगी। वह बहुत देर तक जगह-जगह भटकता रहा और पानी खोजता रहा। उसे पानी कहीं न मिला। मारे गर्मी के जैसे उसका दम ही निकल रहा था। वह कुछ देर पेड़ पर बैठा रहा और कोई उपाय सोचता रहा। जल्दी ही वह फिर से पानी की तलाश में यहाँ-वहाँ उड़ने लगा। उड़ते-उड़ते एक स्थान पर उसे एक घड़ा दिखाई दिया। शीघ्र ही उड़ कर वह वहाँ पहुँचा। उसने घड़े में झाँक कर देखा। उसमें थोड़ा सा पानी था। पानी का स्तर नीचा और मटके का मुँह संकरा होने के कारण वह अपनी प्यास तुरन्त न बुझा सका। उसने बड़ी हिम्मत और सूझ-बूझ से काम लिया।

आवश्यकता आविष्कार की जननी है। अचानक उसे एक उपाय सूझा। वह बहुत समय तक एक-एक करके अपनी चोंच में दबाकर छोटे-छोटे कंकड़ लाता रहा और पानी के घड़े में डालता रहा। ज्यों-ज्यों घड़े में पत्थरों की संख्या बढ़ती जाती थी, पानी का स्तर ऊपर आता जाता था। अंततः पानी का स्तर ऊपर आ गया। कौए ने जी भर के अपनी प्यास बुझाई और काँव-काँव करता हुआ उड़ गया।

Glossary

मुल्क, देश	(m.) country
वर्षा	(f.) rain
सूखा	(m.) drought
के कारण	(postposition) because of
तकरीबन	(adv.) almost
कुएँ	(pl. of कुआँ nm) wells
तालाब	(m.) pond
नदियाँ	(pl. of नदी n.) rivers
नाले	(pl. of नाला m.) drains
इत्यादि	(ind) etc.
असंख्य	(adj) innumerable

जीव-जन्तु	(m.; pl.) creatures
कमी	(f.) shortage
की वजह से	(postposition) because of
'X' को प्यास लगना	for 'X' to feel thirsty
जगह	(f.) place
जगह-जगह	from place to place
भटकना	(v.i.) to wander about
भटकता रहा	(cont. comp.; past tense) kept on wandering about
खोजना	(v.t.) to look for
खोजता रहा	(cont. comp.; past tense) kept on looking for
के मारे	(post-position) because of
मारे 'X' के	because of 'X'
गर्मी	(f.) heat
जैसे	as if
'X' का दम निकलना	for 'X' to breathe his last
बैठा रहा	(continuative compound) kept on sitting
उपाय	(m.) plan
सोचना	(v.t.) to think
सोचता रहा	(cont. comp.) kept on thinking
जल्दी ही	(adv.) very soon
तलाश	(f.) search
'X' की तलाश में	in search of 'X'
उड़ते-उड़ते	(IPC; adv.) while flying
स्थान	(m.) place
घड़ा	(m.) pitcher
दिखाई दिया	was visible
उड़कर	(उड़ना + कर conj) having flown
झाँकना	(v.t.) to peep
स्तर	(m.) level
नीचा	(adj.) low
मटके	(pl. of मटका nm) pitchers
संकरा	(adj.) narrow
प्यास बुझाना	(v.t.) to quench thirst
सूझ-बूझ	(f.) wisdom

344

आवश्यकता	(f.) need
आविष्कार	(m.) invention
जननी	(f.) mother
अचानक	(adv.) suddenly
एक-एक कर के	(adv.) one by one
चोंच	(f.) beak
दबाना	(v.t.) to hold
दबाकर	(दबाना + कर– conj.) holding
लाना	(v.t.) to bring
लाता रहा	(cont. comp.) kept on bringing
डालना	(v.t.) to put / to pour
डालता रहा	(cont. comp.) past tense kept on putting
ज्यों-ज्यों	(ind.) as
पत्थरों	(oblique pl. of पत्थर m.) stones
संख्या	(f.) number
बढ़ना	(v.i.) to grow
बढ़ती जाती थी	(prog. comp.) went on increasing
ऊपर आता जाता था	(prog. comp.) went on coming up
अंततः	(adv.) finally
जी भर के	to one's heart's content
काँव-काँव	(m.) act of crowing
करता हुआ	(IPC; adv.) doing

345

R-20

खुशहाली

Key structure

prog. comp.

विभिन्न सरकारें प्रतिवर्ष अपने कई मंत्रियों को विदेश भेजती रहती हैं। ऐसा करने से उनके आपसी सम्बन्ध अच्छे होते रहते हैं।

पूँजीवादी देशों में प्राय: ग़रीब लोग परिश्रम करते रहते हैं, मुट्ठी भर धनी लोग लाभ उठाते रहते हैं। परिणामस्वरूप ग़रीब लोग ज़्यादा ग़रीब होते जाते हैं। लोगों में असंतोष फैलता जाता है, उनकी समस्याएँ बढ़ती जाती हैं, भले लोग भी चोर-डाकू बनते जाते हैं। लोग आपस में लड़ते रहते हैं। साम्प्रदायिक दंगे होते रहते हैं। सरकार असमानताओं को कम करने के उपाय सोचती रहती है। ज़्यादा से ज़्यादा लोगों को रोज़गार देती रहती है। परन्तु देश की आबादी दिन-प्रतिदिन बढ़ती जा रही है, और साधन घटते जा रहे हैं।

यदि सभी देशवासी राष्ट्र को ध्यान में रखकर काम करते रहें तो देशवासियों की समस्याओं का समाधान होता जाएगा। उनके कष्ट दूर होते जाएँगे। उनमें सद्भावना बढ़ती जाएगी और देश प्रगति के पथ पर चलता हुआ खुशहाल होता जाएगा।

Glossary

खुशहाली	(f.) prosperity
विभिन्न	(adj.) various
सरकारें	(f.pl) government
आपसी	(adj.) mutual
संबंध/सम्बन्ध	(m.) relation (s)
पूंजीवादी	(adj.) capitalist
परिश्रम	(m.) hardwork
मुट्ठी भर	(adj.) a handful of
धनी	(adj.) rich
लाभ-उठाना	(v.t.) to profit
परस्पर	(adj.) mutual
असमानता	(f.) inequality
असंतोष	(m.) dissatisfaction
फैलना	(v.i.) to spread

साम्प्रदायिक	(adj.) communal
दंगा	(m.) riot
रोज़गार	(m.) employment
उपाय	(m.) plan
आबादी	(f.) population
दिन-प्रतिदिन	(adv.) day by day
बढ़ना	(v.i.) to grow
साधन	(m.) resource(s)
देशवासी	(m.) nationals
राष्ट्र	(m.) nation
ध्यान में रखकर	keeping in view
समाधान	(m.) solution
कष्ट	(m.) problems
सद्भावना	(f.) good feeling
प्रगति	(f.) progress
खुशहाल	(adj.) prosperous

★ ★ ★

R-21

सर्फ़ बहुत अच्छा

Key structure

Adjectives

अनिल सर्फ़ के कारखाने में वितरक है। अनिल कह रहे हैं............।

देहली में रहने वाली श्रीमती कपूर से मिलिये। यह उनका कपड़े धोने का कमरा है, मेज़ पर मैले कपड़ों के दो ढेर लगे हैं। श्रीमती कपूर का बहुत बड़ा परिवार है। इस कारण उनको बहुत से कपड़े धोने होते हैं। उनके धोने के कमरे में बिल्कुल एक तरह की दो कपड़े धोने की बिजली की मशीनें लगी हैं। वे एक ढेर को नये सर्फ़ से धोयेंगी तथा दूसरे वाले को एक दूसरे अच्छे ही प्रकार के साबुन से धोयेंगी। आप जानते ही हैं कि कितने ही प्रकार के कपड़े धोने के साबुन बाज़ार में चल रहे हैं। वे बिजली के सामान को बड़ी सावधानी से प्रयोग करती हैं। बतायी गयी हिदायतों को ध्यान से पढ़ती हैं तथा उनका पालन भी करती हैं।

अब उन्होंने दरवाज़ा खोला तथा कपड़ों को मशीन में डाला। अब उन्होंने दरवाजे को सावधानी से बंद किया तथा साबुन वाले खाने में सर्फ़ डाल दिया। अब उन्होंने धोने के लिए उचित ताप को चुना (उनकी मशीन में तीन प्रकार के ताप की सुविधा है- बहुत गर्म, साधारण गर्म और ठण्डा)।

तब उन्होंने बायें हाथ पर बने खाँचे में एक बटन दबाया। मशीन ने स्वयं कार्य करना शुरू कर दिया। श्रीमती कपूर रसोई में एक प्याला चाय बनाने के लिए चली गयीं। 45 मिनट में कपड़े धुलकर तैयार हो गये। दोनों मशीनें अपने आप बंद हो गयीं। श्रीमती कपूर ने मशीनों के दरवाज़ें खोले तथा उनमें से धुले हुए कपड़ों को बाहर निकाला।

अनिल ने कहा - "श्रीमती कपूर, अब आपको क्या कहना है ?

श्रीमती कपूर ने उत्तर दिया - "मुझे क्या कहना है ? मैंने ये कपड़े सर्फ़ से धोये हैं तथा ये दूसरे साबुन से। आप स्वयं ही फ़र्क देख सकते हैं। मेरी राय में तो सर्फ़ से धुले कपड़े अधिक साफ़ हैं। ये दूसरों की अपेक्षा अधिक सफ़ेद तथा मुलायम भी हैं। निश्चित ही, सर्फ़ अन्य साबुनों से कहीं अधिक अच्छा है। मेरे कपड़े कभी भी इतने सफ़ेद तथा साफ़ नहीं हुए थे।"

अनिल- "अच्छा तो अब अगली बार आप कौन-सा साबुन ख़रीदने वाली हैं ?"

श्रीमती कपूर - "बेशक, नया सर्फ़ ही। अभी तक जो साबुन मैंने प्रयोग किये हैं उनमें सबसे अच्छा यही है। अब अपने रिश्तेदारों तथा सहेलियों को भी इसे ही प्रयोग करने के लिए कहूँगी।"

Glossary

सर्फ़	(PN) name of a popular detergent sold in India
कारखाना	(m.) factory
वितरक	(m.) distributor
'X' से मिलिये	meet 'x'
ढेर	(nm) pile
बिल्कुल	(adv.) absolutely
एक तरह की	of the same type
सावधानी	(f.) carefulness, caution
सावधानी से	(adv.) carefully
बताई गई	(PPC; adj.) told/mentioned
'X' का पालन करना	(v.t.) to follow 'x'
'X' को 'Y' में डालना	to put 'x' in 'y'
उचित	(adj) right; appropriate
ताप	(m.) temperature
चुनना	(v.t.) to select
खाँचा	(m.) slot
स्वयं	(adj.) by itself
कार्य करना	(v.t.) to do work
शुरू करना	(v.t.) to begin
स्वयं कार्य करना शुरू कर दिया	(exp.) began to work automatically
आप का क्या कहना है?	(exp.) what would you say / what is your opinion ?
फर्क	(m.) difference
'X' की राय में	in 'X's' opinion
'X' की अपेक्षा	in comparison with 'X'
मुलायम	(adj) soft
निश्चित ही	(adj.) certainly
अन्य/ दूसरे	(adj.) other

★ ★ ★

पुरुषों की तुलना में औरतों का जीवन

साक्षातकारक : आप हैं श्रीमती कपूर। आप भारत की रहने वाली हैं। आज हमने इन्हें अपने देश की महिलाओं के जीवन के बारे में कुछ बताने के लिए यहाँ बुलाया है।

हाँ, तो श्रीमती कपूर, आप हमारे दर्शकों को बताएँ कि आप के देश में पुरुषों की तुलना में औरतों का जीवन कैसा है ?

श्रीमती कपूर : सबसे पहले तो मैं आप को यह बता देना चाहती हूँ कि भारत एक विशाल देश है। यहाँ आज भी अधिकांश लोग गाँवों में रहते हैं।

शहरों में तो आजकल प्रायः लड़कियाँ वैसी ही शिक्षा पाती हैं जैसी लड़के।

वे वैसे ही शिक्षा संस्थानों में जाती हैं जैसों में लड़के। घरों में उन्हें वैसा ही स्नेह मिलता है जैसा उनके भाइयों को।

बड़े होने पर औरतों का जीवन उतना सरल नहीं जितना पुरुषों का।

मेरे देश में सब औरतें घर के बाहर काम नहीं करतीं।

कामकाजी औरतें पुरुषों से कहीं अधिक काम करती हैं। सुबह उन्हें अपने पति और बच्चों से जल्दी उठना पड़ता है। दफ़्तर के बाद उन्हें घर पर भी सब काम करना पड़ता है। उन्हें भी दूरदर्शन देखना, संगीत सुनना, मित्रों को मिलना उतना ही अच्छा लगता है जितना पुरुषों को। परन्तु पुरुषों की अपेक्षा उन्हें कम फुरसत होती है। फिर भी, मेरी राय में घरेलू औरतों की तुलना में उनका जीवन कहीं अधिक रोचक है। यहाँ मैं आप को एक बात बताना चाहूँगी कि यद्यपि घर में रहने वाली महिलाओं को अपनी कामकाजी बहनों की तुलना में नये नये लोगों से मिलने का अवसर कम मिलता है, फिर भी वे सामान्यता संतुष्ट और प्रसन्न रहती है। उन्हें अपने परिवार के लिए काम करना बाहर काम करने से कहीं अधिक प्रिय है।

साक्षातकारक : एक और प्रश्न । कृपया हमारे दर्शकों को बताएँ कि शहरी औरतों की तुलना में ग्रामीण औरतों का जीवन कैसा है ?

श्रीमती कपूर : सच तो यह है कि शहरी औरतों की अपेक्षा ग्रामीण औरतें बहुत कम

स्वतन्त्र होती हैं। उनके पास मनोरञ्जन के उतने साधन नहीं होते जितने शहरी औरतों के पास होते हैं। वे उनसे कहीं अधिक परिश्रम करती हैं। इस सब के बावजूद ग्रामीण महिलाएँ कहीं अधिक स्वस्थ होती हैं, कहीं कम बीमार होती हैं।

साक्षातकारक : आप को हमारे स्टूडियों में आने के लिए और हमारे दर्शकों को भारत की महिलाओं के विषय में जानकारी देने के लिए हमारी और हमारे दर्शकों की ओर से हार्दिक धन्यवाद !

श्रीमती कपूर : धन्यवाद ! नमस्ते ।

Glossary

साक्षातकार	(m.) interview
साक्षातकारक	(m.) interviewer
दर्शक	(m.) audience
विशाल	(adj.) vast
देश	(m.)country
गाँव	(m.) village
शिक्षा संस्थान	(m.) educational institutions
सरल	(adj.) easy
कामकाजी	(adj.) working
राय	(f.) opinion.
सामान्यता	(adv.) usually
संतुष्ट	(adj.) satisfied
ग्रामीण	(adj.) belonging to village
शहरी	(adj.) belonging to city
स्वतन्त्र	(adj.) free
मनोरञ्जन	(m.) entertainment
महिला	(f.sg.) woman
महिलाएँ	(f.pl.) women
स्वस्थ	(adj.) healthy
के विषय में	(PPn.) about
हार्दिक	(adj.) hearty
जानकारी	(f.) information

★ ★ ★

R-23

अख़बार से .... from the newspaper

Key structure

Adjectives

पुलिस को एक बेहोश आदमी खेत में पड़ा मिला है। वे नहीं जानते वह कौन है, परन्तु उसके बारे में उनके कुछ विचार है। उसके बाल छोटे, काले, सीधे हैं। उसने गुलमुच्छे रखे हुए है। उसका कद लम्बा, सीना चौड़ा, चेहरा अण्डाकार है। उसकी ठोढ़ी में से कटी है उसकी शरीर सुगठित और हाथ खुरदरे हैं। उसके कपड़ों पर हिन्दोस्तान के 'लेबल' लगे हैं। उसने फटे-पुराने कपड़े पहने हुए हैं, और हाथ में एक ताँबे की अंगूठी पहने है। उसके पास थैले में बनारस से आने वाला १० जून का इस्तेमाल किया हुआ टिकट है। उसका शरीर गाड़ी की पटरी के पास खेत में मिला। उसकी पीठ में बहुत बुरा घाव था। उन्होंने फौरन डाक्टर को बुलाया। डाक्टर ने आते ही उसे मृत घोषित किया। उसका शव अस्पताल में शव-परीक्षा के लिए ले जाया गया।

१. वह हिन्दोस्तान का रहने वाला लगता है।
२. लगता है अपने जीवन-काल में किसी समय उसका रहन-सहन का स्तर अच्छा था।
३. लगता है इस समय उसकी आर्थिक स्थिति अच्छी नहीं है।
३. ऐसा नहीं लगता कि कोई डाकू उसके पीछे थे।
४. ऐसा लगता है कि उसकी किसी से दुश्मनी थी।

Glossary

बेहोश	(adj.) unconscious
विचार	(m.) idea
सीधा, सीधे, सीधी	(adj.) straight
गलमुच्छे	(m.) sideburns
कद	(m.) height
सीना	(m.) chest
अंडाकार	(adj.) oval
ठोढ़ी	(f.) chin
कटा, कटे, कटी	(adj.) cut
कटी ठोढ़ी	(f.) cleft chin

सुगठित	(adj.) well built
खुरदरा, खुरदरे, खुरदरी	(adj.) rough
लेबल	(Eng) label
फटा-पुराना	(adj.) torn and old
तांबा	(m.) copper
इस्तेमाल किया हुआ	(PPC; adj.) used
टिकट	(Eng) railway track
गाड़ी की पटरी	(f.) railway track
घाव	(m.) wound
शव	(m.) dead body

★ ★ ★

R-24

Letters -1
Application (प्रार्थना पत्र)

Sherry writes to the Head of Hindi Department for a four week leave of absence on account of her illness.

सेवा में,
    श्रीमान् विभागाध्यक्ष महोदय,
    हिन्दी विभाग,
    काशी हिन्दू विश्वविद्यालय
    वाराणसी – २२१००५

मान्यवर,

    निवेदन है कि मैं गत शनिवार से बीमार हूँ। चिकित्सक के अनुसार मुझे मियादी बुख़ार है और मुझे चार सप्ताह पूर्ण विश्राम करना चाहिए। आप से विनम्र प्रार्थना है कि मुझे शनिवार दिनांक १५.९.९६ से चार सप्ताह का अवकाश देकर कृतार्थ करें। चिकित्सक का प्रमाण-पत्र प्रार्थना-पत्र के साथ संलग्न है।

    सधन्यवाद,

आप की आज्ञाकारिणी शिष्या
शैरी
विद्यार्थी, हिन्दी डिप्लोमा
प्रथम वर्ष

दिनांक : १८.९.१९९६

Glossary

सेवा में	to
श्रीमान्	honorific expression for men
विभाग	(m.) department
मान्यवर	(m.; adj.) honorable; respected
चिकित्सक	(m.) doctor
मियादी बुख़ार	(m.) typhoid
पूर्ण	(adj.) complete

354

आराम	(m.) rest
विनम्र	(adj.) humble
प्रार्थना	(f.) request
अवकाश	(m.) leave of absence
कृतार्थ करना	(v.t.) to oblige
प्रमाण-पत्र	(m.) certificate
संलग्न	(PP) attached
आज्ञाकारिणी	(adj.) obedient

Application for leave, or business letters

Beginning (प्रशस्ति) :	सेवा में, श्रीमान्, मान्यवर			
Greetings (अभिवादन) :	नमस्कार (in business letters only)			
	सविनय निवेदन है कि (in applications)			
End (समाप्ति) :	आप का आज्ञाकारी (m.)	भवदीय (m.)	प्रार्थी (m.)	
	आप की आज्ञाकारिणी (f.)	भवदीया (f.)	प्रार्थिनी (f.)	

355

Letters - २
(भारत से पुत्री का पत्र—पिता के नाम)

दिल्ली
दिनांक १२.९.१९९६

पूज्य पिता जी,

सादर प्रणाम !

मैं आशा करती हूँ आप व घर के और सब लोग सकुशल होंगे। हमारा हवाई जहाज़ ठीक समय पर भारत पहुँच गया था, परन्तु ख़राब मौसम के कारण दिल्ली हवाई अड्डे पर नहीं उतर सका। लगभग एक-डेढ़ घन्टे तक आकाश में चक्कर काटता रहा। दिल्ली हवाई अड्डे पर बहुत धुंध थी। कुछ दिखाई नहीं पड़ रहा था। इस कारण हमें वापस बम्बई ले जाया गया। वहाँ हमें २४ घण्टे होटल में रखा गया। दूसरे दिन मौसम अच्छा था। हम लोग विमान से दिल्ली लाए गए। आप के मित्र श्री कपूर मुझे हवाई अड्डे पर मिले और अपने साथ अपने घर ले गए। अभी मैं उनके घर पर हूँ। उनके परिवार के लोग बहुत अच्छे हैं।

कल रात को मैंने भारतीय भोजन किया। दाल, चावल, रोटी, सब्जी व खीर खाई। भोजन बहुत स्वादिष्ट था। मैं अवश्य भारतीय भोजन बनाना सीखूँगी।

कल मैं बनारस जाऊँगी। वहाँ पहुँचते ही मैं विश्वविद्यालय जाऊँगी और प्रवेश नियमों के बारे में पूछ-ताछ करूँगी। आप अपनी सेहत का ध्यान रखें। घर में सबको यथायोग्य मेरा प्रणाम व स्नेह कहें।

आपके पत्र की प्रतीक्षा में,

आपकी आज्ञाकारिणी पुत्री
शैरी

Glossary

चक्कर काटना	(v.i.) to circle around
विमान	(m.) aeroplane
दाल	(f.) lentil
चावल	(m.) rice
रोटी	(f.) Indian puffed bread

सब्ज़ी	(f.) vegetable
खीर	(f.) sweet dish made from milk and rice
स्वादिष्ट	(adj.) delicious
प्रवेश	(m.) entrance/admission
पूछ-ताछ	(f.) enquiry
सेहत	(f.) health
यथायोग्य	(adj.) suitably
प्रणाम	(m.) regards
स्नेह	(m.) love
प्रतीक्षा	(f.) waiting
आज्ञाकारिणी	(adj.) obedient

Personal letters to people older than you

Beginning : परमपूज्य, पूजनीय, श्रद्धेय, आदरणीय

Greetings : चरण वन्दना, सादर प्रणाम, चरण स्पर्श

End : आप का आज्ञाकारी, विनीत, कृपाकांक्षी

Personal letters to friends

Beginning : मित्रवर, प्रिय मित्र, बन्धुवर

Greetings : नमस्ते, स्नेहाभिवादन, नमस्कार

End : तुम्हारा, तुम्हारा परम मित्र, शुभेच्छु

357

Letters - ३

(भारत से बड़ी बहन का पत्र - छोटी बहन के नाम)

बनारस
दिनांक : ३० अगस्त १९९६

प्रिय क्रिस्टा,

आशा है तुम लोग वहाँ अच्छी प्रकार होगे। तुम्हारा पत्र कुछ दिन पहले मिल गया था। मुझे उत्तर देने में देर हो गई, उसके लिए मैं क्षमा चाहती हूँ।

यहाँ इस समय वर्षा ऋतु है। काफ़ी गर्मी और उमस है। मैं ऐसे मौसम की आदी नहीं हूँ। यहाँ प्राय: बिजली नहीं रहती। इसी कारण कुछ कठिनाई हो रही है। मेरे मित्र कहते हैं कि अगले वर्ष तक मुझे गर्मी और उमस में, बिना बिजली के रहने की आदत पड़ जाएगी। भारत में छः ऋतुएँ होती है - वसन्त ऋतु, ग्रीष्म ऋतु, वर्षा ऋतु, शरद ऋतु, शिशिर ऋतु और हेमन्त ऋतु।

भारत विशाल देश है। यहाँ विभिन्न प्रान्तों के लोग अलग-अलग वेश-भूषा पहनते हैं, और अलग-अलग प्रकार से भोजन बनाते और खाते हैं। कुछ लोग मांसाहारी हैं, परन्तु अधिकांश लोग शाकाहारी हैं। यहाँ आने से पहले मुझे लगता था कि भारतीय भोजन में पौष्टिक तत्त्वों की कमी होती होगी। परन्तु यहाँ आकर मेरा विचार बदल गया है। भारतीय शाकाहारी भोजन भी पर्याप्त पौष्टिक है। ये लोग दूध, दही, दालों का सेवन प्रचुर मात्रा में करते हैं।

कल शाम को मैं अपनी एक सखी के यहाँ चाय पर आमंत्रित थी। यह परिवार शाकाहारी है। मेरी सखी की माता जी ने अपने हाथ से सब व्यंजन बनाए थे। सभी बहुत स्वादिष्ट थे और मेरे पूछने पर उन्होंने मुझ पकौड़े और सूजी का हलवा बनाने की विधि बताई। मैं अलग पन्ने पर लिख कर तुम्हें भेज रहीं हूँ। अवश्य बनाने का प्रयास करना और लिखना तुम्हें खाने में यह चीज़े कैसी लगीं।।

१५ अगस्त को भारत का स्वतंत्रता दिवस था। आज के दिन १९४७ में भारत स्वतंत्र हुआ था। इससे पहले यहाँ अंग्रेज़ों का राज्य था।

गांधी जी ने जिस प्रकार सत्याग्रह और अहिंसा के द्वारा देश को विदेशी राज्य से स्वतंत्र करवाया, यह न केवल रोचक वरन् अपने में बेमिसाल दृष्टांत है। हो सके तो कोई अच्छी पुस्तक लेकर पढ़ना।

२५ तारीख को रक्षाबन्धन था। यह हिन्दुओं का प्रमुख त्योहार है। इस त्योहार पर

बहनें अपने भाईयों की कलाई पर राखी बाँधती हैं, उन्हें मिठाई खिलाती हैं, उनकी दीर्घायु की मंगल कामना करती हैं। भाई हर परिस्थिति में आजीवन अपनी बहनों की रक्षा करने का वचन देते हैं। मुझे यह त्योहार बहुत पसन्द आया।

समय-समय पर मैं अपने भारत के अनुभवों के बारे में तुम्हें लिखती रहूँगी।

तुम्हारे पत्र की प्रतीक्षा में,
स्नेहमयी तुम्हारी दीदी
शैरी

Glossary

क्षमा	(f.) forgiveness
उमस	(f.) humidity
ऋतु	(f.) season
वसन्त ऋतु	(f.) spring
ग्रीष्म ऋतु	(f.) summer
वर्षा ऋतु	(f.) rainy season
शरद	(f.) autumn / fall
शिशिर	(f.) winter
हेमन्त	(f.) end of winter
रक्षाबन्धन	(m.) A Hindu festival when sisters tie a thread or band round their brother's wrist, and brothers promise to guard them forever.
प्रमुख	(adj.) chief; main
त्योहार	(m.) festival
कलाई	(f.) wrist
दीर्घायु	(f.) long life
मंगलकामना	(f.) good wishes
परिस्थिति	(f.) situation
आजीवन	(adj.) lifelong
वचन	(m.) promise
विशाल	(adj.) vast
विभिन्न	(adj.) various
प्रान्त	(m.) state
वेशभूषा	(f.) costume

मांसाहारी	(adj.) non-vegetarian
शाकाहारी	(adj.) vegetarian
पौष्टिक	(adj.) nutritious
तत्त्व	(m.) element(s)
सेवन	(m.) use
प्रचुर	(adj.) abundant
मात्रा	(f.) quantity
आमंत्रित	(PP) invited
व्यंजन	(m.) delicious
विधि	(f.) method
पन्ना	(m.) page
प्रयास	(m.) effort
स्वतंत्रता दिवस	(m.) independence day
स्वतंत्र	(adj.) independent
अंग्रेज़ों का राज्य	(m.) British rule
सत्याग्रह	(m.) insistence on truth
अहिंसा	(f.) nonviolence
बेमिसाल	(adj.) unique
दृष्टान्त	(m.) example

★ ★ ★

Personal letters to people younger than yourself

Beginning : स्नेही, प्रियवर, आयुष्मान, चिरंजीव

Greetings : सुखी रहो, शुभाशीर्वाद, चिरंजीव रहो

End : शुभ चिन्तक, तुम्हारा शुभेच्छु

360

पकौड़े

सामग्री :

250 ग्राम बेसन
1/2 चम्मच लालमिर्च
1/2 चम्मच नमक
1 चम्मच पिसा हुआ गर्म मसाला
1 चम्मच पिसा हुआ धनिया
1/2 चम्मच अजवायन
1· चम्मच पिसा हुआ अमचूर
300 मि० लि० पानी
500 ग्राम तेल (तलने के लिए)

इन सबका घोल बनाएँ। न बहुत पतला, न बहुत गाढ़ा

पसन्द के अनुसार बैंगन, फूलगोभी, प्याज़ आलू आदि कोई भी सब्ज़ियाँ लें। उन्हें छीलिए, धोइए, छोटे टुकड़ों में काटिए।

विधि :
कटी हई सब्ज़ियों को बेसन के घोल में डुबोइए। गर्म तेल में तलिए। आग मध्यम होनी चाहिए। न बहुत तेज़ न बहुत धीमी। सुनहरी होने पर कड़ाही में से निकाल लें। चटनी के साथ खाएँ और खिलाएँ।

★ ★ ★

सूजी का हलवा

सामग्री :
100 ग्राम सूजी
150-200 ग्राम चीनी, स्वाद के अनुसार
300 मि0लि0 पानी
75 ग्राम घी/रिफाइंड ऑयल
4-5 छोटी इलायची
50 ग्राम किशमिश, बादाम आदि
(खाने का) संतरा रंग – विकल्प से

विधि :
चीनी और पानी की चाश्नी बनाएँ। एक या दो बूँद खाने का रंग मिलाएँ। छोटी इलायची छीलें, पीसें और चाश्नी में मिलाएँ। सूजी को कड़ाही में घी में हलका सुनहरी होने तक भूनें। चाश्नी मिलाएँ। जल्दी जल्दी हिलाएँ। जब कुछ ठोस होने लगे और बर्तन के किनारे छोड़ने लगे, तो किशमिश, बादाम, काजू मिलाएँ। आँच से हटा लें। हलवा तैयार है।

Glossary

(खाने का) संतरा रंग	(m.) (edible) orange colour
विकल्प से	(adv.) optional
चाश्नी	(f.) sugar, syrup

Common Fats Used in India

घी	(m.) clarified butter
मक्खन	(m.) butter
मलाई	(f.) cream of milk
सरसों का तेल	(m.) mustard oil
नारियल का तेल	(m.) coconut oil
तिल का तेल	(m.) sesame seed oil

अनाज व दालों के नाम (Names of grains and lentils)

गेहूँ	(m.) wheat
चावल	(m.) rice
बाजरा	(m.) millets
जौ	(m.) barley
मक्का	(f.) maize
आटा	(m.) whole wheat flour
बेसन	(m.) black gram flour
मैदा	(m.) white flour
सूजी	(f.) semolina
दाल मूँग	(f.) split green lentil
दाल मसूर	(f.) lentil
दाल चना	(f.) split black grams
दाल अरहर	(f.) a kind of pulse
दाल उर्द/उरद	(f.) slipt black beans
साबूत मूँग	(m.) whole green lentil
साबूत मसूर	(m.) whole lentil
राजमा	(m.) kidney bean
काबुली चना	(m.) chick peas
काले चने	(m.) Bengal grams

Common spices used in Indian cooking

नमक	(m.) salt
हल्दी	(f.) turmeric
लालमिर्च	(f.) red pepper
सफ़ेद जीरा	(m.) white cumin seed
काला जीरा	(m.) cumin seed
दारचीनी	(f.) cinnamon
लौंग	(m.) cloves
अजवायन	(f.) carrom seeds

363

सौंफ	(f.) aniseed, fennel
जायफल	(m.) nutmeg
जावित्री	(f.) mace
राई	(f.) mustard
हींग	(f.) asofoetida
कलौंजी	(f.) onion seeds
अमचूर	(m.) mango powder
धनिया	(m.) coriander
तेजपत्ता	(m.) bay leaf
मेथी दाना	(m.) fenugreek seed
अनारदाना	(m.) pomegranate seed
खसखस	(f.) poppyseed
तिल	(m.) sesame seed
केसर	(m.) saffron
इमली	(f.) tamarind
सिरका	(m.) vinegar
लहसुन	(m.) garlic
अदरक	(m.) ginger
पुदीना	(m.) mint

Vocabulary : Cooking

फेंटना	(v.t..) to beat
उबालना	(v.t.) to boil
भाप में पकाना	(v.t.) to steam
हल्की आँच पर पकाना	(v.t.) to simmer
काटना	(m.) to cut
खुरचना	(v.t.) to scrape
ढकना	(v.t.) to cover
कुचलना	(v.t.) to crush
पीसना	(v.t.) to grind
पिघलाना	(v.t.) to melt

364

भूनना	(v.t.) to roast
तलना	(v.t.) to fry
छीलना	(v.t.) to peel / to skin
मसाला मिलाना	(v.t.) to season
भोजन को सजाना	(v.t.) to garnish
परोसना	(v.t.) to serve food
गूँथना	(v.t.) to knead
बेलना	(v.t.) to roll
खुले पानी में धोना	(v.t.) to rinse
छानना	(v.t.) to strain
भिगोना	(v.t.) to soak
रेतना/घिसना	(v.t.) to grate

EE-1 आपका नाम क्या है ?

क्रिस्टा	:	नमस्ते। आपका नाम क्या है ?
शैरी	:	मेरा नाम शैरी है।
क्रिस्टा	:	आप कहाँ की रहने वाली हैं ?
शैरी	:	जी ? मैं समझी नहीं।
क्रिस्टा	:	आप कहाँ से हैं ?
शैरी	:	मैं अमरीका से हूँ।
क्रिस्टा	:	अच्छा। तो आप अमरीका की रहने वाली हैं। आप कहाँ रहती हैं?
शैरी	:	जी आजकल मैं भारत में बनारस शहर में रहती हूँ।
क्रिस्टा	:	आप यहाँ क्या करती हैं ?
शैरी	:	मैं यहाँ हिन्दी पढ़ती हूँ।
शैरी	:	(कोबीनाता से) - नमस्ते। मैं शैरी हूँ। मैं अमरीका की रहने वाली हूँ। आजकल मैं यहाँ हिन्दी सीख रही हूँ।
कोबीनाता	:	नमस्ते। मेरा नाम कोबीनाता है।
शैरी	:	आप कहाँ के रहने वाले हैं ?
कोबीनाता	:	मैं जापान का रहने वाला हूँ।
शैरी	:	और आप यहाँ भारत में क्या करते हैं ? क्या आप भी हिन्दी सीखते हैं ?
कोबीनाता	:	जी, मैं यहाँ काम करता हूँ, और हिन्दी भी सीखता हूँ।
शैरी	:	सच ! आप से मिलकर बहुत खुशी हुई।
कोबीनाता	:	मुझे भी। फिर मिलेंगे। नमस्ते।

Glossary

की रहने वाली / का रहने वाला   resident of
के रहने वाले   residents of

☞ का, के, की in this expression agrees with the N and G of the resident.

☞ जी is used as introductory expression in formal conversation.

366

तुम कैसी हो ?

नीतू : हैलो सीतू, कैसी हो ?

सीतू : हैलो। अच्छी हूँ। तुम कैसी हो ?

नीतू : मैं भी अच्छी हूँ।

सीतू : तुम्हारे पति कैसे हैं ?

नीतू : वे भी अच्छे हैं।

सीतू : और बच्चे ?

नीतू : वे भी अच्छी तरह हैं। और तुम्हारे यहाँ सब कैसे हैं ?

सीतू : मेरे यहाँ भी सब ठीक हैं।
धन्यवाद।

आओ, बैठो

रानी : आओ आओ, कमला, बैठो।
कहो कैसी हो ?

कमला : ठीक हूँ। आप कैसी हैं ?

रानी : मैं भी ठीक हूँ। तुम आजकल क्या करती हो ?

कमला : कुछ ख़ास नहीं। दिनभर घर पर रहती हूँ। शाम को अंग्रेज़ी सीखती हूँ।
और आप ?

रानी : मैं संगीत सीखती हूँ।
क्षमा करना, मैं कुछ जल्दी में हूँ। फिर मिलूँगी।
अपनी माता जी को मेरा प्रणाम कहना।

कमला : जी अच्छा। नमस्ते।

Glossary :

ख़ास	(adj.) special
दिनभर	(adv.) all day
क्षमा करना	(exp.) excuse me
जल्दी में होना	to be in hurry
प्रणाम	(m.) a greeting

रिक्शेवाले से

दो विद्यार्थी	:	रिक्शे वाले ! बी०एच०यू० चलोगे ?
रिक्शावाला	:	क्यों नहीं साहिब । ज़रूर चलूँगा ।
विद्यार्थी	:	कितने पैसे लोगे ?
रिक्शावाला	:	तीन रुपये ।
विद्यार्थी	:	ठीक है, चलो ।

(बी० एच० यू० पहुँच कर)

विद्यार्थी	:	सीधे चलो । उस चौमुहानी से दायीं ओर मुड़ना ।

(कुछ दूर जाकर)

बस, यहाँ रोको । यह लो तीन रुपये । धन्यवाद !

Glossary :

चौमुहानी	(f.) crossing
चौराहा	(m.) crossing

मुझे प्रधानाचार्य से मिलना है ।

अ	:	नमस्ते ! कहिए मैं आप की क्या सेवा कर सकता हूँ ?
ब	:	जी मुझे प्रधानाचार्य से मिलना है ।
अ	:	यह तो उनका मिलने का समय नहीं है ।
ब	:	जी, मैं जानता हूँ । परन्तु उनसे टेलीफ़ोन पर मेरी बात हो चुकी है । उन्होंने मुझे इसी समय बुलाया है ।
अ	:	ऊपर की मंज़िल पर तीन नम्बर कमरा उनका है । आप ऊपर जा सकते हैं ।
ब	:	धन्यवाद ।

Glossary :

प्रधानाचार्य	(m.) principal of a school
मंजिल	(f.) storey

368

मेहमान नवाज़ी

श्रीमती सिंह	:	आइए, बैठिए।
श्रीमती भल्ला	:	धन्यवाद। मैं इधर से गुज़र रही थी; सोचा, आप से मिलती हुई चलूँ।
श्रीमती सिंह	:	बहुत अच्छा किया आपने।
		मैं भी आप को याद कर रही थी और आप के यहाँ आने की सोच ही रही थी।
		पहले बताइए, क्या पिएँगी ठण्डा या गर्म ?
श्रीमती भल्ला	:	तकल्लुफ़ मत कीजिए।
		मैं अभी अभी पी कर ही आ रही हूँ।
श्रीमती सिंह	:	इस में तकल्लुफ़ क्या है ?
		(एक पत्रिका देते हुए) बस, आप ज़रा देर यह पत्रिका पढ़िए; मैं चाय लेकर आती हूँ।
		(बाहर जाती हैं)

Glossary

मेहमान नवाज़ी	(f.) hospitality
गुज़रना	(v.i.) to pass by
तक़ल्लुफ	(m.) formality
पत्रिका	(f.) magazine
देते हुए	(IPC; adv.) giving

★ ★ ★

मैं रास्ता भूल गया हूँ

अ : माफ़ कीजिए, लगता है मैं रास्ता भूल गया हूँ। क्या स्टेशन जाने का यही रास्ता है ?

ब : जी नहीं, यह रास्ता तो स्टेशन को नहीं जाता। आप दाएँ मुड़िए, सीधे जाइए, पहले चौराहे पर बाएँ मुड़िए। सीधे चलते जाइए। करीब पाँच मिनट चलने के बाद स्टेशन है।

अ : धन्यवाद। नमस्ते।

Glossary

माफ कीजिए	**(exp.) excuse**
लगता है	**it seems**
रास्ता	**(m.) way**
भूलना	**(v.i.) to forget**
दाएँ	**(adv.) to the right**
मुड़ना	**(v.i.) to turn**
चौराहा	**(m.) crossing**
सीधे	**(adv.) straight ahead**
बाएँ	**(adv.) to the left**

★ ★ ★

यात्री – बनारस में

अ : क्षमा कीजिए, मैं बनारस में यात्रा करने आया हूँ। मैं यहाँ के रास्ते ठीक से नहीं
जानता। यह कौन-सी जगह है ?

ब : इस जगह को 'अस्सी' कहते हैं।

अ : मैं सारनाथ जाना चाहता हूँ। यहाँ से सारनाथ कितनी दूर है ?

ब : क़रीब बीस किलोमीटर।

अ : वहाँ जाने के लिए सबसे अच्छा साधन क्या है ?

ब : आप वहाँ, सड़क के उस पार सामने वाले बस अड्डे पर चले जाइए।
वहाँ से सारनाथ जाने वाली बस ले लीजिए। वहाँ जाने का यही सबसे सस्ता और
आरामदेह साधन है।

अ : वहाँ पहुँचने में कितना समय लगता है ?

ब : क़रीब आधा घण्टा।

अ : धन्यवाद। एक और बात। मैंने सुना है बनारस रेशम का घर है।

ब : आप ने ठीक ही सुना है; यहाँ का रेशम लाजवाब होता है।

अ : मैं अपनी पत्नी के लिए साड़ी खरीदना चाहता हूँ। कृपया कोई अच्छा स्थान बताइए।

ब : तब तो आप चौक पर उतर जाइये। वहाँ बहुत सी दुकानें हैं। आप अवश्य अपनी
मनपसन्द की साड़ी खरीद पायेंगे।

अ : वहाँ कौन सी बसें जाती है ?

ब : यहाँ से जाने वाली सभी बसें वहाँ होकर जाती हैं। आप कंडक्टर को बता दीजिए कि
वह आपको चौक पर उतार दे।

अ : धन्यवाद, वैसे जिस स्थान पर मैं इस समय हूँ, यहाँ आस-पास कोई मन्दिर है ?

ब : जी हाँ, दुर्गाकुण्ड, संकटमोचन, तुलसी मानस मंदिर, बनारस के महत्वपूर्ण मंदिरों में से
हैं। सभी यहाँ से दस-पन्द्रह मिनट के रास्ते पर स्थित हैं। आप पैदल ही जा सकते
हैं।
यहाँ से लगभग दो किलोमीटर की दूरी पर बनारस हिन्दू विश्वविद्यालय भी दर्शनीय स्थल
है। मदनमोहन मालवीय जी ने सन् १९१६ में इसकी स्थापना की थी। यहाँ लगभग
पन्द्रह हज़ार विद्यार्थियों का शिक्षण-प्रशिक्षण होता है। वहाँ 'भारत कला भवन' और
विश्वनाथ मन्दिर भी देखने लायक हैं। वहाँ आप रिक्शे से जा सकते हैं।

वहाँ बी०एच०यू० के मुख्य द्वार पर भी आपको सारनाथ जाने के लिए बस उपलब्ध होगी। आप कंडक्टर से पूछकर ही बैंठें। हो सकता है बस सीधी सारनाथ न जाती हो। तब आपको कैन्ट पर बस बदलनी होगी।

अ : मदद के लिए धन्यवाद । मैं आपका बहुत आभारी हूँ। नमस्ते।

ब : नमस्ते। आपकी यात्रा मंगलमय हो।

Glossary

यात्री	(m.) traveller
अस्सी	(PN) (1) name of a river in Varanasi (2) name of a locality in Varanasi
सारनाथ	(PN) a small township near Varanasi where Lord Buddha preached his first sermon
बस	(f. Eng.) bus
साधन	(m.) mode
आरामदेह	(adj.) comfortable
लाजवाब	(adj.) matchless
मनपसन्द	(adj.) to one's taste and liking
कंडक्टर	(Eng.) conductor
चौक	(PN; m.) a locality in Varanasi
दुर्गाकुण्ड	(PN; m.) the temple of goddess Durga
संकटमोचन	(PN; m.) the temple of Hanuman
तुलसी मानस मंदिर	(PN; m.) the temple of Lord Ram
महत्त्वपूर्ण	(adj.) important
दर्शनीय स्थल	(m.) sightseeing places
स्थापना करना	(v.t.) to found
शिक्षण-प्रशिक्षण	(m.) teaching and training
देखने लायक	(adj.) worth seeing
विश्वनाथ मंदिर	(PN, m.) the temple of Lord Shiva

★★★

बैंक में – १

विदेशी	:	क्या मैं यहाँ 'डॉलर' बदल सकता हूँ ?
बैंक अधिकारी	:	आप कितने 'डॉलर' बदलना चाहते हैं ?
विदेशी	:	जी, २० डॉलर।
बैंक अधिकारी	:	आप किस मुद्रा में बदलना चाहते हैं ?
विदेशी	:	जी भारतीय मुद्रा में।
बैंक अधिकारी	:	लाइए। एक 'डॉलर' की विनिमय दर है ३५ रुपए। २० गुणा ३५ हुए ७०० रु०। यह लीजिए ७०० रु० और यह है आप की रसीद।
विदेशी	:	एक और प्रश्न। क्या मैं यहाँ 'ट्रैवलर चैक' भुना सकता हूँ ?
बैंक अधिकारी	:	अवश्य। बग़ल वाली खिड़की पर। खिड़की नम्बर तीन पर। आप हिन्दी बहुत अच्छी बोलते हैं।
विदेशी	:	धन्यवाद ! मैं अपने देश में हिन्दी का विद्यार्थी हूँ। नमस्ते।
बैंक अधिकारी	:	नमस्ते।

Glossary

डॉलर	(m.) dollar (currency of America)
मुद्रा	(f.) currency
बदलना	(v.t.) change
रसीद	(f.) receipt
ट्रैवलर्स चैक	(m.) traveller's cheque
भुनाना	here : to encash
बग़लवाली	(adj.) next, adjacent
विनिमय दर	(f.) rate of exchange
गुणा	times

★ ★ ★

बैंक में – २

ग्राहक	:	मैं एक खाता खोलना चाहता हूँ।
बैंक अधिकारी	:	आप बचत खाता खोलना चाहते हैं या चालू खाता ?
ग्राहक	:	जी मुझे पता नहीं कौन सा ज़्यादा अच्छा है ?
बैंक अधिकारी	:	यदि आप पैसा बचाना चाहते हैं, तो निश्चित ही बचत खाता अधिक ठीक है। इसमें ज़्यादा ब्याज मिलता है।
ग्राहक	:	मैं भारत के बैंकों के विषय में कुछ नहीं जानता। क्या आप मुझे कुछ जानकारी दे सकेंगे ? मैं आपका बहुत आभारी हूँगा।
बैंक अधिकारी	:	अरे, इसमें आभारी होने की क्या बात है। यह तो मेरा कर्तव्य है। इसी काम के लिए तो मुझे वेतन मिलता है। बचत खाते के अतिरिक्त हमारे यहाँ चालू खाता, आवर्ती जमा, सावधि जमा आदि खोले जा सकते हैं। निश्चित अवधि के लिए आवर्ती जमा खाते में प्रतिमाह कुछ राशि जमा कराई जाती है। अवधि के अंत में एकत्रित राशि ब्याज सहित उपभोक्ता को प्राप्त हो जाती है। छोटी बचत का यह अच्छा साधन है। यदि आप के पास कुछ ऐसी राशि है जिसकी आप को तुरंत आवश्यकता नहीं है, तो आप इसे बैंक में एक निश्चित अवधि के लिए रख सकते हैं। इस पर ब्याज की दर ज़्यादा है।
ग्राहक	:	इस सब जानकारी देने के लिए धन्यवाद। मैं इस पर सोचकर आप से फिर मिलूँगा। नमस्ते।
बैंक अधिकारी	:	नमस्ते।

Glossary

बचत खाता	(m.) saving account
चालू खाता	(m.) current account
आवर्ती जमा	(m.) recurring deposit
सावधि जमा	(m.) fixed deposit
अल्पावधि जमा	(m.) short-term deposit
पुनर्निवेश	(m.) deposit reinvestment
संचयी जमा	(m.) cumulative deposit

374

ब्याज	(m.) interest
ब्याज की दर	(f.) interest rate
अवधि	(f.) time / period
उपभोक्ता	(m.) consumer
जानकारी	(f.) information
प्रतिमाह	(adv.) every month
राशि	(f.) amount
एकत्रित	(PP) here : saved and put together

बैंक में – खिड़की नम्बर तीन पर – ३

विदेशी : क्षमा कीजिए। क्या मैं यहाँ 'ट्रैवलर' चैक भुनवा सकता हूँ ?

प्रबन्धक : जी हाँ। आप के पास कोई परिचय-पत्र है ?

विदेशी : इस समय मेरे पास मेरा पासपोर्ट है। इससे काम चलेगा ?

प्रबन्धक : चलेगा। आप यहाँ दस्तख़त कीजिए। सामने पाँच नम्बर खिड़की पर इंतज़ार कीजिए।
वहीं आप को पैसे मिलेंगे।

विदेशी : धन्यवाद।

Glossary

भुनवाना	(v.t.) to encash (a cheque)
परिचय-पत्र	(m.) introduction letter / identity card
'X' से काम चलना	(exp.) for 'X' to suffice
इससे काम चलेगा	(exp.) Will it do ?
चलेगा !	(exp.) This will do.
दस्तख़त	(m.) signature

375

EE-7

डाक्टर और मरीज़ में बातचीत

मरीज़	:	नमस्ते डाक्टर साहब। मुझे बुख़ार है।
डाक्टर	:	क्या सिर में दर्द भी है ?
मरीज़	:	जी हाँ, सिर में बहुत दर्द है।
डाक्टर	:	पेट में दर्द ?
मरीज़	:	जी नहीं।
डाक्टर	:	पीठ में या पसलियों में दर्द ?
मरीज़	:	जी, कुछ कुछ।
डाक्टर	:	गला ख़राब ?
मरीज़	:	जी, निगलने में तकलीफ़ होती है।
डाक्टर	:	भूख कैसी है ?
मरीज़	:	जी, बिल्कुल नहीं। और होंठ भी सूख रहे हैं। बार-बार प्यास लगती है।
डाक्टर	:	जी मिचलाता है ?
मरीज़	:	थोड़ा-थोड़ा।
डाक्टर	:	यह पर्चा बग़ल वाली दवाई की दुकान पर ले जाइए। दवाई ख़ाने का समय और तरीका दुकानदार आपको बता देगा। खूब पानी पीजिए। हल्का भोजन खाइए और दो - तीन दिन बिस्तर में आराम कीजिए। जल्दी ही अच्छे हो जाएँगे। दवाई ख़त्म होने पर फिर मिल लीजिएगा।
मरीज	:	जी अच्छा। धन्यवाद। नमस्ते।

Glossary

बुख़ार	(m.) fever
दर्द	(m.) pain
सिर	(m.) head
पेट	(m.) stomach
पीठ	(f.) back
पसली	(f.) rib
कुछ कुछ	(adj.) a little

गला ख़राब होना	(v.i.) sore throat to be
निगलना	(v.t.) to swallow
तकलीफ़	(f.) difficulty
भूख	(f.) appetite
बिल्कुल नहीं	not at all
होंठ	(m.) lips
सूखना	(v.i.) to feel dry
जी मिचलाना	(v.i.) to feel queery (nausea)
थोड़ा थोड़ा	(adv.) a little
पर्चा	(m.) a piece of paper/prescription
बग़लवाली	(adj.) adjacent
तरीका	(m.) method
ख़ूब	(adj.) a lot
हल्का	(adj.) light
भोजन	(m.) food
आराम	(m.) rest
जल्दी	(adv.) soon
अच्छा होना/हो जाना	(v.i.) to get well
मुझसे मिल लीजिएगा	(exp.) Please meet me (future imperative)

Vocabulary : Body parts

सिर (head); माथा (forehead); कनपटी (temple); आँख (eye); कान (ear); दाँत (teeth); जीभ (tongue); गला (throat); छाती (chest); पसलियाँ (ribs); नाखून (nails); पैर (feet); उंगली (finger); अंगूठा (thumb); बाँह (arm); हाथ (hand); घुटना (knee); टखना (ankle); टाँग (leg); पेट (stomach); जिगर (liver); तिल्ली (spleen); फेफड़े (lung); दिल (heart); हड्डी/अस्थि (bone); उपस्थि (cartilage); गुर्दा (kidney); आँतड़ियाँ (intestines); धमनियाँ (arteries); नसें (nerves); मांसपेशियाँ (muscles); दिमाग (brain); भोजन की नली (oesophagus); श्वास की नली (trachea)

दवाई की दुकान पर

दुकानदार : नमस्ते। कहिए ?

ग्राहक : नमस्ते। कृपया इस पर्चे पर लिखी हुई दवाइयाँ दे दीजिए। और साथ ही यह भी बताइए, उन्हें कब और कैसे खाना है।

दुकानदार : दवाई बनाने में लगभग पैंतालीस मिनट लगेंगे। आप यहाँ बैठकर इंतजार करेंगे, या लौटकर आएँगे ?

ग्राहक : यदि इतना समय लगेगा तो मैं दूसरी ख़रीदारी कर के आऊँगा; पैसे अभी दे दूँ या लौट कर।

दुकानदार : आप ख़रीदारी करके आइए। लौटकर पैसे दीजिए।

ग्राहक : धन्यवाद।

(कुछ समय बाद)

ग्राहक : मेरी दवाईयाँ तैयार हैं ?

दुकानदार : जी, यह लीजिए। यह वाली गोली सुबह-शाम खाने के बाद खाइए। यह 'कैपस्यूल' हर छः घंटे पर लीजिए। ध्यान रखिए। दवाई खाली पेट न खाएँ। यह मरहम जब बहुत ज़्यादा सिर दर्द हो, माथे पर हल्के हाथ से लगाइएगा।

ग्राहक : धन्यवाद। कृपया बताइए कितने पैसे हुए ?

दुकानदार : बाइस रुपये पचास पैसे।

ग्राहक : आप के पास पचास रुपये का फुटकर होगा ? मेरे पास छुट्टे पैसे नहीं हैं।

दुकानदार : जी हाँ, होगा।

(ग्राहक पचास रुपये का नोट देता है।)

दुकानदार : यह लीजिए सत्ताइस रुपये पचास पैसे, और आप की दवाइयाँ। धन्यवाद। नमस्ते।

Glossary

गोली	(f.) pill
छुट्टे पैसे	(m.) small change

कैप्स्यूल	(Eng.) capsule
मरहम	(f.) ointment
हल्के हाथ से	(adv.) lightly, gently
फुटकर	(m.) small change

दवाखाने में

ग्राहक : कृपया यह दवाई बना दीजिए।

दुकानदार : अवश्य। ज़रा बैठिए।

ग्राहक : कितना समय लगेगा ?

दुकानदार : क़रीब एक घण्टा।

ग्राहक : तब तक मैं पास वाली दुकानों से और सामान ख़रीदता हूँ। क्या आप पैसे पहले लेंगे ?

दुकानदार : जी नहीं। इसकी आवश्यकता नहीं। पैसे बाद में दीजिए।

ग्राहक : धन्यवाद।

Glossary

अवश्य	(adv.) certainly
ज़रा	(ind.) just
पास वाला	(adj.) the next door
पहले	(adv.) in advance
आवश्यकता	(f.) need

★ ★ ★

EE-8

डाकख़ाने में - १

ग्राहक : कृपया दस पैसे वाले पाँच टिकट, पचास पैसे वाले बीस टिकट, दस विदेशी हवाई पत्र, और पंद्रह अन्तर्देशीय दीजिए।

कर्मचारी : जी, यह लीजिए।

ग्राहक : कितने पैसे हुए ?

कर्मचारी : जी, दस गुना पाँच हुए पचास पैसे, पचास गुना बीस हुए दस रुपये, दस गुना साढ़े छः हुए पैंसठ रुपये, पंद्रह गुना पचहत्तर पैसे हुए ग्यारह रुपये पच्चीस पैसे - कुल मिलाकर हुए छयासी रुपये पचहत्तर पैसे।

ग्राहक : एक और बात, क्या मैं डाकख़ाने में बचत खाता भी खोल सकता हूँ ?

कर्मचारी : जी हाँ, आप यहाँ बचत खाता खोल सकते हैं। हमारी और भी बचत योजनाएँ हैं। इनमें आप अपना पैसा निर्धारित अवधि के लिए लगा सकते हैं। आपको ज़्यादा ब्याज मिलेगा।

ग्राहक : सूचना के लिए धन्यवाद। नमस्ते !

कर्मचारी : नमस्ते।

Glossary

हवाई पत्र	(m.) aerograms
अन्तर्देशीय	(m.) inland letters
बचत-खाता	(m.) savings account
बचत-योजना	(m.) savings schemes
निर्धारित अवधि	(f.) fixed period
ब्याज़	(m.) interest (on money)
सूचना	(f.) information)

डाकखाने में - २

अ : क्या यह पैकेट मैं यहाँ दे सकता हूँ ?

ब : आप इसे कहाँ भेजना चाहते हैं ?

अ : जी, बैंकोक, थाइलैंड में है।

ब : आप इसे हवाई डाक से भेजना चाहते हैं या समुद्री डाक से ?

अ : हवाई डाक खर्च क्या होगा ?

ब : क़रीब १२० रुपये।

अ : यह तो बहुत ज़्यादा है। समुद्री डाक ख़र्च क्या होगा ?

ब : केवल ३५ रुपये।

अ : और यह बैंकाक कितने समय में पहुँचेगा ?

ब : हवाई डाक से एक सप्ताह में पहुँचेगा, समुद्री डाक से छः से आठ सप्ताह तक लग सकते हैं।

अ : क्षमा कीजिए, इस 'पैकेट' में केवल दो छोटी पुस्तकें हैं। क्या मुद्रित (प्रिंटेड) सामग्री के लिए कोई विशेष दर होती है ?

ब : जी हाँ, पुस्तकें व अन्य छपी हुई सामग्री कम क़ीमत पर भेजी जाती हैं। परन्तु उसके साथ कोई पत्र नहीं होना चाहिए। पत्र अलग से भेजना होगा।

अ : जी, सूचना के लिए धन्यवाद। इसमें तो एक पत्र भी है। ख़ैर कोई बात नहीं। मैं पत्र अलग लिफ़ाफ़े में बन्द करके, पार्सल फिर से बाँधकर, कल फिर आऊँगा।

ब : धन्यवाद की आवश्यकता नहीं। यह तो मेरा कर्तव्य है। एक और बात। आपको सीमा-शुल्क घोषणा-पत्र भरना होगा।

अ : यह घोषणा पत्र कहाँ से मिलेगा ?

ब : जब आप पार्सल लेकर आएँगे तो आपको यह घोषणा पत्र यहीं से लेकर, यहीं भरकर देना होगा।

अ : यह पत्र मैं हवाई डाक से लंदन भेजना चाहता हूँ। कृपया डाक ख़र्च बताइए।

ब : ग्यारह रुपये ।

अ : यह लंदन कब पहुँचेगा ?

ब : क़रीब आठ दिन में।

अ : क्या मैं पत्र का पंजीकरण कराऊँ ? क्या पंजीकृत पत्र शीघ्र पहुँचते हैं ?

ब : जी नहीं, पंजीकृत पत्र केवल खोने व नष्ट हो जाने के प्रति सुरक्षित होते हैं। डाकघर उन्हें लेते समय रजिस्टर में चढ़ाते हैं। और ग्राहकों को एक रसीद देते हैं। हमारे यहाँ तुरन्त वितरण सेवा की सुविधा है। इससे पत्र तुरंत वितरित होता है।

Glossary

डाकख़ाना	(m.) post office
पैकेट	(Eng.) packet
भेजना	(v.t.) to send
हवाई डाक	(f.) airmail
समुद्री डाक	(f.) sea mail
डाकख़र्च	(m.) postage
क़रीब	(adv.) about, approximately
बहुत ज़्यादा	(adj.) too much
कितना	(adj.) how much
समय	(m.) time
सप्ताह	(m.) week
लग सकते हैं	(adv.) can take (so much time)
क्षमा कीजिए !	(excl) excuse me
केवल	(adv.) only
प्रिंटेड	(Eng.; adj.) printed
प्रिंटेड सामग्री	(f.) printed matter
विशेष	(adj.) special
दर	(f.) rate
छपी हुई	(PPC) printed
सामग्री	(f.) things
कम	(adj.) less
क़ीमत	(f.) price, cost
भेजी जाती है	(pres. pass.) is sent
रखा हुआ	(PPC) kept
अलग से	(adv.) separately
सूचना	(f.) information

बाँधकर	(कर - conj.) having packed
बन्द करना	(v.i.) to close, to seal etc.
बन्द करके	(कर - conj.) having closed
आवश्यकता	(f.) need
कर्तव्य	(m.) duty
सीमाशुल्क	(m.) customs
घोषणा पत्र	(m.) declaration form
भरना	(v.t.) to fill out (a form here)
पार्सल	(Eng. m.) parcel
भरकर	(कर -conj.) having filled out
देना	(v.t.) to give
यहीं	(adv.) only here
पंजीकरण	(m.) registration
पंजीकरण करना	(v.t.) to register
पंजीकृत पत्र	(m.) registered letter
खोना	(v.t.) to lose
खो जाना	(Comp. v.i..) to get lost
नष्ट हो जाना	(v.i.) to get damaged
के प्रति	(pp$_n$) against
सुरक्षित	(adj.) protected
रजिस्टर	(Eng. m.) register
रसीद	(f.) receipt
चढ़ाना	(v.t.) here to enter (in the register)
ग्राहक	(m.) customer
तुरंत	(adv.) immediately
वितरण सेवा	(f.) delivery service
वितरित होना	(v.t.) to be delivered
तुरन्त वितरण सेवा	(f.) express delivery

383

EE-9

सब्ज़ी की दुकान पर

ग्राहक : सुनिए, भाई साहब। आप के पास आलू हैं ?

सब्ज़ीवाला : जी हाँ। मेरे पास सब किस्म के आलू हैं। पहाड़ी आलू, लाल आलू, नया आलू, पुराना आलू। आपको कौन-सा वाला आलू चाहिए ?

ग्राहक : पहाड़ी आलू का क्या भाव है ?

सब्ज़ीवाला : ढाई रुपये प्रति किलो।

ग्राहक : बहुत महँगा है। कुछ कम कीजिए।

सब्ज़ीवाला : क्षमा कीजिए। मेरी दुकान पर एक दाम है। मैंने आप से वाजिब पैसे माँगे हैं। आप दूसरी दुकान पर पूछ लीजिए।

ग्राहक : ठीक है आधा किलो पहाड़ी आलू, एक किलो मटर, ढाई सौ ग्राम टमाटर, पचास ग्राम अदरक दीजिए। कुछ हरा धनिया और हरी मिर्च भी दीजिए। और हाँ, एक किलो प्याज़ भी दीजिए।

सब्ज़ीवाला : (सामान थैले में भरते हुए) और कुछ साहब ?

ग्राहक : बस और कुछ नहीं। कुल कितने पैसे हुए ?

सब्ज़ीवाला : आलू-सवा रुपया, मटर-पाँच रुपये, टमाटर-डेढ़ रुपये, अदरक-पचास पैसे, हरा धनिया, हरी मिर्च-पचीस पैसे, प्याज़-तीन रुपये; कुल मिलाकर हुए साढ़े ग्यारह रुपये।

ग्राहक : यह लीजिए पैसे। (सामान लेते हुए) धन्यवाद।

Glossary

किस्म	(f.) kind
पहाड़ी	(adj.) from the hills
भाव, दाम	(m.) price
वाजिब	(adj.) reasonable
थैला	(m.) bag
सवा रुपया	Rs. 1.25
डेढ़ रुपया	Rs. 1.50
पचीस पैसे	Rs. 0.25
पचास पैसे	Rs. 0.50

कुछ सब्ज़ियों के नाम
Name of some common vegetables in India

आलू	(m.) potato
मटर	(m.) peas
टमाटर	(m.) tomato
अदरक	(f.) ginger
हरा धनिया	(m.) green coriander
पहाड़ी मिर्च	(f.) capsicum
फूलगोभी	(f.) cauliflower
बन्दगोभी	(f.) cabbage
गाँठगोभी	(f.) knol khol
लौकी	(f.) bottle gourd, pumpkin
अरवी	(f.) a kind of taro
कचालू	(m.) a kind of taro
मूली	(f.) radish
गाजर	(f.) carrot
शकरकन्दी	(f.) sweet potato
चुकन्दर	(m.) beetroot
भिंडी	(f.) okra; lady's finger
करेला	(m.) bitter gourd
कमल ककड़ी	(f.) lotus root
कटहल	(m.) jackfruit
ककड़ी	(f.) cucumber
खीरा	(m.) cucumber
बैंगन	(m.) aubergine; brinjal
पालक का साग	(m.) spinach
चौराई का साग	(m.) a leafy vegetable
कच्चा आम	(m.) raw mango
करौंधा	(m.) a kind of sour berries used chiefly to make pickles and jams
पुदीना/पोदीना	(m.) mint leaves

385

EE-10

फल की दुकान पर

विदेशी	:	फलवाले जी, मुझे दो किलो केले दीजिए।
फलवाला	:	साहब जी, यहाँ केले दर्ज़न के हिसाब से बिकते हैं, तौल से नहीं।
विदेशी	:	माफ़ कीजिए। मैं हाल ही में आप के देश में आया हूँ। हमारे देश में तो केले भी तौल से बिकते हैं। खैर, एक दर्जन केले कितने के हैं ?
फलवाला	:	जी, इधर यह वाले आठ रुपये दर्जन और उधर वाले दस रुपये दर्जन।
विदेशी	:	वह दस रुपये दर्जन वाले एक दर्जन दे दीजिए।
फलवाला	:	और कुछ ?
विदेशी	:	एक किलो सन्तरे और एक किलो सेब भी दे दीजिए। लेकिन पहले बताइए कि सेब और सन्तरों का क्या दाम है ?
फलवाला	:	जी, सेब बीस रुपये प्रति किलो, और सन्तरे बारह रुपये प्रति किलो।
विदेशी	:	सेब खट्टे तो नहीं हैं न ? मुझे खट्टे वाले सेब पसन्द नहीं।
फलवाला	:	नहीं साहब। यह कश्मीरी सेब हैं, एकदम मीठे।
विदेशी	:	ठीक है। दे दीजिए। कृपया बताइए कुल कितने पैसे हुए। मैं ज़रा जल्दी में हूँ।
फलवाला	:	केले - दस रुपये, सेब - बीस रुपये, सन्तरे - बारह रुपये, कुल मिलाकर हुए ब्यालीस रुपये।
विदेशी	:	यह पचास रुपये का नोट है। आप मुझे आठ रुपये लौटा दीजिए।
फलवाला	:	(फल और आठ रुपये देते हुए) ये लीजिए साहब आप का सामान और शेष पैसे। धन्यवाद। फिर आइएगा।

Glossary

दर्ज़न	one dozen
दर्जन के हिसाब से	by the dozen
तौल से	by weight
हाल में	recently

कुछ फलों के नाम (Name of some fruits)

नींबू	(m.) lemon
माल्टा	(m.) a kind of orange
सन्तरा	(m.) a kind of orange
मौसमी	(f.) a kind of orange
केला	(m.) banana
सेब	(m.) apple
नाशपाती	(f.) pear
चीकू	(m.) sapodilia
शरीफ़ा	(m.) custard apple
पपीता	(m.) papaya
अनार	(m.) pomegranate
आम	(m.) mango
खरबूज़ा	(m.) musk melon
तरबूज़	(m.) water melon
खुमानी	(f.) apricot
आड़ू	(m.) peach
अंगूर	(m.) grapes
अनानास	(m.) pineapple
अमरूद	(m.) guava

★ ★ ★

शादी का निमन्त्रण

निर्मला : ६०९७८

एलिसन : जी – आपको किससे बात करनी है ?

निर्मला : हैलो एलिसन, मैं निर्मला बोल रही हूँ।

एलिसन : ओ हैलो। कैसी हो ? कैसे याद किया ?

निर्मला : आज मेरी ममेरी बहन की शादी है। सोचा तुमसे पूछ लूँ। चलना चाहोगी ?
भारतीय शादी देखने का अच्छा अवसर है।

एलिसन : जरूर। नेकी और पूछ-पूछ। ऐसा अवसर फिर न जाने कब मिले। कब जाना है ?

निर्मला : बस, जल्दी से तैयार होकर आ जाओ। कुछ देर बातचीत करेंगे। फिर शादी में चलेंगे।

एलिसन : ठीक है। मैं पन्द्रह मिनट में पहुँच रही हूँ।

(१५ मिनट बाद घण्टी बजती है।

निर्मला : कौन है ?

एलिसन : मैं, एलिसन। अन्दर आ सकती हूँ ?

निर्मला : आओ। आओ। तुम्हारा इन्तज़ार कर रही हूँ।

एलिसन : निर्मला, भारतीय शादी में जाने से पहले मैं कुछ जानना चाहती हूँ। आप लोगों में शादी कैसे होती है, मेरा मतलब है, क्या भारत में भी हमारे देश की तरह लड़कियाँ और लड़के स्वयं फैसला करते हैं कि वे शादी कब करेंगे और किससे करेंगे ?

निर्मला : हमारे देश में प्राय: यह काम माता-पिता करते हैं। वे बच्चों की शादी करना अपना दायित्व समझते हैं। लड़के लड़की की योग्यता, परिवारों का सामाजिक व आर्थिक मेल, और सबसे महत्वपूर्ण लड़के और लड़की की कुण्डली का आपस में मेल, यह सब बातें शादी करते समय देखी जाती हैं।

एलिसन : भई, यह कुण्डली का मेल क्या होता है ?

निर्मला : 'हारोस्कोप' जानती हो न। हमारे देश में शादी के समय लड़के और लड़की के 'हारोस्कोप' मिलाए जाते हैं। यदि जन्म-कुण्डली न मिले, तो

शेष सब मिलने पर भी प्राय: शादी नहीं की जाती।

एलिसन : मेरी समझ में यह सब नहीं आता, परन्तु है बहुत रोचक। और हाँ, एक और प्रश्न। क्या तुम्हारे यहाँ लड़के-लड़कियाँ अपने आप एक दूसरे को पसन्द नहीं कर सकते ?

निर्मला : क्यों नहीं। आजकल तो शहरों में लड़के-लड़कियाँ साथ पढ़ते हैं और पढ़ते-पढ़ते प्रेम हो जाता है।

एलिसन : तो क्या वह शादी कर लेते हैं ?

निर्मला : हाँ। अक्सर माता-पिता पारम्परिक विधि से शादी कर देते हैं। परन्तु यदि माता-पिता राज़ी न हो, तो समस्या होती है।

एलिसन : ऐसी स्थिति में जवान लोग क्या करते हैं ?

निर्मला : यदि माता-पिता किसी भी तरह राज़ी न हों, तो वे कचहरी में जाकर पंजीकृत विवाह कर लेते हैं। अक्सर कुछ समय बाद माता-पिता की नाराज़गी दूर हो जाती है और आपसी संबंध फिर से स्नेहपूर्ण हो जाते हैं।

एलिसन : यह सामने वाले मकान में क्या है ? बत्तियाँ जगमगा रही हैं। इतने लोग सुन्दर कपड़े पहने घूम रहे हैं, ज़ोर-ज़ोर से गाने हो रहे हैं।

निर्मला : यही है शादी का घर। हमें इसी में जाना है। भारत में शादी में ऐसा ही होता है। चलो, जल्दी अन्दर चलें। तुम्हारे शेष प्रश्नों का उत्तर वापस लौटते समय।

एलिसन : यह ठीक है, चलो।

Glossary

ममेरी बहन	(f.) cousin sister (daughter of mother's brother)
शादी	(f.) marriage
अवसर	(m.) chance, opportunity
दायित्व	(m.) responsibility
योग्यता	(f.) ability
सामाजिक	(adj.) social
आर्थिक	(adj.) economic
मेल	(m.) compatibility, match
पारम्परिक	(adj.) traditional

विधि	(f.) manner
स्थिति	(f.) situation
राज़ी होना	(v.i.) to agree to
कचहरी	(f.) court
नाराज़गी	(f.) displeasure
स्नेहपूर्ण	(adj.) affectionate
बत्तियाँ	(f.; pl.) lights
जगमगाना	(v.i.) to glitter

★ ★ ★

बनारस रेलवे स्टेशन पर – १

रेल कर्मचारी : नमस्कार। मैं आप की क्या सेवा कर सकता हूँ ?

यात्री : मुझे यहाँ से दिल्ली जाने वाली गाड़ियों के बारे में कुछ सूचना चाहिए। मुझे दिन में चलने वाली गाड़ियाँ बहुत पसन्द हैं।

रेल कर्मचारी : एक क्षण साहिब। एक तो 'काशी विश्वनाथ एक्सप्रेस' है। यह गाड़ी दोपहर एक बजकर पचास मिनट पर बनारस से छूटती है और दूसरे दिन सुबह सात बजने में बीस मिनट पर दिल्ली पहुँचती है। एक और गाड़ी 'श्रमजीवी एक्सप्रेस' है। यह द्रुतगामिनी है। पटना से चलती है और बनारस से होकर दिल्ली जाती है। यह गाड़ी बनारस से ३.३० बजे छूटती है और दिल्ली अगले दिन साढ़े पाँच बजे पहुँचती है।

Glossary

सेवा	(f.) service
सूचना	(f.) information
द्रुतगामिनी	(adj.) super fast
(गाड़ी) छूटना	(v.i.) (train) department

स्टेशन पर – २

(राम तथा रमेश वाराणसी स्टेशन पर मिलते हैं।)

राम : अरे भाई रमेश, कहाँ जा रहे हो ? गाँव से कब आये ?

रमेश : गाँव से मैं आज ही आया हूँ। मुझे देहली जाना है। क्या तुम बता सकोगे कि देहली के लिए सबसे अच्छी गाड़ी कौन-सी होगी ? मुझे तो स्टेशन का कुछ भी ज्ञान नहीं है। गाँव से पहली ही बार शहर में आया हूँ न।

राम : कोई बात नहीं। तुम जानना चाहते हो तो सभी कुछ ज्ञात हो जायेगा। मैं तुमको स्टेशन के बारे में भी सब बता दूँगा।

यहाँ पूछ-ताछ का दफ़्तर होता है। उससे सब जानकारी मिल जाती है। फिर भी कुछ प्रथम जानकारी मैं तुम्हें देता हूँ। एक समय-तालिका लगी रहती है। इस पर यह भी लिखा होता है कि किस प्लेटफ़ार्म से कौन-सी गाड़ी कितने बजे जायेगी। आकस्मिक गाड़ी पहुँचने या छूटने के समय में बदलाव 'लाऊडस्पीकर'

पर बताते रहते हैं।

यात्रा के सम्बन्ध में कुछ आवश्यक जानकारी इस प्रकार है :

1. एक ओर की यात्रा का टिकट
2. वापसी का टिकट भी साथ ही बनवाना
3. प्रथम श्रेणी का टिकट
4. वातानुकूलित प्रथम श्रेणी का टिकट
5. वातानुकूलित शयन-पट्टिका
6. थ्री टियर में शयन कार का आरक्षित टिकट
7. साधारण टिकट
   प्रथम श्रेणी के लिए दूरी का बंधन होता है २०० कि०मी० से कम दूरी का टिकट नहीं बनता है।
8. लम्बी यात्रा देश भ्रमण के लिए टिकट भी बनते हैं।

रमेश : यह तो तुमने बहुत अच्छी जानकारी दी है। अब यह बताओ कि टिकट कहाँ से मिलेगा।

राम : टिकट जिस श्रेणी का लेना होगा उसी की खिड़की पर जाना होगा। बहुत सी खिड़कियाँ पास-पास बनी रहती हैं। प्रत्येक खिड़की पर लिखा होता है कि वहाँ कहाँ का टिकट मिलता है।

रमेश : चलो तो फिर देहली का टिकट ले लेते हैं।

राम : चलो तुम देहली वाली खिड़की से टिकट लो। यदि तुम्हें रात्रि में सोने के लिए जगह चाहिए तो आरक्षण वाली खिड़की पर जाना होगा। मुझे प्लेटफार्म टिकट लेना होगा। तुमको गाड़ी में बैठा कर लौटने पर यदि मेरे पास प्लेटफार्म टिकट न हुआ तो मुझे दंडित किया जा सकता है। (दोनों जाते हैं।)

रमेश : (आरक्षण वाली खिड़की) क्षमा कीजिए, मुझे देहली के लिए एक टिकट चाहिए।

बाबू : आप किस गाड़ी से जाना चाहते हैं - गंगा-जमुना, काशी-विश्वनाथ या किसी और गाड़ी से ?

रमेश : इस समय १२ बजे हैं मुझे जल्दी से जल्दी जिस भी गाड़ी में जगह मिल सके उसी का टिकट दे दीजिए।

बाबू : गंगा-जमुना में तो स्थान नहीं है। आप काशी-विश्वनाथ का टिकट ले लीजिये।

रमेश : कृपया दे दीजिये। वह कितने बजे जायेगी और किस प्लेटफार्म से जायेगी ?

बाबू : वह एक बजकर ५५ मिनट पर ५ नम्बर प्लेटफार्म से जोयगी।

रमेश : वह प्लेटफार्म पर आती कब है ?

बाबू : वह १.३० (डेढ़) बजे तक प्लेटफार्म पर आ जाती है।
(राम भी पास आ जाता है - दोनों जाने लगते हैं। रमेश के पास सामान अधिक देखकर राम बताता है।)

राम : रमेश तुम्हें अपना सामान तुलवाकर देख लेना चाहिए। ३५ किलो तक तो सामान तुम अपने टिकट के साथ ले जा सकते हो। उससे अधिक का अतिरिक्त किराया देना पड़ता है। पहले तुलवा लेना ठीक रहता है। रास्ते में पता लगने से पूरे सामान का किराया देना पड़ता है और दंड भी। एक बात और ट्रेन में अपने यात्री साथियों से पूछ कर खिड़की खोलना या बंद करना ठीक रहता है।

रमेश : भाई राम तुमने तो मुझे बहुत ही अच्छी जानकारी दे दी है। अब इतना और बता दो कि देहली पहुँचंकर जल्दी से कैसे कैसे घर पहुँचा जायेगा ?

राम : स्टेशन से बाहर निकल कर टैक्सी, स्कूटर, रिक्शा आदि सभी वाहन खड़े रहते हैं। बसें भी चलती हैं। टैक्सी सबसे शीघ्र पहुँचा देगी। उसका किराया मीटर से आता है। इसी प्रकार स्कूटर भी उतनी ही जल्दी पहुँचा देगा। टैक्सी महँगा वाहन है। स्कूटर महँगा वाहन है परन्तु टैक्सी से कम महँगा है। चलो अब गाड़ी में बैठा दूँ।

रमेश : चलो।

Glossary

पूछताछ	(f..) enquiry
समय-तालिका	(f.) time table
आकस्मिक	(adv.) suddenly; unexpected
बदलाव	(m.) change
वातानुकूलित	(PP) airconditioned
शयन-पट्टिका	(f.) sleeper
शयन-कार	(f.) sleeper-coach
आरक्षित	(PP) reserved
देश-भ्रमण	(m.) tour of the country
श्रेणी	(f.) class
आरक्षण	(m.) reservation
तुलवाना	(C-2) to have weighed
अतिरिक्त	(adj.) extra
किराया	(m.) fare

★ ★ ★

EE-13

मौसम के बारे में

अध्यापक	:	आजकल दिल्ली में मौसम कैसा है ?
विद्यार्थी	:	आजकल दिल्ली में बहुत गर्मी और उमस है।
अध्यापक	:	पिछले महीने (में) मद्रास में मौसम कैसा था ?
विद्यार्थी	:	पिछले महीने मद्रास में भी बहुत गर्मी और उमस थी। मद्रास में तो सारा साल गर्मी और उमस रहती है। अधिकतम तापमान ५० डिग्री सेलसियस (Celsius) तक गया और न्यूनतम तापमान कभी भी ३२ डिग्री सेलसियस से नीचे नहीं गया।
अध्यापक	:	सुनील, तुम्हारे शहर में दिसम्बर में कैसा मौसम होता है ?
विद्यार्थी	:	दिसम्बर में हमारे यहाँ बहुत अच्छा मौसम होता है। न अधिक गर्मी न अधिक सर्दी। अधिकतम तापमान ३० डिग्री सेलसियस तक जाता है और न्यूनतम तापमान १५ डिग्री से २० डिग्री सेलसियस के अन्दर रहता है। घूमने फिरने की दृष्टि से यह मौसम सर्वोत्तम है।
अध्यापक	:	अक्षय कुमार, तुम बताओ कि मौसम विज्ञान-वेत्ताओं के अनुसार आज भारत में कैसा मौसम होगा ?
अक्षय कुमार	:	मौसम विज्ञान वेत्ताओं के अनुसार आज आसाम, उड़ीसा और बंगाल में भारी वर्षा की संभावना है; सम्पूर्ण उत्तर प्रदेश में बादल छाए रहेंगें; कहीं कहीं गरज, चमक के साथ हल्की बौछार पड़ सकती है।

Glossary

मौसम	(m.) weather
गर्मी	(f.) heat
उमस	(f.) humidity
अधिकतम	(adj.) maximum
तापमान	(m.) temperature
न्यूनतम	(adj.) minimum
शहर	(m.) city
आप के यहाँ	(adv.) at your place
हमारे यहाँ	(adv.) at our place
के अन्दर	(pp_n) here; within

घूमना फिरना	(v.i.) to wander
दृष्टि	(f.) vision
घूमने फिरने की दृष्टि से	from the sightseeing point of view
सर्वोत्तम	(adj.) the best
मौसम विज्ञान वेत्ता	meteorologist
के अनुसार	(pp_n) according to
भारी	(adj.) heavy
वर्षा	(f.) rain
संभावना	(f.) probability
आकाश	(m.) sky
बादल	(m.) clouds
बादल छाना	(v.i.) for the clouds to cover the sky
कहीं कहीं	(adv.) at some places
गरज	(f.) thunder
चमक	(f.) lightning
हल्की बौछार	(f.) light rain
पड़ सकती है	can fall
हल्की बौछार पड़ सकती है	there can be light rain fall

★ ★ ★

APPENDIX - 1

Months - Hindu-calendar

Sanskrit	Hindi	Corresponding English Months	
चैत्र	चैत	March	- April
वैशाख	बैसाख	April	- May
ज्येष्ठ	जेठ	May	- June
आषाढ़	असाढ़	June	- July
श्रावण	सावन	July	- August
भाद्र	भादों	August	- September
आश्विन	क्वार	September - October
कार्तिक	कातिक	October	- November
मार्गशीर्ष	अगहन	November	- December
पौष	पूस	December	- January
माघ	माघ	January	- February
फाल्गुन	फागुन	February	- March

Months - Western - calendar

जनवरी	January	जुलाई	July
फ़रवरी	February	अगस्त	August
मार्च	March	सितम्बर	September
अप्रैल	April	अक्तूबर	October
मई	May	नवम्बर	November
जून	June	दिसम्बर	December

Hindi Dates

1.	प्रतिपदा (S)	परिवा/पड़वा (H)	9.	नवमी	नौमी
2.	द्वितीया (S)	दूज (H)	10.	दशमी	दसमी
3.	तृतीया	तीज	11.	एकादशी	एकादसी
4.	चतुर्थी	चौथ	12.	द्वादशी	दुआदसी
5.	पञ्चमी	पंचमी	13.	त्रयोदशी	तेरस
6.	षष्ठी	छठ	14.	चतुर्दशी	चौदस
7.	सप्तमी	सप्तमी		अमावस्या	अमावस
8.	अष्टमी	अष्टमी		पूर्णिमा	पूणो/पूरनमासी

Writing the year in Hindi

सन् ५६० ई०पू०   (560 B.C.)

सन् ११६० ई०   (1160 A.D.)

Related Vocabulary

संवत्/संवत्सर	era; year
कृष्ण पक्ष	Dark half of the month with waning moon
अमावस्या	New moon (the fifteenth day of the dark half of lunar month)
शुक्ल पक्ष	Bright half of the month with waxing moon
पूर्णिमा	Full moon
पंचांग	Hindu Calendar
पहर	One eighth part of the day

Indian currency

रुपया m.sg.;   रुपये m.pl.;   पैसा m.sg.;   पैसे m.pl.

Mathematical calculations

Plus	(+)	धन	Minus	(-)	ऋण	
Multiplication	(x)	गुणा	Division	(÷)	भाग	
Equal to	(=)	बराबर				

Examples :

1. पाँच **धन** चार बराबर नौ $5 + 4 = 9$
2. सात **ऋण** दो बराबर पाँच $7 - 2 = 5$
3. आठ **गुणा** तीन बराबर चौबीस $8 \times 3 = 24$
4. बारह **भाग** चार बराबर तीन $12 \div 4 = 3$

APPENDIX - 2

Prefixes (उपसर्ग)

12. Given below is a brief list of commonly used prefixes to change or give special meaning to the base words.

Prefix	Meaning	Use
अ / अन	not, without	असंख्य (innumerable); अनपढ़ (illiterate)
अति	exceedingly	अतिरिक्त (in addition to); अत्यन्त (extremely)
अध	below	अध:पतन (decline)
अधि	above	अधिभार (surcharge) अधिकार (authority)
अनु	according to, following	अनुचर (follower) अनुभव (experience)
आ	upto, until	आजीवन (lifelong) आरक्षण (reservation)
कु, का	bad	कुपुत्र (a bad son) कापुरुष (coward)
दुर्	bad, difficult	दुर्बल (weak); दुर्वचन (abuse); दुर्लभ (available with difficulties)
निस्	without	निस्संतान (childless); निस्तेज (without energy)
पुनर्	again	पुनरारंभ (renewal); पुनर्जन्म (rebirth)
पर	other	परदेश (abroad); परलोक (next world)
प्रति	against	प्रतिकूल (adverse); प्रतिकार (revenge)
बहिर्	outside	बहिष्कार (boycott) बहिर्गमन (exit)
भर	full	भरपेट (full stomach); भरसक (with all one's strength)
स	with	सपरिवार (with family) सहर्ष (gladly)
सु	good, easy	सुदिन (good day); सुहृद (good hearted); सुलभ (easily available)
सत्	good	सत्कर्म (good deed); सत्संग (good company)
स्व	one's own	स्वदेश (native land) स्वजन (relative)
ग़ैर	without	ग़ैरज़रूरी (unimportant) ग़ैरहाज़िर (absent)
बद	bad	बदनाम (notorious) बदकिस्मत (unlucky)
ला	without	लापरवाह (careless) लाइलाज (without treatment)
हम	with	हमसफ़र (fellow traveller); हमख़्याल (like-minded)
बे	wihout	बेईमान (dishonest); बेक़ाबू uncontrolled

Compound Words (समास)

समास is compounding two or more words by eliminating postposition or conjunct. Given below is a brief outline of the chief types of compound words.

1 **अव्ययी भाव समास** : These are adverbial compounds formed by using indeclinables such as 'प्रति', 'यथा', 'हर' or the prefix 'आ' etc.

प्रतिदिन (everyday); हर वक्त (all the time); यथा नियम (according to rule); आजीवन (life long)

2 **द्वन्द्व समास** : There are copulative compounds formed by pairing words of complementary or supplementary qualities; the conjuncts 'और', 'तथा', या etc. are eliminated.

माता-पिता (mother and father); दिन रात (day and night) ; भला बुरा (good and bad)

3 **द्विगु समास** : The first element of these numeral compounds is always some number.

पंचभुज (pentagon); चौराहा (a crossing); त्रिलोक (three worlds)

4 **तत्पुरुष समास** : These determinate compounds are formed by eliminating same postposition.

शरणागत	शरण **को** आया हुआ	a refugee
हस्तलिखित	हाथ **से** लिखा हुआ	handwritten
राहख़र्च	रास्ते **के** लिए ख़र्च	travel expenses
पदच्युत	पद **से** च्युत	dismissed
विद्यासागर	विद्या **का** सागर	ocean of learning
जलमग्न	जल **में** मग्न	submerged
पराश्रित	दूसरों **पर** आश्रित	dependent
घुड़सवार	घोड़े **पर** सवार	horse rider

5 **कर्मधारय समास** :

1. विशेषण + विशेष्य (adj. + noun)

   पीताम्बर yellow piece of clothing; · नील कमल blue lotus

2. उपमान + उपमेय (noun + noun) : The second element is compared with the first one and a likeness established.

मृगलोचन	=	मृग जैसे लोचन	eyes like a deer
चन्द्रमुख	=	चन्द्र जैसा मुख	face like the moon

6 **बहुव्रीहि समास** : **This is an adjectival compound, the last element of which is a noun and exemplifies some object different from its literal meaning.**

दशानन	one with ten heads (Ravana)
अष्टभुजा	one with eight arms (goddess Durga)
त्रिनेत्र	one with three eyes (Lord Shiva)

Sandhi (सन्धि)

Sandhi is the joining of two letters. In sandhi the last letter of first word and the first letter of second word are joined. It is of three kinds - Svara Sandhi, Vyanjana Sandi and Visarga Sandhi.

Svar Sandhi (स्वर सन्धि)

1 Dīrgha Sandhi (दीर्घ सन्धि)

☞ अ / आ + अ / आ = आ

अ + अ = आ	परम + अर्थ = परमार्थ
अ + आ = आ	जन + आदेश = जनादेश
आ + अ = आ	आशा + अतीत = आशातीत
आ + आ = आ	महा + आत्मा = महात्मा

☞ इ / ई + इ/ई = ई

इ + इ = ई	अभि + इष्ट = अभीष्ट
इ + ई = ई	गिरि + ईश = गिरीश
ई + इ = ई	नारी + इच्छा = नारीच्छा
ई + ई = ई	मही + ईश = महीश

☞ उ / ऊ + उ / ऊ = ऊ; ऋ + ऋ = ॠ

उ + उ = ऊ	गुरु + उपदेश= गुरूपदेश
उ + ऊ = ऊ	लघु + ऊर्मि = लघूर्मि
ऊ + उ = ऊ	वधू + उत्सव = वधूत्सव

ऊ + ऊ = ऊ — सरयू + ऊर्मि = सरयूर्मि

ऋ + ऋ = ॠ — पितृ + ऋणम् = पितॄणम्

2 Guna Sandhi (गुण सन्धि)

☞ **अ, आ + इ, ई = ए**

अ + इ = ए	ईश्वर + इच्छा	= ईश्वरेच्छा
अ + ई = ए	नर + ईश	= नरेश
आ + इ = ए	यथा + इष्ट	= यथेष्ट
आ + ई = ए	राजा + ईश्वर	= राजेश्वर

☞ **अ / आ + उ + ऊ = ओ**

अ + उ = ओ	सूर्य + उदय = सूर्योदय
अ + ऊ = ओ	समुद्र + ऊर्मि = समुद्रोर्मि
आ + उ = ओ	यथा + उचित = यथोचित
आ + ऊ = ओ	महा + ऊर्मि = महोर्मि

☞ **आ / आ + ऋ = अर्**

अ + ऋ = अर्	देव + ऋषि = देवर्षि
आ + ऋ = अर्	महा + ऋषि = महर्षि

3 Vṛddhi Sandhi (वृद्धि सन्धि)

☞ **अ / आ + ए / ऐ = ऐ**

अ + ए = ऐ	एक + एक = एकैक
अ + ऐ = ऐ	मत + ऐक्य = मतैक्य
आ + ए = ऐ	तथा + एव = तथैव
आ + ऐ = ऐ	महा + ऐश्वर्य = महैश्वर्य

☞ **अ / आ + ओ / औ = औ**

अ + ओ = औ	परम = ओजस्वी	= परमौजस्वी
अ + औ = औ	परम + औषध	= परमौषध
आ + ओ = औ	महा + ओज	= महौज
आ + औ = औ	महा + औषध	= महौषध

4 Yaṇa Sandhi (यण सन्धि)

☞ **इ / ई + any other vowel changes to 'य्'**

इ + अ = य्	अति + अन्त = अत्यन्त
इ + आ = य्	अति + आवश्यक = अत्यावश्यक
इ + उ = य्	अति + उत्तम = अत्युत्तम
ई + आ = य्	देवी + आगम = देव्यागम
इ + ए = य्	प्रति + एक = प्रत्येक

☞ **उ / ऊ + any other vowel changes to 'व्'**

उ + अ = व्	मनु + अन्तर = मन्वन्तर
उ + आ = व्	सु + आगत = स्वागत
उ + ए = व्	अनु + एषण = अन्वेषण
ऊ + आ = व्	वधू + आगमन = वध्वागमन

☞ **ऋ + any the vowel changes to 'र्'**

ऋ + अ = र्	पितृ + आदेश = पित्रादेश
ऋ + आ = र्	मातृ + आज्ञा = मात्राज्ञा
ऋ + उ = र्	मातृ + उपदेश = मात्रोपदेश

5 Ayādi Sandhi (अयादि सन्धि)

☞ **ए + any other vowel change to 'अय्'**

ए + अ = अय् शे + अन = शयन; ने + अन = नयन

☞ **ऐ + any other vowel changes to 'आय्'**

ऐ + अ = आय् नै + अक = नायक; गै + अक = गायक

☞ **ओ + any other vowel changes to 'अव्'**

ओ + अ = अव्;	भो + अन = भवन
ओ + ए = अव्	गो + एषणा = गवेषणा

☞ **औ + any other vowel changes to 'आव्'**

औ + अ = आव्; श्रौ + अन = श्रावण; पौ + अन = पावन

Consonant Sandhi (व्यञ्जन सन्धि)

☞ क्, च्, ट्, त्, प् followed by (1) some vowel, (2) य, र, ल, व or (3) 3rd and 4th letter of any of the five *varga* of Hindi alphabet, change to third letter of their own class.

e.g.

1. दिक् + गज = दिग्गज;
2. वाक् + जाल = वाग्जाल;
3. दिक् + भ्रम = दिग्भ्रम
4. वाक् + ईश = वागीश
5. अच् + अन्त = अजन्त
6. षट् + दर्शन = षड्दर्शन
7. जगत् + अम्बा = जगदम्बा
8. तत् + रूप = तद्रूप;
9. भविष्यत् + वक्ता = भविष्यद्वक्ता
10. सत् + वाणी = सद्वाणी
11. भगवत् + गीता = भगवद्गीता;
12. सत् + धर्म = सद्धर्म
13. जगत् + आनन्द = जगदानन्द
14. अप् + ज = अब्ज

☞ क्, च्, ट्, त्, प् followed by न or म change to the nasal consonant of their own class

जगत् + नाथ = जगन्नाथ
अप् + मय = अम्मय
चित् + मय = चिन्मय
वाक् + मय = वाङ्मय
षट् + मार्ग = षण्मार्ग
उत् + नति = उन्नति

☞ म followed by any letter of the क्, च्, त्, ट्, प् *vargas* changes to 'अनुस्वार', a dot written as superscript or the nasal consonant of the class of the following consonant.

1. सम् + गम = संगम, सङ्गम
2. किम् + चित = किंचित, किञ्चित
3. पम् + चम = पंचम, पञ्चम
4. सम् + कल्प = संकल्प, सङ्कल्प
5. सम् + तोष = संतोष, सन्तोष
6. सम् + पूर्ण = संपूर्ण, सम्पूर्ण
7. किम् + तु = किंतु, किन्तु
8. सम् + बन्ध = संबंध, सम्बन्ध

☞ म followed by य, र, ल, व, स, श, ह changes to अनुस्वार

1. किम् + वा = किंवा
3. सम् + योग = संयोग
2. सम् + हार = संहार
4. सम् + शोधन = संशोधन

☞ त्, द् followed by ज, ल change to ज्, ल् respectively

उत् + लास = उल्लास
सत् + जन = सज्जन

☞ त्, द followed by च, छ change to च्

उत् + चारण = उच्चारण　　　　उत् + छेदन = उच्छेदन

☞ त्, द् followed by ह change to द्ध

उत् + हरण = उद्धरण

☞ त्, द्, followed by श change to च्छ्

सत् + शास्त्र = सच्छास्त्र;　　　　उद् + श्वास = उच्छ्वास

Visarg Sandhi (विसर्ग सन्धि)

☞ ***Visarg* preceded by अ/आ, and followed by 3rd, 4th, 5th letter of the *varga* or य, र, ल, व changes to ओ**

मन: + नीत = मनोनीत

सर: + वर = सरोवर

☞ **Visarg preceded by any vowel except अ, आ and followed by 3rd, 4th, 5th letter of the *varga* or य, र, ल, व changes to र्**

नि: + बल = निर्बल　　　　नि: + अर्थक = निरर्थक

दु: + गन्ध = दुर्गन्ध;　　　　दु: + आशा = दुराशा

☞ **Visarg followed by श = श्, ष = ष्, स = स्**

नि: + शस्त्र = निश्शस्त्र　　　　दु: + साहस = दुस्साहस

☞ **Visarg followed by च, छ = श्, ट, ठ = ष्, त, थ = स्**

नि: + चय = निश्चय ;　　　　नि: + छल = निश्छल

नम: + ते = नमस्ते　　　　नि: + ठा = निष्ठा;

दु: + ट = दुष्ट

☞ **Visarg preceded by इ or उ and followed by क, ख, प, फ changes to ष्**

नि: + कपट = निष्कपट; बहि + कृत = बहिष्कृत

नि: + पाप = निष्पाप; नि: + फल = निष्फल

Glossary of Grammar Terms

ability verbs	शक्यता बोधक / सामर्थ्य बोधक
absolutive participle	पूर्वकालिक कृदन्त
active voice	कर्तृवाच्य
adjective	विशेषण
adverb	क्रिया विशेषण
alphabet	वर्णमाला
apprehension language structure	आशंका बोधक भाषा ढ़ाँचा
aspirate	महाप्राण
cases	कारक
causative verbs	प्रेरणार्थक क्रियाएँ
compound sounds	सन्धि
compound verbs	संयुक्त क्रियाएँ
compound words	समास
compulsion language structure	अनिवार्यता बोधक
conditionals	संकेतार्थक
conjuncts	संमुच्चय बोधक अवयव
conjunct verbs	नाम धातु क्रियाएँ
consonants	व्यञ्जन
continuative compounds	नित्यता बोधक
demonstrative pronoun	निश्चय वाचक सर्वनाम
feminine	स्त्रीलिंग
future continuous tense	सातत्य भविष्यत काल
future perfect tense	पूर्ण भविष्यत काल
future simple tense	सामान्य भविष्यत काल
gender	लिंग
imperative	विधिकाल
inceptive compound	आरम्भ बोधक क्रिया
indefinite pronoun	अनिश्चयवाचक सर्वनाम

infinitive	सामान्य क्रिया
interjection	विस्मयबोधक अव्यय
intransitive verb	अकर्मक क्रिया
interrogative	प्रश्नवाचक
interrogative pronoun	प्रश्नवाचक सर्वनाम
masculine gender	पुल्लिंग
negative	निषेधार्थक
nominal verb	नामधातु
non-aspirate	अल्पप्राण
number	वचन
object	कर्म
onomatopoeic words	अनुकरणात्मक शब्द
particle	अव्यय
passive voice	कर्मवाच्य
past habitual tense	अपूर्ण भूतकाल
past participle	भूतकालिक कृदन्त
past perfect tense	पूर्ण भूतकाल
past perfect continuous	सातत्यता बोधक पूर्ण भूतकाल
past simple tense	सामान्य भूतकाल
past simple continuous tense	सातत्य अपूर्ण भूतकाल
past subjunctive	संभाव्य भूतकाल
permissive compound	अनुमति बोधक क्रियाएँ
personal pronoun	व्यक्तिवाचक सर्वनाम
plural	बहुवचन
positive particle	स्वीकार्थक अव्यय
possessive pronoun	सम्पत्तीवाचक सर्वनाम
predicate	विधेय
prefix	उपसर्ग
present simple tense	सामान्य वर्तमान काल
present simple continuous tense	तात्कालिक अपूर्ण वर्तमान काल
present perfect tense	पूर्ण वर्तमान काल

present perfect continuous tense	सातत्य पूर्ण वर्तमान
present subjunctive	संभाव्य वर्तमान
presumptive language structure	संभावनाबोधक
pronoun	सर्वनाम
reflexive pronoun	निजवाचक सर्वनाम
relative pronoun	संबंधवाचक सर्वनाम
semivowels and liquid consonants	अंत:स्थ
sentence	वाक्य
simultaneous activity	तात्कालिक कृदन्त
subject	कर्त्ता
subjunctive	संभावार्थ
suffix	प्रत्यय
syntax	वाक्य रचना
tense	काल
varga : group of consonants sharing an area of articulation in Devanagri syllabary	वर्ग
verb	क्रिया
verb - chage of state	परिवर्तनद्योतक
verb - intransitive	अकर्मक क्रिया
verb - neutral agreement	भावे प्रयोग
- object agreement	कर्मणि प्रयोग
verb root	धातु
verb - stative	स्थितिद्योतक
verb - subject agreement	कर्तरि-प्रयोग
verb - transitive	सकर्मक क्रिया
vowels	स्वर
- long	दीर्घ स्वर
- short	ह्रस्व स्वर
- conjunct	संयुक्त स्वर

INDEX- ENGLISH

408

TOPIC INDEX - HINDI